Sphinx

Christian Jacq

SPHINX

Roman

ISBN : 978-2-84563-917-1

Je suis convaincu que, dans mille ans, notre monde sera dominé par des machines massivement intelligentes. Cette révolution sera rendue possible par la progression époustouflante des performances électroniques, qui permettront de loger un grand volume de mémoire dans un cerveau artificiel. Je pense même que les machines et les hommes ne feront plus qu'un. Nous serons une symbiose organique parfaite. Nous aurons également des mémoires implantables et nous téléchargerons dans notre cortex des modules de connaissance.

Steven SPIELBERG,
TV8, N° 48, novembre 2015, p. 6.

Deux choses sont infinies : l'univers et la bêtise humaine. Mais pour l'univers, je ne suis pas encore complètement sûr.

Albert EINSTEIN

Prologue

Le monde allait mal, et Bruce aussi. Ce matin-là, impossible d'enfiler ses rangers. Pourtant, vu la journée pourrie qui s'annonçait, il en aurait besoin pour partir à la pêche aux renseignements. Et comme l'avait noté un philosophe attentif, le monde n'est pas seulement petit, il est aussi mauvais.

Mais il n'y en avait pas de rechange, et c'était le terrain de chasse de Bruce, un ex-rugbyman de quarante ans, qui aurait encore pu jouer dans une équipe de haut niveau. Deuxième ligne monstrueux, il avait la taille, le poids et l'envergure pour porter le ballon vers les poteaux adverses en percutant n'importe quelle muraille.

Et Bruce percutait toujours en exerçant son job de journaliste dans un magazine international financé par son copain Mark, fils de milliardaire.

Bruce détestait l'air du temps et le mauvais sens qui avait remplacé le bon. Un mot de travers, une pensée incorrecte, et on finissait empalé. Règle de base : « Ça, il ne faut ni le dire ni en parler. » Et le problème débutait là. Bruce était *le* spécialiste des mots de travers et des pensées incorrectes. Imprévisible, incontrôlable, il fouinait partout avec une redoutable efficacité et n'hésitait pas à fouiller dans les poubelles si nécessaire. Quand il partait sur le sentier de la guerre, un bon nombre de faux-culs tremblaient dans leurs pantalons, car les articles de Bruce avaient déjà provoqué de jolis séismes.

Il traçait son chemin avec la puissance d'un taureau et le flair d'un loup. Depuis une petite année, le journaliste avançait sur une piste étrange, humant un parfum inédit. Pendant qu'on enfumait le bon peuple, qui tirait les fils des marionnettes ?

Son dossier devait être en béton. Sinon, la critique fuserait : théorie du complot. Circulez, y a rien à voir ; silence, on continue à tourner.

Au cinquième essai, Bruce enfila ses rangers. Le puzzle s'assemblait, mais il manquait des pièces majeures. Et une odeur forte se dégageait : celle du danger.

Fallait-il se poser la question : qui dirigeait vraiment notre monde, au risque d'y laisser sa peau ?

1.

— Où est l'or ?

Le couteau du barbu entailla le cou de Khaled, le sang coula.

— Il n'y a pas d'or à Palmyre.

Palmyre… La cité antique de Syrie où Khaled était né et dont il était devenu le gardien. Passionné par les trésors de cette oasis, il avait suivi des études d'archéologie, scruté chaque monument, chaque pierre, avec la volonté de les préserver et de les léguer à la postérité.

À quatre-vingt-deux ans, auteur de nombreuses publications et reconnu comme le sauveur d'un site unique, le vieil homme n'avait rien perdu de sa superbe. Sa vie durant, il avait ignoré la peur ; et ce n'étaient pas les fanatiques de l'État islamique qui le contraindraient à plier l'échine[1].

— Avoue, chien, ou je te coupe la tête !

— Toi, vermine, ne me parle pas sur ce ton !

Cette réaction surprit le barbu. D'ordinaire, on le suppliait ; et il tranchait les cous avec d'autant plus de plaisir. Ce bonhomme aux cheveux blancs, incapable de se défendre, lui faisait peur.

— On sait qu'il y a de l'or, ici, et que tu en fabriques ! Si tu veux survivre, dis-moi où tu le caches et comment tu procèdes.

1. Palmyre a été reprise fin mars 2016 par l'armée syrienne, appuyée par les Russes.

Le regard du prisonnier fut si méprisant que le barbu, fou de rage, faillit transgresser les ordres et le massacrer.

Comprenant qu'il n'aboutirait pas, le bourreau cracha sur sa victime et sortit du temple de Baalshamin où une série d'interrogatoires s'étaient révélés infructueux.

Un moment de répit.

Depuis qu'un commando de l'État islamique l'avait arrêté, Khaled voulait croire à une libération. Célébrité locale et internationale, figure majeure de la tribu Al-Assad, propriétaire de terres et d'immeubles, autorité morale incontestable, Khaled avait refusé de quitter *sa* ville, malgré les mises en garde de sa famille et de ses proches. Pourtant, il ne sous-estimait pas la dangerosité de l'armée islamiste, volontiers appelée Daesh, décidée à instaurer un califat qui comprendrait d'abord la Syrie et l'Irak, avant de s'étendre à la totalité du Proche-Orient.

Fuir, se mettre en sécurité, jouir d'une vieillesse paisible auprès de ses petits-enfants… C'eût été la pire des lâchetés, un renoncement insupportable ! On traitait Khaled d'entêté, mais il donnait toujours la même réponse : « Même s'ils doivent me tuer, je ne partirai pas. »

Sans lui, il en était certain, l'État islamique détruirait sa chère Palmyre qu'il ressuscitait depuis quarante ans.

Palmyre, reine du désert syrien à 230 kilomètres de Damas et 220 de l'Euphrate, un site malheureusement considéré comme stratégique. Qui se serait installé ici, s'il n'y avait eu une source garantissant la prospérité d'une palmeraie ? Au IIIe siècle après Jésus-Christ, une reine, Zénobie, avait osé affirmer son pouvoir contre Rome, la puissance totalitaire de l'époque. Un succès temporaire, une parenthèse de prospérité et de bonheur avant que les légions d'Aurélien, en 272, ne brisent les reins de la révoltée, déportée à Rome pour y être exhibée comme une bête curieuse.

Le pire restait à venir : l'invasion arabe de 634 et le ravage de la cité païenne. Par bonheur, les barbares s'étaient lassés, abandonnant à l'oubli un champ de ruines. Fasciné dès l'enfance par les colonnades et les sanctuaires encore debout, sensible aux variations de lumière chaque saison et chaque jour, Khaled avait résolu de rendre à Palmyre une partie de sa splendeur, déclenchant les foudres des islamistes qui refusaient toute expression culturelle antérieure au Coran. À leurs yeux, l'archéologue était un impie et un criminel.

Après la destruction des statues conservées au musée de Mossoul, du monastère et de la bibliothèque des Dominicains, Khaled avait eu la naïveté de croire que la fameuse « communauté internationale » protégerait Palmyre.

Espoir déçu.

Palmyre, c'était nulle part ; et personne n'avait envie de mourir pour nulle part.

Lorsque les djihadistes avaient attaqué, lançant à l'assaut des martyrs bardés d'explosifs, les forces syriennes fidèles au régime avaient cessé le combat. Impossible de vaincre des fanatiques pour lesquels la mort était une bénédiction.

Khaled avait compté sur sa magie pour convaincre les envahisseurs d'épargner Palmyre. Contrôler la région ne leur suffirait-il pas ?

Nouvelle déception.

Première décision des vainqueurs : abattre la statue du lion d'Athéna veillant sur l'entrée du musée. Le fauve de pierre de quinze tonnes et de trois mètres cinquante de haut n'avait pas résisté à la fureur des fous d'Allah, qui avaient affirmé leur volonté de faire exploser les temples dédiés aux faux dieux.

Khaled était seul et abandonné. Mais tout au long de sa carrière, parsemée d'embûches, il avait compté sur une arme d'une efficacité redoutable : sa faculté de persuasion.

Quand il organisait des séminaires dans l'unique hôtel de Palmyre, sa propriété, il transformait les ennuyeuses réunions de scientifiques guindés en fêtes où les érudits s'éclataient.

Face aux fanatiques de Daesh, il ne désespérait pas, car il connaissait leur point faible : l'appât du gain. La vente d'antiquités à de riches collectionneurs leur rapportait des fortunes. En leur conseillant de choisir quelques belles pièces à haute valeur ajoutée, Khaled sauverait l'essentiel du site et, par la suite, les récupérerait.

Qu'exigeaient-ils de lui, sinon une expertise gratuite et forcée afin d'obtenir des millions de dollars ? L'armée d'Allah avait besoin de finances. Et Palmyre était un coffre-fort dont l'otage détenait la combinaison.

Le soleil se couchait, nimbant d'un or doux les colonnes d'un monde disparu. Le moment que préférait Khaled, au terme d'une rude journée de travail ; d'ordinaire, il faisait le point avec ses collaborateurs et précisait le programme du lendemain.

Le lendemain… Pour lui, existait-il encore ? Y renoncer, c'était subir la loi des ténèbres. Au sein de sa prison, ce temple qu'il avait restauré et que ses tortionnaires voulaient détruire, l'archéologue puisait la force de leur résister. Dans sa patrie, sur son terrain, il ne céderait pas.

2.

Londres, une ville pourrie. Comme toutes les villes. Bruce n'aimait que les Highlands et les vastes étendues désertes, battues par les vents froids et violents, où l'on rencontrait un minimum d'humains avec lesquels on échangeait un minimum de mots. Et si l'on se contentait d'un regard hostile, c'était mille fois mieux.

Des fourmis courant dans tous les sens, des nuées de bagnoles répandant leur boucan et leur pollution, des tours horribles conçues par des cinglés qu'encensaient des critiques formés dans les mêmes asiles d'aliénés, c'était super, les villes modernes.

Môme, Bruce avait bien rigolé à Hyde Park en écoutant les névrosés prédire l'apocalypse, et sur les docks, en jouant à la roulette russe avec des clandestins. Aujourd'hui, il s'amusait moins.

Le point fort, avec les Anglais, c'est qu'ils restaient anglais. Une île, ça n'avait pas que du mauvais ; malgré l'Europe et le tunnel sous la Manche que Bruce aurait volontiers fermé, le British gardait ce brin de dinguerie que détestait le si sérieux couple franco-allemand. Et le dernier gag en date, le Brexit, valait le détour.

Bruce ciblait les véritables centres de pouvoir, les groupes d'influence agissant dans une ombre plus ou moins épaisse. Club de Rome, G20, G7, G occulte à géométrie variable,

Forum économique de Davos, Club Bilderberg réunissant têtes couronnées, chefs d'État, ministres, banquiers, leaders intellectuels, espions de tout poil. Passionnant, le Club Bilderberg, fondé en 1954 par le prince Bernhard des Pays-Bas et David Rockefeller. « Quand vous êtes au Bilderberg, affirmait *The Economist*, vous êtes arrivé. » Pas de site Internet, téléphone sur répondeur permanent, huis clos imposé lors de réunions réservées aux happy few, interdiction de prendre des notes, aucun contact avec les médias, silence absolu des participants, et préparation des mutations politiques, sociales et économiques de la planète.

Et le Club Bilderberg n'était pas le seul du genre. De la Harvard Business School au Council of Foreign Relations en passant par une jolie brochette d'ONG, le monde ne manquait pas de cercles de décideurs.

Bruce les avait passés au crible. Pas avec un regard de midinette effarouchée, mais avec un sabre laser genre *Guerre des étoiles*. En recoupant les participations des astucieux à tel ou tel organisme réellement influent, l'Écossais avait dressé un superbe palmarès.

De quoi composer une belle une ! Bruce voulait davantage, la vérité qui lui servait de dopant. Et parmi tous les clubs scannés, l'un d'eux lui avait tapé dans l'œil : *Sphinx*.

Comme Bilderberg, aucun moyen de le contacter. Juste une citation ici ou là, et un seul représentant officiel : Massoud Mansour, un homme d'affaires afghan. Pourquoi son nom apparaissait-il dans des réunions où le fric était roi, pourquoi fréquentait-il des requins de la finance et de hauts fonctionnaires indéboulonnables ?

Réponse évidente : corruption.

Bruce se méfiait des évidences, celle-là excitait son flair. Et il avait un correspondant qui lui défricherait le terrain.

Ils se rencontrèrent à l'entrée de la cathédrale Saint-Paul où s'engouffraient des hordes de touristes ; chauve, vêtu d'une veste noire à col Mao et d'un pantalon vert d'eau, Baltimore Schumak était un informaticien de première bourre. Mère texane, père slovaque, matheux précoce, bisexuel, il drivait une bonne dizaine de députés, de droite comme de gauche, en leur apprenant à réguler leurs réseaux sociaux.

Baltimore avait un souci. Il était tellement écœuré par son boulot gluant d'assistant parlementaire qu'il avait eu envie de tout cracher sur le Net ; au terme d'un concours de buveurs de bière à dix-sept degrés, Bruce l'avait convaincu de ne pas se flinguer. Son éjaculation médiatique ne lui procurerait que dix secondes de plaisir, puis on l'écraserait. Seule solution : se confesser à un professionnel consciencieux, Bruce par exemple. Discret, séduisant, Baltimore avait le don du contact social. Aussi appartenait-il à une dizaine de clubs huppés, d'accès raréfié. Talon d'Achille : les voitures de luxe, avec une préférence marquée pour Ferrari. Et c'est là que Bruce entrait en piste. Lui, il alignait les livres sterling, et Baltimore causait.

Une balade en voiture rouge, bénie par le pape soi-même, c'était goûteux. Et le séducteur maniait son volant comme Menuhin son violon.

— Sacrée caisse, reconnut Bruce ; ça gaze, pour toi ?

— Faut pas pleurer.

— T'as quand même une petite mine.

— Un lord frelaté vient de me plaquer. T'inquiète pas, j'ai une belle liste d'attente.

La Ferrari se faufila entre un bus et une voiture française qui ne sortirait pas indemne des embouteillages. Conduire à gauche, ce n'était pas donné à n'importe qui.

— T'as le blé, Bruce ?

— Toute peine mérite salaire. Si tu as du bon, tu rempliras tes poches.

Disposant d'une accalmie routière, Baltimore accéléra. Sa belle rouge en avait sous le capot.

— Ton Massoud Mansour, c'est pas de la petite bière. Pas le genre d'Afghan pouilleux, mais plutôt le milliardaire qui contrôle la moitié du pays en jouant les tribus les unes contre les autres. Si les talibans ne sont pas encore les maîtres absolus, c'est à cause de lui ; les dernières écoles de filles, c'est lui ; l'arrivée des médicaments et des stocks alimentaires, c'est toujours lui.

— Un genre de bon bougre, en somme ?

— Sans lui, le pays va sauter. Et il va sauter.

— Parce que Mansour s'est tiré ?

— Tu te souviens des bouddhas géants de Bâmyân ?

— Je les ai vus exploser à la télé, comme tout le monde. Et les intellos nous ont expliqué que ce n'était pas si grave. Les vieilles pierres, tout le monde s'en fout.

— Pas Mansour. Et comme il s'est battu contre les talibans, il a servi d'explosif. Avec sa disparition, c'est la certitude que l'Afghanistan ne sera jamais délivré des barbus. Et pas seulement ce coin-là.

— Sphinx, ça te dit quoi ?

Baltimore faillit perdre le contrôle de sa Ferrari.

— Touche pas à ça, Bruce. Même pour toi, il y a des limites.

— Un club très privé, je suppose ?

— J'ignore.

— J'ai horreur qu'on se paye ma tronche, gamin. J'ai l'air sympa, comme ça, mais faut pas s'y fier. Si je m'énerve, tu vas morfler.

— Déconne pas, Bruce.

— Désolé, c'est ma spécialité.

— Sphinx, tu oublies.

— J'ai une mémoire d'éléphant.

— C'est trop gros à gober !

— J'ai un appétit d'ogre. Crache ce que tu sais.

— Rien… Rien de rien.

— Tu as une bonne vie, mon gars, ton compte en banque gonfle à vue d'œil, et tu es l'une de mes meilleures sources. Tu gâches tout ou tu coopères ?

Baltimore ressentit l'irritation de son passager. Les colères de Bruce, c'était genre Etna en éruption.

— Tu me branches, Baltimore, et tout de suite.
— Pourquoi tu t'acharnes ?
— La curiosité. C'est mon vice.
— Tu devrais pas…
— T'occupe pas de mon confort et donne-moi le contact.

3.

Son sommeil avait été peuplé de souvenirs. Son épouse, ses enfants, les fouilles, la préservation des monuments, l'écriture... Lorsqu'il s'éveilla, il crut un instant que le cauchemar se dissipait et qu'il reprenait ses activités habituelles.

Mais il était enchaîné, otage de l'État islamique.

Devant lui, un homme de taille moyenne. Cheveux blancs, front large et dégagé, petits yeux noirs et mobiles, nez pointu, lèvres minces, menton fuyant. Des lunettes aux verres ronds et à la monture argentée.

Un Occidental, vêtu d'une chemise blanche à manches courtes et d'un pantalon noir de bonne coupe.

— Désolé de vous voir dans cet état. Il ne tient qu'à vous de recouvrer la liberté.

Une voix douce, posée, dépourvue d'agressivité.

— Où est l'or, Khaled ?

— Quel or ?

— Vous ne me facilitez pas la tâche. Si je vous livre à mes amis de l'État islamique, ils vous décapiteront. Pour eux, vous êtes pire qu'un païen. Et personne ne viendra à votre secours. Aussi vaudrait-il mieux vous montrer raisonnable.

— Qui êtes-vous ?

— Celui qui peut vous accorder la vie sauve. Répondez à mes questions, et vous resterez le maître de Palmyre. Les fidèles d'Allah se montrent parfois cléments, quand on ne heurte pas leurs convictions. Je suis certain que votre comportement de bon musulman suscitera leur sympathie.

— Donnez-moi à boire.

— Au cœur de ce désert, l'eau est un privilège qui se mérite. Où est l'or, Khaled, et comment le produisez-vous ?

— Questions absurdes !

— Ne me décevez pas.

— Les seuls trésors de Palmyre, ce sont ses sanctuaires, ses colonnes et ses statues !

Les mains jointes sur sa poitrine, l'homme aux lunettes d'argent fit lentement les cent pas.

— Ce discours me navre, Khaled ; je sais que vous êtes l'un des Neuf.

L'otage se figea.

Quoique préparé au pire, il fut groggy.

Qui l'avait trahi ?

— Vous le constatez, Khaled : j'ai presque toutes les cartes en main. À vous de me remettre la dernière.

— Je ne vous comprends pas.

— Ne soyez pas ridicule ! Un homme de votre trempe ne saurait nier la réalité. L'intelligence ne consiste-t-elle pas à s'adapter ? Votre unique chance de survie, c'est une totale sincérité.

Brisé, le vieil homme tentait de reprendre ses esprits ; capable de résister aux djihadistes, il ne s'attendait pas à cet assaut dévastateur.

— Massoud Mansour… Votre grand ami, n'est-ce pas ? Il n'est pas mort d'une longue maladie, lui qui était aussi l'un des Neuf. Ne plus avoir de ses nouvelles a dû vous perturber, et je peux vous éclairer. Mansour a été arrêté par les talibans qui l'ont équipé d'une ceinture d'explosifs avant de s'attaquer aux bouddhas géants de Bâmyân, en Afghanistan. Pourquoi cette cible ? Parce que les talibans pensaient que les deux statues représentaient un couple royal, un souverain païen et sa femme, vision insupportable ! Mansour a tenté d'alerter notre chère communauté internationale qui, comme d'habitude, est demeurée inerte. Vous avez sûrement assisté à ce grandiose spectacle : l'explosion des deux bouddhas, réduits en poussière en même temps que votre ami, aux premières loges. La mise à feu, ce fut lui.

Khaled pleura.

De longues et lourdes larmes.

Oui, Mansour était son ami. Et beaucoup plus qu'un ami, l'un des Neuf aux liens insécables. Sans nouvelles de lui depuis trop longtemps, Khaled avait mené son enquête. Un résultat faussement réconfortant : mort naturelle de Mansour, qui n'avait pas été remplacé. Ils n'étaient plus que huit, et Khaled attendait avec impatience la réunion plénière au cours de laquelle serait nommé le successeur du disparu.

Aujourd'hui, tout s'éclairait.

On avait décidé de supprimer les Neuf.

Mansour, lui, puis les autres…

Le persécuteur cessa de déambuler. Un léger sourire anima ses lèvres.

— Excellent… Vous avez compris. Nous pouvons donc parler sérieusement.

Le choc passé, l'archéologue rassembla ses esprits. Quel que fût son interlocuteur, peut-être ne connaissait-il qu'une partie de la vérité.

— N'espérez pas m'abuser, Khaled.

Le ton s'était durci. Et le réquisitoire fut mordant.

— En 1623 fut placardé aux murs de Paris un texte surprenant, révélant l'existence d'une confrérie de neuf personnes « faisant séjour visible et invisible sur cette terre ». Pourquoi vous être dévoilés, sinon parce que vous estimiez que notre monde était en péril ? Depuis l'Antiquité, vous avez toujours été neuf, en éveil permanent, afin que l'humanité ne sombre pas dans les ténèbres. À côté de vous, nos lanceurs d'alerte contemporains ne sont que de gentils amateurs ! Précaution majeure : ne pas vous exposer aux persécutions des cupides et des puissants, vous répartir à la surface du globe. Au fil des âges, vous avez été égyptiens, pythagoriciens, hermétistes, bâtisseurs et surtout, alchimistes[1]. Au XVIIe siècle, vous avez été pourchassés, certains d'entre vous ont fini aux galères. Mais votre secret, votre grand secret, a été préservé et transmis. Le monde a changé, et vous n'y avez plus votre place, vous, les Supérieurs inconnus. Ne comptez pas sur vos amis pour vous arracher à la mort ; moi seul peux vous sauver, à condition que vous me révéliez ce secret. Faire de l'or n'est qu'une image, mais ce qu'elle sous-entend m'intéresse au plus haut point. Passez dans mon camp, Khaled, oubliez votre confrérie condamnée, et vous vivrez une vieillesse heureuse.

L'homme que Khaled avait en face de lui était bien informé.

— Vous avez besoin de réfléchir, je le comprends. Je reviendrai demain matin, après la prière. Ou vous parlez, ou vous serez décapité.

---

1. Sur les Neuf, qui ne furent nommés que tardivement « Supérieurs inconnus », voir le *Dictionnaire critique de l'ésotérisme*, sous la direction de Jean Servier, P.U.F., 1998 ; Mircea Eliade, *Forgerons et alchimistes*, Flammarion, 1956 ; *Traité d'histoire des religions*, Payot, 1968 ; B. Gorceix, *La Bible des Rose-Croix*, P.U.F., 1970 ; Christian Jacq, *La Tradition primordiale de l'Égypte ancienne selon les Textes des Pyramides*, Grasset, 1998 ; René Le Forestier, *L'Occultisme et la franc-maçonnerie écossaise*, Perrin, 1928.

4.

L'heure du bilan.

Jusqu'alors, les Supérieurs inconnus, traversant les époques, avaient échappé à leurs adversaires. Certains avaient été arrêtés, torturés et exécutés, mais les Neuf avaient préservé leur unité en transmettant le flambeau.

« Le monde a changé et vous n'y avez plus votre place » : cette phrase hantait le prisonnier. Si l'homme aux lunettes d'argent avait raison, à quoi bon lutter davantage ? Mais peut-être mentait-il afin de briser les défenses de l'otage.

Unique certitude : Mansour était mort, assassiné par la Machine programmée pour anéantir les Supérieurs inconnus. Et quoi qu'il avoue, Khaled serait broyé.

Au moins, sa famille était en sécurité, à Homs, et des sculptures de grande valeur avaient été expédiées à l'étranger avant l'arrivée de l'État islamique. Une faible partie de la mémoire de Palmyre serait ainsi préservée.

Car Khaled n'en doutait plus : les temples seraient dynamités, les colonnes abattues. Tout ce qui était antérieur à l'Islam devait disparaître, sous le regard indifférent, parfois approbateur, des pays influents. Quelques déclarations indignées, vite oubliées. Qu'importaient la destruction d'une cité antique et l'exécution d'un vieil archéologue ?

L'inquisiteur avait identifié deux des Neuf. Les sept autres seraient-ils piégés, eux aussi ? Étaient-ils déjà emprisonnés ou abattus ? En tout cas, aucun n'avait parlé. Sinon, on ne lui aurait pas posé et reposé la question : « Où est l'or ? »

Ne pas parfumer la charogne. Khaled n'avait aucune chance de s'en sortir.

L'heure était venue d'activer le plan Sphinx.

Un barbu lui apporta de l'eau et une galette.

— Tu souhaites être riche ?

Le regard du djihadiste s'alluma.

— J'ai de l'argent, beaucoup d'argent. Tu sais qui je suis ?

Hochement de tête affirmatif.

— Mille dollars.

Le barbu saliva.

— Amène-moi Moktar, le fils de Mohamedou, employé au musée. Après, tu seras payé.

Le barbu n'hésita pas longtemps. Que risquait-il, puisque le jeune Moktar avait adhéré à Daesh et piétiné une fillette qui ne portait pas le voile intégral ? Un partisan inconditionnel du régime. Et si l'otage payait bien...

Âgé de dix-huit ans, filiforme, l'air buté, Moktar ne tarda pas. Il s'agenouilla et embrassa les mains de Khaled qu'il considérait comme un père et un protecteur. N'avait-il pas nourri sa famille, à la mort de sa mère, prenant sous son aile huit enfants ? Moktar lui avait juré fidélité et lui sacrifierait son existence si nécessaire.

— Commande, et j'obéirai !

— Je vais mourir, Moktar.

— Non, pas vous... Allah vous graciera !

— Je suis condamné.

— Je vous défendrai !

— Surtout pas, Moktar ; toi aussi, tu périrais. Te souviens-tu de notre entretien, il y a un mois ?

— Je n'ai pas oublié un mot !

— Maintenant, il faut agir. Envoie mon message.

Le jeune homme s'inclina et s'éclipsa, pressé de remplir sa mission.

Une bouteille à la mer... Réussite improbable.

Un dernier repas, si modeste au regard des fastueux banquets qu'avait présidés Khaled. Le goût de l'eau, même tiédasse, et celui du pain, même mal cuit… Les ultimes sensations d'une longue vie.

N'avait-il pas vaincu la mort en extrayant des sables le portrait d'une habitante de Palmyre, en consolidant une colonnade et en redonnant à la façade d'un sanctuaire sa splendeur d'antan ? Cette mort qui se présentait aujourd'hui devant lui et qu'il n'avait pas le moyen de repousser.

Pourtant, malgré son âge, il fourmillait de projets et ne ressentait pas le poids des ans. Tant de tâches à effectuer, tant de responsabilités à assumer… Les humains apparaissaient et s'évanouissaient, sans avoir conscience qu'une machine régissait leur existence et les conditionnait comme des emballages. Et c'était à elle que s'opposaient les Supérieurs inconnus, au risque de leur vie, de génération en génération.

Le bout du chemin.

Il ne l'avait pas envisagé ainsi et peinait à s'y résigner. Impossible de s'évader, impossible d'acheter d'éventuels alliés qui redoutaient leurs nouveaux maîtres. Toute trahison entraînait une exécution immédiate.

Le jeune Moktar lui serait-il fidèle ou, terrorisé, renoncerait-il à lancer le plan Sphinx ? Ne maîtrisant plus son destin, Khaled se tassa contre le mur du temple et s'abandonna à ses souvenirs.

5.

— Monsieur désire ?

— Ton boss.

— Pardon ?

— Bruce Reuchlin, journaliste. Je suis pressé.

La glotte du *butler* exécuta une série de montées et de descentes ultrarapides. Chargé de veiller au bon ordre de l'hôtel particulier de sir Charles, il n'avait pas l'habitude de recevoir des géants, aux cheveux ébouriffés. Et le détestable accent écossais prouvait la rusticité de l'importun.

— Avez-vous rendez-vous ?

— Ouais, maintenant.

— Je crains que ce ne soit impossible.

Bruce arbora l'écran de son smartphone.

— J'appelle des centaines de followers et de friends, plus un autre millier d'imbéciles qui vont se ruer pour gueuler contre un pédophile qui souille ce beau quartier de Kensington.

— Vous... Vous...

— Avale ta salive et amène-moi ton patron.

Le *butler* libéra le seuil de l'hôtel particulier et introduisit Bruce dans un salon d'une autre époque. Mobilier victorien, tableaux consacrés aux victoires de Trafalgar et de Waterloo, potiches chinoises authentiques.

Sir Charles ne tarda pas.

Grand, mince, fin collier de barbe, blazer bleu marine, nœud papillon grenat, pantalon de flanelle grise, le professeur d'histoire des religions, héritier de riches nobliaux du Lancashire, dévisagea longuement son hôte.

— Serait-ce du chantage, monsieur Reuchlin ?

— Pas qu'un peu !

— Et vous croyez m'impressionner ?

— Ça c'est sûr ! Cesse de gamberger, assieds-toi et causons. Ah… T'aurais pas un coup à boire ?

— Whisky écossais, je présume ?

— Tu commences à me plaire.

Sir Charles s'empara d'un carafon en cristal et remplit deux verres d'un liquide ambré.

— C'est du bon, reconnut Bruce.

— Pourquoi cette intrusion ?

— Tu t'en doutes pas ?

— J'ai lu certains de vos articles. Vos cibles habituelles ne me ressemblent pas. Vous vous occupez de dossiers dits « sensibles », moi de religions anciennes et disparues. Mon rôle économique est tout à fait négligeable.

— Y a pas que le pognon dans la vie. L'essentiel, ce sont les idées. Et là, t'en connais un rayon.

Le regard de sir Charles se brouilla.

— Je ne vous suis pas…

— Sphinx.

Malgré des siècles de self-control, sir Charles faillit sursauter. Et la tempête agitant son crâne n'échappa pas à Bruce, habitué à cuisiner ses proies.

Il avait tapé à la bonne porte.

— Sphinx est une utopie.

— J'adore ça ! Et c'est qui, les utopistes ?

— Des héros de légende. Même les enfants ne s'y intéressent plus.

— J'ai gardé un côté gamin. Moi, ça me passionne.

Sir Charles vida son verre. Il n'avait pas une tête à tenir l'alcool.

— Massoud Mansour, ce serait pas le patron du club Sphinx ?

— Il est mort.

— Où ça ?

— En Afghanistan. Un assassinat abominable ! On l'a transformé en bombe humaine.

— Que cherchait-il, ce Mansour, que cherchait Sphinx ?

— Comment le saurais-je ?

— C'était ton ami, non ?

— Je l'admirais.

— Pourquoi ?

— Parce qu'il croyait que l'humanité avait une chance de survivre.

— Pas toi ?

— Je ne suis pas membre du club.

— Et qui sont-ils ?

— Je n'en sais rien.

— Allons, sir Charles !

— Enfin, presque rien. Mansour avait un frère en esprit qu'il vénérait, et dont il ne m'a parlé qu'une seule fois, en regrettant visiblement ses confidences.

— Son nom ?

— Khaled, un archéologue syrien qui restaure la cité antique de Palmyre.

6.

— Alors, Khaled ?

L'homme aux lunettes d'argent souriait, sûr de son succès. Comment ce vieil archéologue aurait-il résisté à une détention aussi rude qu'humiliante ? Habitué à commander, maître d'un clan et d'une ville sur le point de disparaître, il était brisé.

— J'ai une exigence.

— Dans votre état ?

— Je veux me laver et me raser.

— Et si je refuse ?

— Vous n'entendrez plus le son de ma voix.

Un long silence.

— Puisque vous souhaitez être présentable, vous souhaitez aussi survivre.

Le désir de Khaled fut satisfait ; il apprécia l'eau tiède, le savon, la lame du barbier et regretta de ne pas avoir savouré à leur juste valeur ces modestes bonheurs quotidiens, si simples et si nécessaires. Il ne manquait qu'une note de parfum et une chemise propre pour se présenter devant ses employés et leur dicter ses directives, comme chaque matin.

Il était beau, ce matin ensoleillé, animé d'un vent frais ; le calme régnait sur Palmyre, comme si la cité de la reine Zénobie s'apprêtait à accueillir des touristes, impatients de découvrir ses charmes.

— Alors, Khaled ?

— Merci de m'avoir rendu présentable.

— En cas de franche collaboration, l'État islamique ne vous refusera pas le titre d'émir.

— Collaboration... De quel ordre ?

— L'heure n'est plus aux diversions. Donnez-moi la liste complète des Supérieurs inconnus et vos secrets d'alchimiste.

— Des superstitions ridicules... Qui pourrait y croire ?

— Ma patience est épuisée. Ou vous parlez, ou je vous livre à vos bourreaux.

— Je n'ai rien à vous dire.

— Vous n'avez aucune chance de vous en sortir. Aucune.

— Qui sait ?

La question troubla l'inquisiteur. Cet otage, d'apparence inoffensive, possédait-il des pouvoirs inattendus ?

Poudre aux yeux et baroud d'honneur !

— C'est fini, Khaled. Vos temples, vos tombeaux, vos colonnes sont condamnés. Et vous l'êtes aussi, si vous persistez à me résister bêtement. C'est précieux, une vie... Ne tenez-vous pas à la vôtre ?

— Moins qu'au respect de la parole donnée.

Un rire grinçant salua cette déclaration stupide.

— Une dernière fois... Parlez !

— Vous échouerez. Les Supérieurs inconnus vaincront l'adversité.

L'homme aux lunettes d'argent hurla un ordre en arabe. Deux barbus accoururent et prirent l'archéologue par les épaules.

— Je peux encore tout arrêter.

Khaled dévisagea le tortionnaire avec un regard d'aigle, empreint d'une telle supériorité qu'il le mit mal à l'aise.

Les barbus poussèrent l'otage vers une Jeep qui les emporta sur la place principale de la cité moderne.

À quoi songer, si proche de son exécution ? À sa famille de chair et à celle d'esprit, ces neuf idéalistes qui avaient voué leur existence à la préservation de l'humanité, quelle que soit l'intensité des tempêtes, des guerres et des révolutions. À Palmyre, classée au Patrimoine mondial de cette humanité qui ne levait pas le petit doigt pour la défendre. Sa seule loi, ici, en Afghanistan, au Cambodge et partout ailleurs, c'était la lâcheté. Il n'y avait plus de Churchill pour se dresser contre la barbarie. Seuls les Supérieurs inconnus tentaient de préserver une petite flamme, si faible qu'elle ne tarderait pas à s'éteindre.

Au moins, il ne les aurait pas trahis.

Une foule nombreuse attendait le spectacle. Des fantômes de femmes, voilées, gantées et chaussées de noir, scandaient des slogans haineux à l'encontre de l'archéologue impie, qui avait osé restaurer des ruines antérieures au Prophète.

Un barbu le décora d'une pancarte l'accusant d'idolâtrie, un crime impardonnable.

Au premier rang des hurleurs, le jeune Moktar. D'un clignement d'œil, il signifia que sa mission était accomplie.

La bouteille avait été jetée à la mer, Khaled mourrait tranquille. L'avenir ne dépendait plus de lui.

Lorsque l'exécuteur brandissant un couteau de boucher s'approcha de lui, il revit le visage de ses huit compagnons de route et revécut leur dernière réunion où, sans négliger la montée du péril, ils s'estimaient en mesure de lutter.

Autour du condamné, les nouveaux notables de l'État islamique avaient éparpillé ses biens, arrachés à sa demeure familiale. Draps, coussins, vaisselle, lampes, armoires, coffrets, matériel informatique, livres, tableaux... Des gamins les piétinaient en appelant à la mort du profanateur.

L'homme aux lunettes d'argent roulait en direction de son jet privé ; des rendez-vous impératifs l'attendaient, et l'échec relatif de cette mission-là appartenait au passé.

— Je vais te trancher le cou, chien, annonça le bourreau. Ensuite, je découperai ton corps en morceaux, et ils pourriront au soleil.

Khaled le fixa.

— Tue-moi debout, je resterai droit comme ces colonnes auxquelles j'ai consacré ma vie[1].

Rageur, le barbu empoigna son arme, sous les acclamations de la foule.

1. *Paris Match* n° 3490, avril 2016, p. 44. « Le directeur du site antique sera décapité, son corps crucifié, sa tête posée à ses pieds sur le sol, juste à l'entrée des ruines. »

7.

Le haut fonctionnaire des Nations unies était d'une humeur massacrante. Une femme infidèle, des gosses insupportables et nuls à l'école, son portefeuille boursier en chute libre, une lutte à mort avec une vampire pour obtenir une promotion, et des supérieurs obtus.

À son âge, il n'allait pas se convertir à la vérité et à la vertu. Des investissements qui ne rapportaient rien. À l'heure du déjeuner, sa maîtresse mexicaine lui détendrait les nerfs. Il lui promettait le divorce, puis le mariage, puis un poste de conseillère, puis des vacances au soleil, puis une belle maison... Et ça marchait. Alors, pourquoi se priver ?

Sa secrétaire avait trié les mails. Quatre-vingt-dix pour cent à la poubelle. Le reste, de quoi s'irriter l'estomac. Côté courrier, utilisé par les derniers dinosaures, une lettre bizarre. Au moins dix tampons et des caractères arabes.

Le haut fonctionnaire appela un vigile.

— Ouvrez ça au labo.

Les plis piégés, ça ne manquait pas.

Examen négatif. On lui rapporta une feuille de papier jauni, comportant un texte court :

Operate Sphinx.

— Nom de Dieu, murmura le haut fonctionnaire ; ça devait arriver !

Ils n'étaient pas nombreux, ceux qui connaissaient l'existence de cette organisation ; et lui n'aurait pas dû en faire partie. Le hasard d'une rencontre avec l'archéologue Khaled, le sauveur de Palmyre. Un dîner de roi, des atomes crochus, des confidences réciproques… Le haut fonctionnaire avait été séché, voire tenté. Mais sa carrière avant tout. Il avait juré à Khaled qu'il l'aiderait en cas de danger. S'il recevait le code *Operate Sphinx*, il interviendrait.

Ce serment-là datait d'hier. Aujourd'hui, le monde avait changé. Plus que jamais, les États-Unis dictaient leur loi ; l'Islam progressait partout, l'informatique triomphait et la bêtise fleurissait.

Pas le moment d'entreprendre une croisade vouée à l'échec. Lâcheté ? Non. Attitude raisonnable d'un homme d'expérience.

Le haut fonctionnaire passa le message de Khaled à la broyeuse. Sphinx était mort.

*

Debout à 5 heures, sur le terrain jusqu'à minuit, l'industriel bavarois se félicitait de ses derniers résultats. Mère libanaise, père turc, il avait toujours eu le sens des affaires. Et l'Allemagne de Merkel lui offrait tant d'opportunités qu'il s'en servait comme base de départ pour conquérir une bonne partie de la planète, la plus rentable.

Si l'argent faisait bien le bonheur, surtout quand il s'ajoutait à l'argent, quelques distractions ne nuisaient pas à l'augmentation permanente du chiffre d'affaires. Pour les uns le sexe, pour les autres les sports extrêmes ou l'humanitaire ; lui, c'était les sites archéologiques.

Et son coup de cœur, Palmyre. Zénobie, une amazone hostile à Rome, osant créer son propre empire au milieu du désert. Succès temporaire, mais du panache !

Il avait tenté d'acheter les temples, les colonnes et les statues, mais un vieil archéologue têtu, Khaled, avait refusé des sommes considérables.

Étonnement et discussions serrées.

Clé du mystère : Khaled n'était pas que Khaled. Il appartenait à une très ancienne organisation qui s'acharnait à défendre des valeurs complètement dépassées et à protéger l'espèce humaine de ses démons.

Stupide, mais cool and fun. De quoi amuser un businessman un peu blasé. Pas d'engagement, mais une promesse : un coup de main en cas de nécessité, juste pour le fun, à condition que ce soit cool.

Sur son bureau, une lettre extraite d'une enveloppe sale, couverte de tampons.

Deux mots :

Operate Sphinx

Le message d'alerte de Khaled, si urgence absolue.

Absolue… Tout n'était-il pas relatif ?

D'accord, Palmyre était superbe. Mais en raison de l'intervention de l'État islamique, les principaux temples avaient été détruits, et le site ne présentait plus qu'un intérêt mineur. Et puis ce Khaled n'était ni un ami ni un partenaire influent. S'il fallait se soucier de toutes les relations passagères, au hasard des rencontres, l'existence deviendrait impossible.

L'homme d'affaires déchira le message en mille morceaux. Le monde n'était plus à l'heure du papier.

8.

À Londres, Bruce logeait dans un petit hôtel proche du British Museum. Confort moyen, mais une copine propriétaire qui lui servait un vrai whisky, des saucisses à la pistache, des haricots à la graisse d'oie et du pudding traditionnel. Pour un Écossais, de quoi survivre en territoire hostile.

Le must, un matelas à plusieurs couches de laine hyper-serrées qui supportaient les cent vingt kilos de Bruce et lui assuraient un sommeil de bébé.

À son réveil, il brancha la télé. Le cirque habituel. Une douche brûlante ranima ses neurones.

Et quand sa rouquine de copine apporta le breakfast, les odeurs lui donnèrent la pêche.

— T'as pas pris une ride, Bruce.

— Maquillage. Ça gaze, pour toi ?

— J'ai connu pire. T'es sur le sentier de la guerre ?

— Moins t'en sauras, mieux ça vaudra.

— Et ta nana, elle te supporte ?

— Surtout quand je m'en vais.

Bruce s'était marié. Lui, marié... à une Cambodgienne, née à Angkor. Ils avaient un garçon et vivaient en Islande, à proximité d'un volcan et de sources chaudes, et loin de leurs voisins. Dans ce pays-là, l'humain n'était pas trop présent. Sa moitié, Primula, aimait autant que lui la solitude et le vent. Toute sa famille ayant été massacrée par les Khmers rouges, elle n'avait plus envie de relations mondaines. La sauvagerie de la nature lui paraissait préférable à celle de son espèce.

Il était énorme, elle mince ; lui tonitruant, elle effacée ; lui gueulard, elle silencieuse. Falstaff et Cendrillon. Mais ils vivaient un genre d'amour. Le leur. Et leur gamin était un sacré beau gamin, avec un sacré caractère.

Bruce n'avait pas enjolivé le contrat : liberté de mener ses enquêtes, même s'il risquait sa peau. Il fallait pleurer avant et pas après. Ils avaient beaucoup chialé, certains que ça se terminerait mal. Jusque-là, autant jouir du paysage.

Tout en dévorant les saucisses grillées à point, Bruce étala ses dossiers.

Ça ne collait pas.

D'un côté, une brochette de malins tirant les ficelles ; de l'autre, Sphinx, qui aurait dû accueillir la crème de l'ordure. Et on lui parlait d'un mécène afghan, au cœur gros comme une orange juteuse ! Ce Massoud Mansour faisait tache.

De la friture dans le logiciel.

Et si Bruce s'était laissé enfumer par une nouvelle théorie du complot, type attrape-gogo XXL ? Même à son âge et avec son expérience, on n'était pas à l'abri d'une esbroufe monumentale. Il suffisait de songer à Madoff et aux *subprimes* pour constater que l'arnaque planétaire n'avait pas de limites.

On frappa.

— Entrez.

Bruce s'étrangla. Celui-là, il ne s'y attendait pas.

Sir Charles soi-même.

— Comment tu m'as déniché ?

— Vous ne passez pas inaperçu. Et les services connaissent vos habitudes londoniennes.

— Les services…

— Vous savez qui je suis et pour qui je travaille.

Plutôt paumé, l'Écossais la joua fine. Le genre hochement de tête assermenté. Une confirmation : sir Charles était une barbouze.

— Tu veux quoi, sir ?

— Lisez ça.

Une feuille de papier, deux mots : *Operate Sphinx*.

— J'ai reçu ce message hier soir.

— Traduction ?

— J'avais un ami, Khaled, le protecteur de Palmyre. Ces deux mots signifient qu'il est mort et que Sphinx est en grand danger.

— À toi de voir, non ?

— J'ai parlé d'un ami, pas de travail. Je ne mélange pas le privé et le métier.

— Et alors ?

— Alors, vous prenez la relève ou on enterre.

— Pourquoi moi ?

— Vous cherchez à savoir qui dirige notre foutu monde, non ?

— Ça pourrait me faire jouir.

— En cas de nécessité, j'avais promis à Khaled de l'aider. Mais la situation a évolué, et pas dans le bon sens.

— Les services ?

— Ils ont d'autres chats à fouetter. Si vous désirez creuser la piste Sphinx, je vous offre la carte que je détiens. Ensuite, à vous de jouer.

— Trop généreux, mon prince ! Tu m'attribues la médaille d'or des couillons ?

— Je prends ma retraite, Bruce. Soleil, plage, cocktails exotiques… Adieu les embrouilles. Vous, c'est votre drogue. Je vous la refile, ou non ?

— Quand j'écris une ligne, les camés en sniffent dix. Étale la tienne.

— *On* cherche à bousiller Sphinx. Deux de ses membres ont été éliminés, Mansour explosé et Khaled décapité. Et ça ne s'arrêtera pas là.

— Tu connais le prochain ?

— Celui qu'il faut contacter pour stopper le massacre et comprendre ce qui se passe derrière le rideau. Votre job préféré, non ?

— Et ça se passe dans quel coin du monde ?

— Pékin.
— Une filière et un nom ?
Sir Charles exhiba une enveloppe brune.
— Tout est là-dedans.
— Et ça coûte combien ?
— Cadeau.
— Tu te fous de moi ?
— Je répète : ça ne concerne pas mon employeur, et moi, je quitte la scène. Ou la poubelle, ou un journaliste désireux d'avancer.

Façon menteries et brouillage, sir Charles était un champion ; il refilait à Bruce une patate brûlante dont personne ne voulait.

Un type sensé, même au QI modeste, aurait botté le cul de sir Charles et terminé ses saucisses en regardant un dessin animé.

Bruce tendit la main et recueillit l'enveloppe.

9.

Quelle que soit sa destination, Bruce n'emportait qu'un sac à dos rempli du strict nécessaire : pantalon, chemise, slip et chaussettes de rechange, et trousse de secours comprenant désinfectant, antidouleur et antidiarrhée. Pour le reste, il s'adaptait sur place.

À son poignet, un bijou technologique : une montre prototype que lui avait offerte son pote milliardaire et commanditaire. À côté d'elle, la Samsung Gear S2 était ringarde. Avec cet engin-là, Bruce pouvait naviguer dans n'importe quelle application, téléphoner, émettre et recevoir des messages, lire SMS et mails. Quarante-sept grammes pour être autonome.

Avant de monter dans l'avion, Bruce avait averti son pote Mark : il se lançait sur un truc énorme. Réponse immédiate : carte blanche et fais gaffe.

Un budget illimité, ça facilitait les recherches. Entre Bruce et Mark, impossible de passer un fil dentaire. Mark ne discutait jamais les projets de Bruce ; où qu'ils soient dans le monde, ils se parlaient au moins une fois par semaine et se racontaient des trucs de tarés, totalement censurables, à se faire péter les naseaux de rire.

Avec son obsession de la vérité et la certitude que la transparence des États de droit était plus opaque que le cul d'un chameau, Mark était aussi déjanté que Bruce, mais façon élégant et racé. Justement, la Chine moderne n'était pas encore un vrai État de droit ; entre diplomates, là on parlait d'« État de lois ». Et la loi chinoise avait le privilège de la simplicité : « Enrichis-toi. »

Dans l'enveloppe brune de sir Charles, un parfait passeport au nom de Mike Gordon, délégué commercial d'une firme pharmaceutique spécialisée dans la diffusion de médicaments génériques à prix cassés. De quoi intéresser le marché chinois.

Mieux valait ne pas se présenter à la douane comme journaliste free lance ; ça donnait la gratte aux autorités, d'autant plus que Bruce avait été le premier à révéler l'existence de la nouvelle Grande Muraille, fermée aux touristes. Dans le nord du pays, un tunnel de 5 000 kilomètres de long, atteignant parfois cent mètres de profondeur, et abritant les missiles nucléaires. Cette « seconde artillerie », selon la phraséologie officielle, garantissait l'indépendance et la sécurité de la Chine. Et l'Armée populaire de libération, forte de contingents en perpétuelle augmentation, continuait à creuser.

Conséquences des révélations ? Néant. Les Américains ne titillaient pas les Chinois qui détenaient l'essentiel de leur dette. Je te tiens, tu me tiens par la barbichette était la nouvelle maxime du *Tao*. Et lorsque, en septembre 2015, les Dong Feng, « Vent d'est », missiles balistiques DF-21 D, réputés tueurs de porte-avions, étaient apparus lors d'une gigantesque parade militaire place Tian'anmen, les stratèges du Pentagone avaient avalé de travers. Et après le hors-d'œuvre, le plat principal : le DF-26, capable de détruire la base américaine de Guam, dans le Pacifique, à 4 000 kilomètres. En dessert, un missile à trois têtes nucléaires d'une portée de 15 000 kilomètres.

Si ce n'était pas l'entente cordiale et l'amour de la paix, ce serait quoi ?

Londres devenait un cauchemar moderniste, mais Pékin n'avait rien à lui envier. Un coin infect, depuis toujours. À l'origine, un poste frontière destiné à enrayer les invasions des tribus barbares. Vu l'absence de fleuve, il avait fallu creuser un canal pour relier la ville à la vallée du Yang-Tsé-Kiang : 1 600 kilomètres en direction du sud et de l'eau pour fertiliser des plaines poussiéreuses. Et la clé du développement : un nœud aérien, ferroviaire et routier.

La ville demeurait invivable. Étés torrides, hivers glaciaux, et maintenant des records de pollution. Au sein du brouillard, des nuages de sable du désert de Gobi et des émissions des millions de véhicules, le Pékinois ne respirait plus.

Sur le compte Weibo, l'équivalent chinois de Twitter, quelques pulmonaires râlaient dur ; et une cinglée de journaliste, Chai Ling, avait même produit un documentaire, *Sous le dôme, enquête sur le smog chinois*. Plus de ciel bleu, plus d'eau pure, plus d'air vivifiant... Et alors ?

Réponse officielle du Parti communiste chinois : la situation est délicate, nous nous en préoccupons. Mais la bonne santé de l'économie avant tout. Qui gouvernait la Chine ? Neuf inconnus formant le comité central du Parti communiste, que l'on entrevoyait une fois par an. Personne ne savait comment on les désignait, le fonctionnement du pouvoir demeurait opaque.

Et voilà que la recherche de Sphinx passait par l'empire du Milieu ! Hasard ou étape décisive ? Selon le dossier de sir Charles, Bruce devait contacter un archéologue, Zhang Dao, spécialiste des peintures bouddhiques.

Massoud Mansour explosé avec les bouddhas afghans, Khaled décapité à Palmyre, deux hommes d'influence liés aux vieilles pierres. Et le troisième membre de Sphinx s'intéressait, lui aussi, à un passé dont la Révolution culturelle maoïste avait tenté d'effacer toute trace.

Sir Charles et ses employeurs, les services secrets britanniques, menaient Bruce en bateau. Et ils savaient qu'il savait. Et lui avait envie d'en savoir plus. Identifier le vrai logiciel qui conditionnait la planète, ça l'excitait. Ne pas mourir idiot valait le déplacement.

Sir Charles, Zhang Dao… Une piste sérieuse ou de l'enfumage haut de gamme ?

Bruce s'était déjà tapé la tête contre les murs, au bout de culs-de-sac. Un de plus, ou un sentier périlleux menant à un trou noir ? Le doute ? Il l'absorbait comme le whisky. La vérité… C'était sa drogue. Jamais il ne pourrait s'en passer.

10.

Inauguré en 2008 pour accompagner les Jeux olympiques de Pékin, un rêve de cent ans effaçant les humiliations coloniales, l'aéroport, à l'exemplaire propreté, avait deux caractéristiques majeures : un toit rouge, symbole de bonheur, en forme de carapace de tortue, et une armada de policiers en uniforme et en civil.

En Chine, la sécurité n'était pas du pipeau. Un pas de travers, un coup de matraque et la taule. Et la prison chinoise ne ressemblait pas à un cinq-étoiles. On scannait les bagages partout, même dans les stations de métro. Pas question de trimballer une arme.

Le hall d'arrivée célébrait la Grande Muraille et les douaniers n'avaient pas une tête de comique. La tronche de Bruce inspirait la sympathie ; décontracté, il rassurait le pire des coincés.

Contrôle cool.

Des chauffeurs de taxi attendaient leurs clients avec une pancarte. Celui de Bruce était grand, maigre et barbichu. Il ne prononça pas un seul mot, l'Écossais le suivit jusqu'à sa voiture japonaise au bas de caisse jaune et au toit bleu.

À Pékin, les taxis disposaient d'un privilège : circuler n'importe comment sans subir le moindre contrôle. Comme ils n'étaient pas autorisés à fumer durant leurs courses, les chauffeurs allumaient cigarette sur cigarette pendant leurs pauses, et une abominable odeur de tabac froid imprégnait les sièges.

Trafic effroyable. Seuls les pauvres vraiment pauvres roulaient encore à bicyclette ; dès qu'un Chinois gagnait un peu d'argent, il achetait une voiture. Les autoroutes s'enchevêtraient, bordées d'immeubles grisâtres portant un numéro, et la capitale ne comprenait pas moins de cinq périphériques.

À chaque carrefour, un policier en bleu, bien raide sur sa plate-forme. Naguère équipé d'un talkie-walkie, il maniait à présent un portable pour signaler un chauffard. Et l'antique haut-parleur, lui, n'avait pas disparu. Il était parfois nécessaire de diffuser, de façon artisanale, un message officiel.

Longeant la fameuse place Tian'anmen, et coupant la capitale d'est en ouest, l'avenue de la Paix céleste, comme la nommaient les étrangers crédules, était en perpétuelle ébullition. Et il fallait zigzaguer style formule 1 pour tracer sa route à une allure correcte.

Le chauffeur de Bruce était un expert. Frôlant Mercedes et Hyundai, il ne cédait jamais. Si l'on voulait éviter le *nervous breakdown*, il fallait se caler au fond du bolide et fermer les yeux.

Et si cet as du volant emmenait Bruce au siège de la police politique ? Ce ne serait pas la première fois qu'un fouineur disparaîtrait dans l'abîme chinois, vendu par ses copains pour ne pas déplaire au suprême dragon.

Le taxi s'arrêta à l'entrée du parc Zhongshan, au nord de la Cité interdite.

Le chauffeur présenta la note, en désignant une ligne sur un barème de chiffres à l'occidentale : trois cents yuans, environ trente euros.

— T'es un rigolo, bonhomme. La voilà, la bonne ligne. Et c'est déjà bien payé.

Bruce pointa cent yuans.

L'autre hocha la tête, amusé. Il compta les dix billets de dix yuans, les empocha et fit signe à son passager de descendre.

Première étape.

Pas de flics se précipitant sur Bruce pour l'intercepter. Comme il n'y avait ni défilé militaire ni manifestation officielle, on ne dégageait pas le ciel de Pékin à l'aide de produits chimiques pour lui donner un beau bleu.

Le smog habituel, composé de poussière et de polluants divers. Les émanations de la gigantesque explosion des entrepôts du port de Tianjin, le 12 août 2015, avaient légèrement perturbé l'atmosphère de Pékin. On ne connaissait ni le nombre de morts ni la nature des substances toxiques transportées par les vents.

Les Pékinois adoraient leurs parcs. Gymnastique, cerfs-volants, discussions feutrées, rencontres discrètes, méditation, rêverie… Des coins tranquilles échappant aux promoteurs et aux tours infernales.

Celui-là se déployait sur la colline dite « du charbon » parce que, deux siècles auparavant, on y amassait le combustible nécessaire pour chauffer les 1 999 pièces de la résidence impériale. Un petit lac et une pagode au toit beige rappelaient une certaine douceur de vivre, inconnue du Chinois moyen.

Comme prévu, Bruce se mêla aux promeneurs et marcha lentement. Il refusa une glace qui lui aurait bousillé les intestins, feignit de s'intéresser à une démonstration de tai-chi et s'assit sur un banc à deux places, non loin du plan d'eau.

Jusque-là, ça gazait. Maintenant, patience.

Des badauds babillaient, des gosses couraient, des jeunes et des vieux maniaient leurs portables. Internet uniformisait la planète. Bientôt, le dernier sauvage, au fin fond de la dernière forêt, serait connecté.

Un homme âgé, vêtu d'un costume marron qui avait vécu, s'assit à côté de Bruce. Il déploya le *Renmin Ribao*, le *Quotidien du peuple*, qui répandait les nouvelles officielles dictées par le Parti communiste. Comme tout le monde le savait, personne ne le lisait. Ici, on ne faisait pas semblant de croire à une presse libre.

— Le phénix renaît de ses cendres, murmura le vieillard dans son anglais vacillant.

— Sauf si le feu est trop fort, rétorqua Bruce.

— En ce cas, l'eau du ciel l'éteindra.

Code prévu et correct.

Dernière indication contenue dans l'enveloppe brune. À partir d'ici, l'Écossais entrait dans l'inconnu.

— Vous êtes Zhang Dao ?

— Oh non ! Mais je suis chargé de vous conduire à lui.

— Vous êtes qui ?

— Un prêtre, au service de l'évêque Joseph Zhang Yilin, nommé par les autorités chinoises, avec l'accord du pape François. C'est un homme de progrès et de détente. Depuis qu'il a béni Fidel Castro, tout est possible. La première ordination d'un haut dignitaire catholique depuis plusieurs années, ajouta le curé ; en 2012, le nouvel évêque de Shanghai avait été arrêté par la police. Aujourd'hui, elle s'est contentée de surveiller la cérémonie. La Chine a tellement de soucis avec ses musulmans qu'elle ménage les catholiques. Ma voiture est garée à la sortie du parc. Une Honda verte. Je pars le premier, vous attendez cinq minutes. Vous monterez à l'avant. Et je vous emmène à votre rendez-vous avec Zhang Dao.

11.

Une porte de la Paix céleste, une autre de l'Harmonie céleste, une centaine d'hectares abritant des temples, des palais, des salles d'audience, des lieux de cérémonie, de culture et de plaisir… La Cité interdite, bâtie au XVe siècle, avait cessé de fonctionner en 1912 pour devenir le musée du Palais, ouvert partiellement aux touristes.

Revolver au côté, casquette rigide, tenue verte impeccable et gants blancs, des gardes assuraient la sécurité du site. Pas question de s'y perdre ou de déambuler à sa guise.

Bruce joua l'Occidental écrasé par l'ampleur des édifices enchevêtrés, et s'extasia en compagnie d'un groupe de Japonais drivés par un guide aboyant une série de dates et de faits historiques.

Le curé, lui, se dirigea vers le pied d'un escalier orné de bas-reliefs représentant des dragons et menant à la salle de l'Harmonie suprême où l'empereur, le fils du Ciel, se tenait au centre de la terre et maintenait son peuple en équilibre entre les quatre mers.

« Ça avait quand même de la gueule », pensa Bruce, que frôla une nuée d'écoliers en blouse blanche.

Le curé remit son journal à un quinquagénaire élégant, à la chevelure argentée. Grand, assez corpulent, vêtu d'un costume bleu nuit d'excellente coupe, il feignit de s'intéresser aux sculptures, tout en s'approchant de l'Écossais.

— Auriez-vous l'obligeance de m'accompagner, monsieur Gordon ? demanda-t-il, en utilisant le faux nom inscrit sur le vrai passeport.

— Zhang Dao ?

Le Chinois opina du chef.

— C'est un super job, l'archéologie.

— Dans mon pays, il n'est pas toujours facile à exercer.

— Vos temples taoïstes ont salement morflé, non ?

— La Révolution culturelle les a presque tous détruits.

— Et l'empereur Tang-Li, le bâtisseur de la Cité interdite, on a retrouvé ses traces ?

— Vous faites erreur, il se nommait Ming Yong-Lo.

— Ah ouais… Moi, mon truc, ce sont les peintures. Surtout les fresques bouddhiques, au sud de la route de la soie, dans la montagne qui borde la rivière Gunza.

— Pardonnez-moi de rectifier vos imprécisions. De telles peintures n'existent que dans les montagnes du Xinjiang, sur l'axe nord de la route de la soie, et la rivière à franchir s'appelle Muzat.

— Déformation professionnelle : j'aime bien savoir à qui je cause. Surtout en ce moment.

— C'est tout naturel. Et l'archéologie est une science qui ne supporte pas le flou. Voyage agréable ?

— J'aurais mieux roupillé si je ne m'étais pas abîmé la cervelle avec des tas de questions idiotes. Et d'après un zigoto qui se fait appeler sir Charles, vous auriez les réponses.

— C'est beaucoup d'honneur, mais je tenterai de vous aider, dans la mesure de mes moyens. Vous n'êtes pas hostile à un bon déjeuner, je présume ?

— J'ai un petit creux.

Zhang Dao avait un accent oxfordien. À l'évidence, il ne sortait pas de la plèbe provinciale et avait séjourné un bon moment à l'étranger.

En dépit du délire de la circulation, l'archéologue conduisit sa Mercedes avec maestria. Pas d'odeur de tabac froid, mais une senteur de jasmin plutôt agréable.

— Jolie bagnole, commenta Bruce ; vous avez un sacré salaire.

— Fouilles et recherches ne me rapportent presque rien. Mon père était promoteur immobilier, il a bénéficié du boom économique chinois. À sa mort, j'ai hérité de sa fortune.

— Le Parti n'a pas râlé ?

— J'en suis membre ; sinon, impossible de survivre. Ce n'est que de la paix terrestre, loin de la félicité céleste des anciens empereurs, mais il faut savoir s'en contenter.

Zhang Dao était un curieux mélange de froideur et de punch. Il n'esquivait pas les questions gênantes, sans perdre le contrôle de ses nerfs.

— Pékin n'est plus Pékin, estima-t-il ; la vieille ville ne tardera pas à disparaître. On se croira bientôt dans n'importe quelle capitale moderne, avec ses tours, ses buildings, ses immeubles de béton, ses fast-foods, ses supermarchés. La mondialisation de la laideur.

Le restaurant choisi par Zhang Dao avait été aménagé au cœur d'une galerie d'art ; le fréquentaient de riches Chinois et des Occidentaux occupant des postes importants. La carte des champagnes et des vins méritait le détour.

Les deux hommes s'installèrent dans un angle tranquille, peu éclairé, sous un tableau abstrait mélangeant du rouge et du noir.

— Le canard laqué est une petite merveille ; le chef le découpe comme personne, la peau est rôtie à point et la sauce aux épices incomparable.

— Va pour le canard.

— Cognac, champagne ou bordeaux ?

— On commence par un whisky et on testera les trois autres.

Deux serveurs apportèrent une trentaine de hors-d'œuvre aux couleurs variées. Bruce n'était pas fanatique des insectes grillés et se contenta du classique.

— L'endroit n'a qu'un seul charme, précisa Zhang Dao : pas de micros.

12.

— Avec la technologie moderne, objecta Bruce, on peut nous écouter de l'extérieur.

— Pas dans cet angle-là. En raison des progrès incessants, ça ne durera pas. Pour le moment, profitons-en.

Le whisky était buvable.

— La Chine est une grande puissance, déclara Zhang Dao ; avec la mise en avant de la Constitution de la République populaire, un pas décisif sur le chemin de la démocratie… style Hong Kong. L'important consiste à sélectionner les candidats du Parti, et uniquement ceux-là. Toute opposition n'est-elle pas, par nature, illégale ? Comme Pékin a annoncé sa participation au plan d'investissement de la Commission européenne, pas de soucis.

— Je ne suis pas venu ici pour un cours de magouille internationale.

Zhang Dao se figea.

— Et pourquoi êtes-vous venu ?

— La vérité.

— Quelle vérité ?

— Vous en avez plusieurs, vous ?

— Comme tous les humains, monsieur Gordon. De nos jours, il n'existe qu'une succession de mensonges plus ou moins grossiers. Sans eux, pas de politique possible.

— Et Sphinx, dans tout ça ?

Le Chinois mastiqua longuement un mets non identifiable.

— Une légende.

— J'aime bien les histoires de mômes, ça me rajeunit. Il y en a quand même qui se terminent dans l'horreur. Par exemple en Afghanistan, devant des bouddhas géants, ou en Syrie, à Palmyre.

Zhang Dao maniait ses baguettes avec dextérité ; Bruce avait adopté la fourchette.

— Massoud Mansour, ça vous dit ?

— Je l'ai bien connu.

— Et Khaled ?

— Également.

Bruce ne prévoyait pas des aveux aussi spontanés.

— Tous les trois, vous parliez d'archéologie ?

— Pas seulement.

On avançait à la vitesse de la lumière ! L'arrivée du canard laqué imposa une pause. Il s'accompagnait d'un bordeaux premier grand cru classé.

Le Chinois le goûta, le sommelier était tendu.

— Acceptable.

Pour l'Écossais, de la petite bière ; mais après un long voyage, il fallait s'hydrater.

— Nous parlions de notre monde, de notre planète, de nos pays respectifs et de notre humanité en proie à un cancer : la surpopulation. Une aubaine pour les fabricants de tout et de n'importe quoi. Des milliards de fourmis qui se croient pensantes, alors qu'on pense pour elles. Ce vin vous convient-il ?

— J'ai un souci. Un gros souci.

— Pourrais-je le dissiper ?

— Ça devrait.

— Votre confiance m'honore.

— Sur l'estrade, y a les comédiens qui nous gouvernent. Moi, ceux qui m'intéressent, ce sont le metteur en scène et l'auteur de la pièce.

— Autrement dit, qui gouverne réellement et dans l'ombre ?

— C'est fou comme on se comprend bien.
— La fameuse théorie du complot… C'est dépassé, non ?
— On n'a pas inventé de meilleur rideau de fumée pour éviter de répondre aux questions.
— C'est curieux… Vous ne ressemblez pas tellement à un vendeur de médicaments génériques pour les Chinois pauvres. On jurerait une démarche de journaliste d'investigation.
— Comme si sir Charles ne t'avait pas appris que le père Bruce se lançait à l'assaut de Sphinx !
L'Écossais s'enfourna un bon morceau de canard.
— Mon gros souci, c'est justement sir Charles d'un côté, et toi de l'autre, avec tes deux copains massacrés. Dans la colonne corruption-manipulation, j'ai un joli petit bataillon de hauts fonctionnaires indéboulonnables, de leaders d'opinion, d'hommes d'affaires et de financiers. Ceux qui organisent les vrais clubs où l'on prend les vraies décisions. Dans la colonne des gentils, j'ai un Afghan et un Syrien trucidés ; et en face de moi, un Chinois vivant. Et Sphinx, dans tout ça ? C'est le nom de code pour les salopards ou pour les bons ?
— Vous avez une vision simpliste de la réalité. Le Mal, le Bien…
— Les intellos appellent ça le manichéisme, et c'est très mal vu, même avec une loupe. Je sais : le blanc et le noir n'existent pas, il n'y a que le gris. Mais des gus tiennent les manettes. Et j'ai l'intention d'en dresser le palmarès.
Zhang Dao, contrairement à la majorité de ses compatriotes qui mangeaient très vite, dégustait le canard à petites bouchées.
— Vu de Chine, trois types de gouvernants cohabitent : les imbéciles, les menteurs et les manipulateurs. Nous, nous savons que la bêtise mène le monde ; et plus le nombre d'humains augmente, plus la stupidité règne. Et comme le présumait Einstein, elle est l'unique ressource inépuisable. Pourquoi ne pas l'exploiter ?
— C'est le but de Sphinx ?
— Au contraire.

— Quel contraire ?

— Puisque vous avez découvert l'existence des Supérieurs inconnus, vous avez perçu leur rôle.

— Lutter contre la connerie mondiale ?

Zhang Dao contempla son assiette.

— Tout est né en Égypte. C'est là que quelques êtres ont réussi à transformer l'orge en or et la mort en éternité. Ils étaient neuf, et ont inscrit leur savoir dans les neuf poutres de granit de la chambre du roi de la Grande Pyramide. Et depuis cet âge d'or, les Neuf se relayent à la surface du globe pour empêcher l'humanité de sombrer dans les ténèbres. Une jolie fable, non ?

— Si ce n'était qu'une gaudriole pour débiles mentaux, pourquoi aurait-on massacré Mansour et Khaled ?

— De simples violences locales.

Avec le dessert – fruits confits, mangue et glaces – du cognac XO.

— Toi et tes alliés, avança Bruce, vous étiez donc neuf. Et deux d'entre vous ont été éliminés. Par qui et pourquoi ?

— En tant qu'enquêteur, vous avez forcément une idée.

— Si Sphinx est la dernière meute des bons, je vais commencer à bouillonner. Une ONG d'alchimistes, ça vaut le détour.

— J'ai le sentiment que vos idées se clarifient.

— Péter les grandes murailles, c'est mon trip. Fournis-moi un peu de dynamite, style mèche courte.

Un champagne bien frappé couronna le repas ; Bruce apprécia l'effet digestif des bulles très fines, signe de qualité.

— Je suis le seul, en Chine, à connaître votre véritable identité ; c'est pourquoi je vous invite à loger chez moi. Nous y poursuivrons cette passionnante discussion.

Bruce n'avait pas assez bu pour avoir la tête qui tourne. Pourtant, il tournait à grande allure sur un manège et chevauchait un dragon.

De toute sa carrière, l'Écossais n'avait jamais touché à un tel secret. Un voiturier amena la Mercedes. Zhang Dao s'installa au volant, Bruce à la place du mort.

Alors que le Chinois mettait le contact, deux colosses ouvrirent les portières et s'assirent à l'arrière.

— Mes assistants, révéla le conducteur. Votre théorie des deux colonnes, celle des méchants et celle des bons, n'est pas aussi simpliste qu'il y paraît. Malheureusement pour vous, je ne m'appelle pas Zhang Dao et je n'appartiens pas à la colonne des bons, celle de Sphinx. Ma mission, confiée par des gens honorables et responsables, consiste à l'éradiquer. Et je crains que vous ne soyez un grain de sable particulièrement irritant.

13.

Peut-être Zhang Dao pouvait-il échapper à ses poursuivants.

Peut-être.

À soixante-dix ans, malgré de récents ennuis de santé, il disposait encore d'une belle endurance, grâce à la pratique quotidienne du tai-chi.

Régulant son souffle, il courait en souplesse, évitant de penser aux tortures que lui réservaient les services secrets chinois. À Pékin, il avait repéré leurs limiers qui rôdaient dans la Cité interdite, guettant sa rencontre avec Bruce.

Bruce, le seul journaliste auquel il avait accepté de parler, après l'assassinat de deux membres de Sphinx, Massoud Mansour et Khaled.

Une broyeuse s'était mise en marche. *On* voulait détruire Sphinx. Et les autorités chinoises participaient à l'extermination.

Comment réagir ? Entre les membres survivants de Sphinx, toute communication était rompue, car dangereuse. L'un des correspondants occidentaux de Zhang Dao, sir Charles, lui avait proposé une aide efficace : un journaliste free lance à la renommée internationale. Perdu pour perdu, Sphinx devait révéler son existence et prouver son dévouement à la cause de l'humanité.

Rendez-vous avait été fixé à la Cité interdite.

Rendez-vous avorté. Et seule solution : la fuite.

Voiture, succession de trains, voyage interminable jusqu'à un refuge inconnu de ses poursuivants.

Une question n'avait cessé d'obséder Zhang Dao : qui l'avait trahi ? Sir Charles, le curé chinois chargé d'assurer le contact ou, pis, un ami ?

Seule solution : rejoindre ses chères grottes, se faire oublier et renouer avec Sphinx, s'il traversait la tempête. Un programme irréaliste, mais il n'en existait pas d'autre.

Zhang Dao voulait comprendre pourquoi on s'attaquait à Sphinx et qui menait l'offensive.

Haut dignitaire du régime, veuf et sans enfants, il s'était toujours montré d'une extrême prudence. Grâce à ses conseils et à ses interventions discrètes, la politique chinoise avait un peu évolué, et beaucoup de ses compatriotes vivaient moins mal.

L'essentiel : préserver la science des vieux alchimistes, la transmutation. Pas seulement celle du plomb en or, mais celle de la mort en vie, et de tout matériau périssable en élément vivifiant. Si l'on perdait cette dimension-là, seules subsisteraient des technologies visant à l'anéantissement de l'esprit au profit de l'intelligence artificielle.

Intelligence artificielle… Le terme important, c'était « artificielle ». Et qui s'en inquiétait, à part Sphinx ? Sans doute une erreur fatale.

Ancien royaume du Turkestan oriental, le Xinjiang, comme le Tibet, avait été annexé par la Chine sans soulever la moindre protestation de la communauté internationale. Au cœur de montagnes bordant l'axe nord de la route de la soie, Zhang Dao, lors de fouilles archéologiques d'urgence, avait découvert un trésor fabuleux : plusieurs centaines de grottes ornées de peintures bouddhiques datant des IVe et Ve siècles.

Grâce à Zhang Dao, relevés, dessins et photographies préserveraient ces témoignages d'un passé aux couleurs éclatantes. Dans l'une des grottes, il avait pris soin de dissimuler de quoi survivre pendant de longues semaines et du matériel de communication, en prévision d'un coup dur.

Personne ne viendrait le chercher là. Il aurait le temps de réfléchir à la meilleure stratégie.

Un sanctuaire exceptionnel où étaient représentés des bodhisattvas, à savoir des sages perpétuellement éveillés par la lumière de l'au-delà et chargés de résider sur terre pour alléger les souffrances humaines.

Transmuter la matière en esprit, les ténèbres en lumière, ce n'était pas un rêve. Existait-il un autre moyen de préserver ce qu'il y avait de meilleur en l'homme ?

Le désert de Takla-Makan, la rivière Muzat, des falaises hostiles... La région n'était pas attrayante, mais l'archéologue en connaissait les moindres recoins. Zhang Dao grimpa lentement un sentier escarpé ; un faux pas, et la chute dans le vide. Personne à l'horizon. Selon une légende locale, de mauvais esprits habitaient cette partie de la montagne, et les Chinois musulmans, les Ouïgours, en avaient peur. En réalité, il s'agissait des apsaras, des femmes capables de voler aux côtés de l'âme de Bouddha, aux sons d'une musique céleste.

Essoufflé, Zhang Dao s'arrêta un long moment ; encore une bonne heure d'effort, et il serait hors de danger. En priorité, identifier l'agresseur ; ensuite, combattre.

Éparpillées, des roches contenant des pigments qui avaient permis aux peintres de colorier les figures du Bouddha, des Supérieurs inconnus de l'époque, et des oiseaux, symboles des métamorphoses de l'âme, luttant contre les serpents destructeurs.

Zhang Dao était l'héritier et le continuateur de ces bons génies qui avaient incarné la vraie beauté, face au déferlement des forces obscures. Et cette mission-là n'avait rien perdu de son actualité.

La plupart des grottes se composaient de deux salles, plus ou moins vastes, que séparait un pilier représentant le Maître. Le refuge de l'archéologue était orné des représentations des neuf alchimistes faisant jaillir l'or du chaudron contenant la matière première.

En franchissant le seuil, au coucher du soleil, il éprouva le soulagement du marin rentrant à bon port.

La lumière d'un projecteur l'aveugla.

— Bienvenue chez vous, Zhang Dao, ou plutôt… chez nous.

Costume impeccable, beaucoup d'allure, visage impérieux : l'officier supérieur, entouré d'une dizaine de soldats, regarda sa proie se plaquer contre un mur nu.

— Vous avez eu tort de revenir ici, mais peu importe. Nous vous aurions intercepté n'importe où.

Les pistolets-mitrailleurs se braquèrent sur le condamné.

Malgré l'éblouissement, Zhang Dao les regarda en face.

— Feu, ordonna l'officier.

14.

Une matinée pénible que Mark Vaudois était heureux de terminer dans son havre de paix préféré, la Duke Humfrey's Library d'Oxford. Mort en 1447, Humphrey de Lancastre, premier duc de Gloucester, avait légué de précieux ouvrages à la célèbre université qui, afin de leur offrir un écrin convenable, avait construit une nouvelle bibliothèque au-dessus de Divinity School. Boiseries, pupitres, rayonnages, reliures, silence… Un monde disparu et dépassé qui permettait à Mark d'échapper à l'univers de compétition dans lequel il baignait chaque jour.

Fils unique d'un des plus grands industriels de la planète, John Vaudois, surnommé Saint-John en raison de ses activités caritatives, Mark, âgé de trente-cinq ans, était considéré comme un beau gosse et un battant rompu à de nombreuses disciplines. À l'instar de beaucoup d'étudiants d'Oxford, il ne s'était pas enfermé dans une case, mais avait tâté, avec un égal bonheur, à l'économie, à la sociologie, à l'archéologie et aux technologies de pointe. Sans grand effort et au hasard de rencontres ou de séjours à l'étranger, il avait appris à parler plusieurs langues, sans oublier de pratiquer la natation et le rugby à un niveau proche des professionnels.

C'était au cœur d'une mêlée plutôt chahutée qu'il avait rencontré Bruce, devenu son ami. Son seul ami. Et pour qu'un Écossais et un Anglais se vouent fidélité à la vie à la mort, il fallait un bon milliard d'atomes sacrément crochus.

Bruce et Mark avaient commencé par une bagarre dans le vestiaire. De même force, et joliment esquintés, ils avaient décidé de poursuivre la troisième mi-temps autour d'une pinte de whisky, suivie de quelques autres. Mark s'était écroulé le premier. À son réveil, il ne se souvenait ni de son nom ni de son adresse. Grâce à une décoction à base de jus de pomme et de citron, Bruce l'avait remis sur pied.

Une dizaine de mêlées et de gnons plus tard, les confidences avaient remplacé la castagne. Et les deux gaillards, si différents, étaient entrés en communion.

D'accord, Bruce était infréquentable. Côté politiquement incorrect, il atteignait des sommets, et ses ennemis ne se comptaient plus. Mais quand il se lançait sur une piste, personne ne l'arrêtait. Le bulldozer traçait son sillon sans se soucier des dégâts collatéraux.

Bruce était infréquentable, mais c'était son pote. Ils s'engueulaient à mort et s'aimaient à vie. En n'importe quel endroit du monde, à n'importe quelle heure du jour et de la nuit, si l'un avait besoin de l'autre, l'autre accourait. Une semaine sans nouvelles, et l'alarme se déclenchait. Entre eux, une valeur rarissime et inestimable : la confiance totale.

Bruce venait de repartir sur le sentier de la guerre, gonflé à bloc et certain de tenir un scoop de première. Mark lui avait donné carte blanche en lui demandant, sans espoir, d'être prudent.

Saint-John avait confié à son fils la direction d'un newsmagazine consulté dans le monde entier, sous toutes les formes ; et lorsque paraissait un long article ultradocumenté de Bruce, les ventes explosaient.

Mark s'installa devant un pupitre et y déposa la lettre qu'il venait de recevoir.

Une lettre de son père. La première qu'il ait jamais reçue. À l'idée de l'ouvrir, la panique.

Un mètre quatre-vingts, premiers cheveux gris, le front large, des yeux marron clair et mobiles, voyageur impénitent, célibataire endurci, Mark avait adoré étudier. Oxford, Business School aux États-Unis, École polytechnique de Lausanne, archéologie sous-marine à Alexandrie, et un désir idiot, mais porteur : obtenir l'estime de son père, resté veuf après de la mort de son épouse, lors de la naissance de Mark.

Il voyait Saint-John une fois par an, au moment de son anniversaire, fin avril. Chaque fois, une surprise émerveillant l'enfant, l'adolescent, puis l'homme. Une visite de la Grande Pyramide pendant une nuit entière, un dîner au cœur de la Cité interdite de Pékin, une escapade en chameau à travers le Sahara, un petit déjeuner au pôle Nord, un festin au sein d'une tribu amazonienne… La tête de Mark était emplie de rêves réalisés, et chacune de ses rencontres avec Saint-John avait été un miracle.

Son père parlait peu. À chaque anniversaire, un conseil. Mark le jugeait souvent simpliste, mais quand il tentait de l'appliquer, ça coinçait raide. Exemple : « Ne te préoccupe pas de ce qu'on pense de toi. » Si facile, en apparence… Et quel flop, dix fois par jour !

Et maintenant, cette lettre.

Tremblant, Mark la décacheta. Pourquoi cette initiative si déroutante ?

Le texte était bref.

Il est temps que nous nous parlions vraiment. Lundi, 22 heures, à l'aéroport.

Saint-John revenait de New York où il avait conclu un important marché ; il devait dicter à son fils de nouvelles orientations concernant les départements de l'empire Vaudois dont Mark assurait la direction.

Se parler vraiment… Que signifiaient ces trois mots ? Octogénaire doté d'une santé de fer, Saint-John n'avait nullement l'intention de passer la main. Et Mark se satisfaisait de ses responsabilités.

Avant de regagner Londres et d'accueillir son père au pied de son jet privé, une petite dizaine d'urgences à régler.

15.

Avoir une haute opinion de soi, mais croire aussi qu'on est, comme tous les hommes, totalement insignifiant, et ne pas oublier que chacun se réduit à la marionnette de son destin : ce précepte de Churchill, Saint-John l'avait enseigné à son fils lors de son dernier anniversaire, dans une isba, au fin fond de la Sibérie.

Au fil d'une dégustation de vodkas de première qualité, Saint-John avait, pour la première fois, évoqué l'ampleur de l'empire familial, depuis la pharmacie jusqu'aux placements financiers en passant par les médias. Il avait clos le tête-à-tête en citant un autre conseil de sir Winston : « Estimer qu'entre le déshonneur et la mort, il faut choisir la mort. Être donc toujours prêt à rencontrer son Créateur. »

Secoué, Mark avait cru à une sorte de testament ; Saint-John n'était-il pas gravement malade ? Inquiétude vite dissipée, en raison de ses multiples initiatives, sans oublier de nouvelles responsabilités sur le dos de son fils.

Et les nids-de-poule s'étaient multipliés, à côté des chausse-trappes, des fausses rumeurs et des coups dans le dos assenés par de fidèles collaborateurs. Oubliant son passé de rugbyman, beaucoup avaient supposé que le jeune homme s'écroulerait devant le premier obstacle.

Il avait traversé la tempête. Aussi cabochard que son pote Bruce, Mark pouvait se montrer très froid et agir comme la lame d'un sabre de samouraï. Si on le cherchait, on le trouvait.

Il quitta la vieille bibliothèque pour se rendre dans l'un des centres névralgiques de l'empire, une ancienne et vaste fonderie, reconvertie en institut financier. Les briques victoriennes avaient été conservées, mais une impressionnante verrière éclairait les spécialistes chargés de modéliser les fluctuations des marchés mondiaux à l'aide d'ordinateurs hyperpuissants. C'était la clé d'investissements réussis, quelle que soit la conjoncture. L'équipe de chercheurs se composant de mathématiciens, de physiciens et d'économistes, originaires de Corée du Sud, du Japon, de Chine, d'Inde, de Suisse, des États-Unis et de Pologne. Entre eux, la concurrence était rude, et Mark aplanissait souvent des conflits menaçant de mal tourner. Et malgré les performances sans cesse accrues des machines, il lui revenait de trancher en adoptant telle ou telle stratégie. Il commettait parfois des erreurs mais, jusqu'à présent, son bilan était largement positif.

Remise en question permanente, car les algorithmes financiers s'usaient assez vite ; prévoir des tendances lourdes, à long terme, exigeait de coûteuses innovations, fondées sur des batteries de tests internes.

Depuis les premières heures de la matinée, tout déraillait. Tests négatifs, panne informatique, un ingénieur de Hong Kong qui pétait un câble, et l'hostilité de deux analystes aux derniers projets de Mark pour développer l'industrie 4.0, à savoir la numérisation des activités économiques de l'empire. Comme il restait persuadé de pouvoir augmenter la rentabilité en réduisant les coûts de l'énergie et l'utilisation des matières premières en s'adaptant à chaque type de clientèle, l'entrevue avait été orageuse. À Mark de rédiger un dossier précis, à Saint-John de décider.

Et ce n'était pas le seul pépin de la journée. La fabrication de nanofiltres, promis au traitement des eaux usées et à la production d'eau potable, avait pris du retard. Enjeu énorme, à la dimension de la planète. Avant tout le monde,

Saint-John avait développé les nanotechnologies, intervenant à très petite échelle.

Les nanomatériaux se composaient de particules minuscules, environ un cinq-millième du diamètre d'un cheveu humain ; on les utilisait déjà en médecine, en chimie, en électronique, en cosmétique, et pour fabriquer des vêtements et des emballages de produits alimentaires.

Au lieu de déjeuner, Mark secouerait par vidéoconférence des ingénieurs de la Silicon Valley, de Francfort et de Bombay. Peu importaient les heures locales. Saint-John ne supportait pas les retards, et ça retombait sur Mark.

La journée ne s'arrangeant pas, un os de taille dans le développement d'un rêve hallucinant, un ordinateur quantique à base de graphène. Le graphène, au coût de production encore élevé, que Mark considérait comme le matériau de l'avenir : d'une solidité exceptionnelle, bien supérieure à celle de l'acier et beaucoup plus léger, il captait à peine la lumière et conduisait à merveille le courant électrique. Les grandes écoles suisses, au titre du Human Brain Project, programme de recherche fondamentale sur le cerveau humain, et même l'Union européenne, s'intéressaient de près au graphène, la dernière danseuse de Mark Vaudois. Sexy, mais hors de prix. Et voilà que ça coinçait au niveau d'une réglementation à déverrouiller. Une brochette de hauts fonctionnaires à convaincre d'assouplir leur position. En cas d'hostilité ouverte et de mauvaise foi, il faudrait monter plus haut.

Impératif majeur : connaître à fond le dossier des interlocuteurs et leurs points faibles. Dans ce domaine, Saint-John était passé maître, et les enquêteurs de son empire réactualisaient sans cesse leurs données. À la fois rapide et patient, Mark ne renonçait jamais ; un gène légué par son père. Et plus l'obstacle semblait infranchissable, plus ça l'excitait. Encore fallait-il disposer d'armes efficaces afin de terrasser l'adversaire.

La vidéoconférence fut brève et saignante. Les ingénieurs comprirent qu'ils avaient intérêt à se remuer ; sinon, Saint-John en personne interviendrait, façon tsunami.

Avant de monter dans sa voiture, Mark reçut un message apaisant d'une huile de Bruxelles, tendance écolo ; en fin de compte, les autorisations administratives nécessaires pour exploiter certaines technologies liées au graphène ne seraient pas aussi difficiles à obtenir que prévu, car l'huile craignait une enquête façon Bruce.

Mark sourit. Ce déblocage-là ne coûterait pas cher à l'empire.

À côté de son père, il n'était encore qu'un gentil négociateur, mais il apprenait vite et possédait une qualité assez peu répandue : savoir écouter. Et comme Mark avait une mémoire d'enfer et le sens de l'observation d'un Amazonien risquant sa peau à chaque seconde en quête de nourriture, il évitait souvent les flèches de l'adversaire et passait à l'attaque le premier. De ses échecs, parfois sévères, il tirait un maximum de leçons. L'un de ses proverbes préférés : « L'erreur est humaine ; persévérer dans l'erreur est diabolique. » Le terme « diabolique » signifiant « ce qui se met en travers du chemin », de sacrées opérations de nettoyage s'imposaient.

Avec l'âge, Saint-John appréciait le confort de la Rolls-Royce Phantom ; Mark s'amusait à conduire une Aston Martin Vanquish, d'un élégant gris perle, en respectant presque toujours les limitations de vitesse. Fonceuse, puissante et racée, elle était un excellent salon de musique où Mark écoutait les *Partitas* de Jean-Sébastien Bach et les concertos de Mozart.

Que signifiait la phrase de son père : *Il est temps que nous nous parlions vraiment* ? S'il n'appartenait pas au genre bavard, Saint-John avait horreur du mensonge. Cette faute-là, il ne la pardonnait jamais ; et plusieurs de ses collaborateurs, qui se croyaient intouchables, avaient été virés pour l'avoir commise.

Voilà des années que le père et le fils se parlaient peu, mais *vraiment* ; et Mark, en si peu de mots, avait déjà tant appris ! Où Saint-John l'emmènerait-il pour son prochain anniversaire ?

Sans doute une mutation décisive de l'empire : voilà ce que Saint-John voulait révéler à son fils. Avec des responsabilités supplémentaires en perspective.

L'admirable pianiste Maria Tipo, si méconnue, égrenait avec une grâce inimitable les mélodies de Bach. À croire que l'humain avait une âme.

16.

Au nord de Londres, le petit aéroport accueillait les jets privés de l'empire. Généreux, Saint-John permettait à des notabilités de l'utiliser, en toute discrétion. De quoi faire fructifier son gigantesque carnet d'adresses.

Strictement clôturé, le domaine était inaccessible aux curieux et aux malfaisants. Sur la petite route menant à la piste, trois contrôles effectués par des militaires récemment retraités et très pointilleux. Et même la voiture de Mark était scannée, du volant au fond du coffre.

Pilotes, hôtesses et personnels au sol percevaient de beaux salaires, à condition d'être disponibles à tout moment. En échange de rétributions confortables, à chacun de respecter les règles du jeu fixées par Saint-John, lequel comptait sur le gérant des lieux, Joss, un ex de la RAF, pour les faire respecter. Mécano de formation et teigneux de nature, il traquait le feignant.

Tour de contrôle haut de gamme, manoir à l'ancienne comprenant dix suites dignes d'un hôtel de luxe, piscine couverte et chauffée, salle de fitness, sauna, hammam, restaurant gastronomique : l'empire soignait ses hôtes de passage.

Mark se gara à sa place réservée, à côté de la Rolls de son père. Il avait deux heures d'avance sur l'arrivée du vol en provenance de New York et un creux à l'estomac.

— Bonne journée ? demanda Joss.

— J'ai connu mieux.
— Un petit whisky ?
— Comme j'ai été perturbé dans mes horaires, j'ai besoin de consistant.
— Pâté de sanglier, lapin aux morilles, plateau de fromages et soufflé au citron, ça conviendra ?
— J'ai connu pire.
— Je vous laisse récupérer, j'ai du boulot à la tour.

Mark s'offrit le petit whisky et un superbe bourgogne. Il ne conduirait pas pour emmener son père à leur hôtel particulier de Londres ; le chauffeur attitré de la Rolls s'en chargerait.

Et le fils avait un projet : cette fois, ce serait lui qui organiserait son anniversaire en réservant une belle surprise à son père. Un festin auprès de la pyramide du pharaon Pépi II, à Saqqarah, au sud du Caire, en plein désert. Pourquoi Pépi II ? Parce qu'il était monté sur le trône à six ans et ne l'avait quitté pour les étoiles qu'à cent deux. Le plus long règne de l'histoire, record imbattable. Ce que Mark souhaitait à Saint-John.

Dîner seul, portable coupé… Une friandise à savourer. Et bientôt embrasser ce bonhomme exceptionnel qu'aucun coup du sort ne semblait ébranler. Cent fois, on avait tenté d'abattre Saint-John ; cent fois, on avait échoué. Et l'âge ne l'affaiblissait pas. Au contraire, il lui offrait un cadeau inestimable : l'expérience. Elle permettait de décider vite et de ne pas réfléchir dans le vide. En observant la stratégie de Saint-John et sa manière de gouverner, ressemblant à l'art d'un maître du jeu d'échecs, Mark avait beaucoup appris.

La tranquillité fut de courte durée.

Deux hommes s'approchèrent de sa table. Un Américain et un Chinois, venus à Londres pour discuter du graphène. Aussi truands l'un que l'autre, et pions décisifs sur l'échiquier des investissements.

— On ne vous dérange pas, j'espère ? demanda l'Américain en s'asseyant.

Le Chinois l'imita.

Dans un film d'horreur, le premier aurait pu jouer le rôle d'Al Capone et le second celui de Mao.

Un serveur s'empressa d'apporter trois ballons de cognac XO.

— On est sûrs que vous ferez sauter le verrou européen, prédit l'Américain ; ce n'est quand même pas un roquet de haut fonctionnaire qui va nous tordre le bras.

— Ce n'est pas, confirma Mark.

Le Chinois eut un léger sourire.

— Nos amis de Pékin vous apprécient beaucoup, révéla l'Américain, et nous vous considérons comme un excellent professionnel. Ne nous décevez pas. Bonne nuit.

Les deux hommes s'éloignèrent.

Mark connaissait bien les deux zigotos. L'Américain était le manipulateur en chef des matières premières à travers le monde, et le Chinois, membre des instances dirigeantes du Parti, s'était spécialisé dans l'achat de terres en Afrique. Ils collaboraient depuis longtemps avec l'empire, et Saint-John les jugeait fiables. Ceux qui leur marchaient sur les pieds avaient une fâcheuse tendance à se suicider ; en règle générale, les consciences les plus exigeantes acceptaient leurs propositions à partir d'une certaine somme.

Vingt-deux heures. L'avion de Saint-John allait atterrir.

Comme d'habitude, Mark ne lui dissimulerait pas les difficultés auxquelles il se heurtait, dans les dossiers les plus brûlants ; et comme d'habitude, Saint-John inventerait une solution. Il ne se contentait pas de s'adapter, mais transformait la réalité, comme un joueur d'échecs créant une nouvelle position.

Vingt-deux heures trente.

Léger retard, assez inhabituel. Utilisant sa montre, Mark analysa la météo sur le parcours. Rien de monstrueux, mais quelques sérieuses perturbations. Les pilotes employés par Saint-John étaient des techniciens top niveau, capables d'affronter n'importe quelle situation.

Vingt-trois heures.

Là, ça devenait bizarre.

Mark grimpa à la tour de contrôle, qui avait forcément des nouvelles et des explications.

Joss et son équipe avaient les yeux fixés sur les écrans. L'un d'eux tapotait fébrilement sur un ordinateur.

— Que se passe-t-il ?

Joss était verdâtre.

— On l'a perdu, Mark.

17.

— Vous avez perdu quoi ?

— L'avion de ton père... Il a disparu des écrans.

— Depuis quand ?

— Une heure et demie.

— Un simple problème de repérage, non ? Ton matériel a dû tomber en panne.

Joss hocha la tête négativement.

— Tout fonctionne.

— Alors, ça provient du jet.

— Vu les systèmes dont il est équipé, nous le saurions.

— Pas d'appel de détresse ?

— Silence brutal et total. Comme si...

— Comme si quoi, Joss ?

Incapable de parler, il se mordit les lèvres au sang.

Une explosion en vol.

Un attentat.

Impossible, tant les mesures de sécurité étaient draconiennes. Saint-John avait une garde rapprochée, des experts vérifiaient la moindre parcelle de l'avion.

— Continuez à chercher, ordonna Mark ; j'alerte les autorités.

Il savait qui joindre pour déclencher une enquête à grande échelle et obtenir des résultats rapides.

La nuit durant, Mark tourna comme un ours en cage, buvant café sur café, et se tenant informé quart d'heure après quart d'heure.

Les ennemis de Saint-John et de son empire ne manquaient pas ; il en avait dressé la liste, Mark la connaissait. Des requins de la politique, de la finance et de l'industrie, qui avaient parfois intérêt à le contrer, mais pas à le détruire.

Piéger le jet impliquait une action terroriste sophistiquée, avec des complicités, voire un tueur suicidaire dans le nombre très restreint de passagers. Mais pourquoi s'en prendre à Saint-John ?

L'information tomba à 7 heures.

Le jet avait explosé, ses débris étaient tombés en mer du Nord. Trois bateaux avaient observé la boule de feu et s'étaient déroutés vers le lieu du drame. Un navire de guerre britannique venait de l'atteindre.

D'après la description des témoins, aucune chance de retrouver des survivants. Néanmoins, les recherches, notamment celle de la boîte noire, débutaient avec un maximum de moyens.

À la tour, c'était la relève des contrôleurs. Personne n'osait prononcer un mot. La tête entre les mains, Mark était perdu.

Saint-John assassiné, son père mort, un père qu'il ne reverrait plus, auquel il ne parlerait plus… Ça paraissait tellement absurde, tellement irréel !

Un appel sécurisé.

Millard, le surveillant général de l'empire à Londres.

Cinquante-deux ans, célibataire, grand amateur d'Asiatiques, bosseur infatigable, véritable ministre de l'Économie du groupe, teigneux et redouté. Les cours des Bourses mondiales coulaient dans ses veines.

— La nouvelle a fuité, annonça-t-il à Mark ; les réseaux sociaux s'agitent, les grands médias vont suivre. J'ai déjà cent demandes d'interview.

— Préparez un communiqué officiel.

— J'ai besoin de vous voir, dès aujourd'hui. Des décisions urgentes. Je ne suis pas du genre condoléances, mais vous savez ce que je pense. On a perdu beaucoup plus qu'un chef d'entreprise. À vous de reprendre le flambeau. C'est ce qu'il voulait.

— Ce soir, 18 heures, avec vos dossiers.

Mark jouait les durs. Un dur qui pleurait à l'intérieur et souffrait comme une bête grièvement blessée. À cause de Millard, il n'avait pas le temps de souffler, et c'était mieux ainsi. Des torrents de mièvrerie n'auraient rien changé. Saint-John était parti et ne reviendrait pas.

Mais il n'était pas parti normalement, et Mark se jurait déjà d'avoir la peau des coupables. Démunies et brisées, la plupart des victimes n'avaient qu'à baisser la tête devant une justice bidouillée. Ce ne serait pas le cas de Mark. Il saurait qui et pourquoi. Et il agirait, quel qu'en soit le prix.

— Va te reposer, ordonna-t-il à Joss ; ton second assurera le trafic de la journée.

— Saint-John, le patron… C'est pas possible, pas lui !

— Les salauds ne s'en tirent pas toujours.

— Vous les buterez ?

— Pas un ne m'échappera.

Au parking, Mark eut un étourdissement. Le chauffeur de son père s'avança et ouvrit la portière de la Rolls. Pour la première fois, il s'assit à la place de Saint-John.

18.

Devant l'hôtel particulier des Vaudois, une meute de journalistes. L'attentat enflammait la Toile, les télés, les radios, les journaux et les pubs. On sortait une bonne dizaine de biographies de Saint-John, plus ou moins erronées, et les hypothèses sur les auteurs du crime allaient bon train.

Des policiers aidèrent Mark à se frayer un chemin jusqu'au perron où l'attendait le *butler*, à la tête du personnel de maison. Des fidèles en poste depuis de nombreuses années.

— Nous vous présentons toutes nos condoléances. Et ce ne sont pas des propos convenus.

L'émotion était perceptible. À l'anglaise, on ne s'épanchait pas, mais le cœur ne mentait pas.

Le vaste hall d'entrée, orné de stèles et de statues égyptiennes, l'escalier de marbre rose, les salons de réception, les hautes fenêtres à petits carreaux, la bibliothèque, la piscine intérieure, les chambres douillettes... Mark avait grandi ici. Son havre de paix, son port d'attache entre de longs voyages.

Aujourd'hui, le vide et la solitude.

Non, il se trompait. Partout, la présence de Saint-John. L'esprit n'avait-il pas survécu au corps ? Un être n'était-il qu'un assemblage d'os et d'organes ? Mark se souvint d'un vieux texte datant des grandes pyramides : « L'homme est plus ou moins mort ou vivant. » Un beau paquet de cadavres circulait dans les rues ; Saint-John, lui, résisterait au néant.

— J'ai préparé un en-cas, annonça le *butler*. Où dois-je le servir ?

— À la bibliothèque.

L'une des plus belles de Londres. Archéologie, auteurs anciens, livres d'art, essais consacrés à l'économie et à la sociologie, pavés scientifiques… À l'heure des liseuses et des tablettes, Mark aimait se recueillir dans ce sanctuaire qui avait forgé l'âme de son père.

Des œufs brouillés, des tomates farcies et du jambon à l'os, accompagnés d'un champagne aux bulles très fines. Le breakfast préféré de Saint-John. L'héritier était trop stressé pour l'apprécier.

Elle apparut.

Grande, mince, des seins délicieux, une allure de déesse, un sari vert pâle, un maquillage d'une parfaite discrétion, des yeux noirs si profonds qu'on y sombrait, le visage d'une Vierge de Fra Angelico additionné d'une touche de courtisane asiatique au sommet de sa séduction.

Originaire de Bombay, Irina Vindarajan était bardée de diplômes d'ingénieur, acquis en Inde et en Angleterre où elle avait rencontré Mark, un an auparavant, lors d'un congrès consacré aux nouvelles technologies. Depuis, ils ne se quittaient plus et apparaissaient, souverains, à chaque événement d'importance. Selon les tabloïds, un couple-vedette.

— Sale journée, Mark.

— Tu es perspicace.

— Toi, tu ne l'es pas.

— Ça signifie quoi ?

— La mort de ton père ne modifie pas ma décision. Je te plaque.

La dureté du regard renforçait celle des paroles.

— Tu m'ennuies, Mark, avec tes principes d'un autre âge. Ton ami Bruce est un dinosaure qu'il faudrait écrabouiller. Maintenant, sans ton père, tu es foutu. Un ringard incapable de diriger son empire qui sera débité par morceaux. Place ton pognon dans un paradis fiscal, installe-toi sur une île ensoleillée garnie de putes, fais-toi bronzer et bois des cocktails. Moi, j'ai d'autres ambitions. Salut, minable.

Plaqué... Ce n'était pas le terme exact. Lui et Irina n'avaient jamais couché ensemble. L'envie ne lui en manquait pas, mais la jeune femme s'y refusait et le menait par le bout du nez, en l'obligeant à l'inviter à toutes les réceptions où il fallait se montrer.

Saint-John n'émettait aucun commentaire sur la vie sentimentale chaotique de son fils. L'essentiel, c'était le sérieux de son travail. En cas de projet de mariage, il serait intervenu, car le contrat aurait engagé l'avenir de l'empire. Mais l'idée n'avait pas effleuré Mark.

Irina le fascinait. Vive, intelligente, racée, elle déclenchait la jalousie des autres femmes qu'elle écrasait de son mépris. Une épouse... Non, une tigresse à dompter. Pari intéressant, que la superbe Indienne venait de fracasser.

Déjà groggy, Mark était K.-O. Pas à cause de sa vanité de mâle, mais parce qu'il avait espéré un soupçon de réconfort auprès de sa fausse maîtresse.

Nouvel appel sécurisé, avec un code surprenant. Message simple et direct.

Viens vite. Primula

Primula, l'épouse de Bruce. Bruce, muet depuis plusieurs jours. Grâce à sa montre multiusage, Mark savait qu'il se trouvait à Pékin. Une rapide recherche lui prouva que le contact était rompu. Autrement dit, on avait ôté à son pote l'engin qui les reliait. Et Primula l'appelait au secours.

Son père disparu, son seul ami en danger, sa fausse maîtresse qui prenait le large... La coupe débordait. Il aurait dû se précipiter dans une unité de soins intensifs pour dépressifs, mais entre Bruce et lui, c'était à la vie à la mort.

Il fallait oublier le stress et démêler l'embrouille.

Mark joignit Millard.

— Bloquez tout pendant deux jours, la mort de Saint-John suffira à calmer les impatients.

— C'est difficile, c'est…

— Tout est difficile. Je trancherai dès mon retour, après-demain.

— Où allez-vous ?

— Urgence absolue.

— Mark, vous êtes le patron de l'empire. Et moi, comme vos principaux collaborateurs, je dois savoir où vous vous trouvez, en toutes circonstances.

— Chez la femme de Bruce, en Islande.

19.

Encore sous le choc, Joss avait pourtant réagi en professionnel. Un jet était fin prêt, les vérifications effectuées, les mesures de sécurité doublées. L'équipage était composé d'amis de longue date, parfaitement sûrs.

En plein ciel, Mark ne cessait de penser tantôt à son père, tantôt à son ami. Il s'accrochait aux moments heureux vécus avec eux, et refusait de les croire morts. Pour Saint-John, ce n'était qu'un rêve enfantin ; mais pour Bruce, il avait peut-être la capacité d'intervenir. À moins qu'il n'ait été assassiné, lui aussi...

Jamais voyage ne lui parut aussi interminable, tant il avait hâte d'écouter les révélations de Primula. Emporté dans un tourbillon, Mark ne contrôlait plus rien, et il détestait ça ; il ressemblait à un boxeur aux mains liées derrière le dos, face au champion du monde des poids lourds. Il ne lui restait que l'esquive, mais il ne renoncerait pas à se battre.

Millard le bombarda de messages, exigeant des réponses rapides. L'empire, mondialisé, continuait à vivre à son rythme, sans respecter la plus petite période de deuil.

Mark trancha. Il avait l'impression que l'esprit de son père lui dictait ses décisions et lui ouvrait les yeux.

Enfin, Reykjavík.

Deux Ford Bronco, équipées pour les pires pistes, l'attendaient. Chauffeurs islandais et gardes du corps lourdement armés travaillant pour les banques et les entreprises de l'empire implantées sur la grande île. Bien entendu, la propriété de Bruce était sous surveillance, et sa petite famille ne risquait rien.

Le responsable local, un grand blond au visage fermé, présenta ses condoléances au nouveau patron. Et les voitures blindées s'élancèrent en direction du hameau perdu en pleine nature où Bruce se ressourçait entre deux enquêtes.

Comme son pote, Mark adorait l'Islande. Chaque jour ou presque, on passait par tous les climats que régissait un vent constant, plus ou moins violent. Ni froid ni chaleur excessifs, et la toute-puissance des volcans, certains recouverts de glace, célébrait le mariage impossible du feu et de l'eau. C'était à cause d'une gigantesque irruption islandaise que l'Europe de la fin du XVIIIe siècle avait subi un climat détraqué, causant des famines. Et la conséquence la plus voyante avait été la Révolution française. Comme quoi il ne fallait pas prendre à la légère les colères des volcans islandais.

Les Islandais, des bizarres. Une moitié de l'année sans jour, l'autre sans nuit ; les rois du nombre de livres par tête d'habitant, la lecture étant indispensable pour combler les mois sans lumière ; une légère tendance aux alcools forts et aux grands vins afin d'ensoleiller l'organisme ; et une farouche indépendance qui, à l'issue d'une grave crise économique et bancaire, avait conduit le gouvernement à ne pas payer ses créanciers – anglais et hollandais – et à retirer sa demande d'adhésion à l'Union européenne.

La route 36 était potable. À 42 kilomètres de Reykjavík, le convoi emprunta la 360 à belle allure. Au loin, le plus grand des lacs islandais, le Thingvallavatn, bordé de marécages. À proximité, le site le plus sacré du pays, le Thingvellir, la place du Parlement où, dès 930, une assemblée législative avait élaboré des lois s'appliquant à l'ensemble de la population. En 1974, une fête rassemblant trente mille personnes avait célébré le onzième centenaire du premier Parlement.

La route 37, un authentique tape-cul. Tout à fait dans le style Bruce, rugueuse et inhospitalière. Le genre de paysage où les humains n'étaient pas les bienvenus.

Sorbiers des oiseaux et parterres de gentianes entouraient une maison peinte en rouge et en vert, au pied d'une source chaude où l'on se baignait en toute saison. Des canalisations assuraient le chauffage de la propriété.

Une barrière stoppa le convoi. Deux gaillards armés s'approchèrent de la voiture de tête.

Le grand blond en descendit et discuta avec eux.

— C'est clean, dit-il à Mark. Allez-y.

L'héritier de l'empire emprunta un chemin de terre menant à une vaste terrasse en bois au centre occupée par un Jacuzzi. Un gamin y clapotait.

— Ça va, Bruce Junior ?

— Mark ! Tu plonges ?

— Je suis un peu pressé.

— Tu tombes bien, maman prépare un gâteau.

Mark avait une vraie complicité avec ce filou de dix ans. Excellent joueur d'échecs, matheux, bon footballeur, blagueur, dur au mal, futé comme pas deux, il incarnait le bonheur de vivre. Lui et Mark avaient eu de longues conversations sur la nature, les animaux, la bêtise humaine et l'avenir de la planète. Avec un père écossais, une mère cambodgienne et une patrie volcanique, Bruce Junior n'était pas n'importe qui.

Sur le seuil, Primula, digne, encadrée de Dante et Virgile, deux monstrueux terre-neuve.

20.

Primula, c'était une chouette fille, belle et raffinée. Tout le contraire de Bruce. Elle bénéficiait d'un privilège de super héroïne, car survivre aux atrocités que les Khmers rouges avaient infligées à sa famille, garder un regard lumineux, rendre Bruce et leur fils heureux, ça dépassait tous les exploits de Superwoman.

Tout ce que réclamait Primula, c'était un maximum de solitude. Ici, choix exaucé. Et ça n'entravait pas l'évolution de Bruce Junior, car le niveau de l'éducation en Islande se situait parmi les meilleurs. Et l'apprentissage de cette nature aussi unique que sauvage donnerait au gamin une force mentale exceptionnelle.

Blouse en soie d'un rouge profond, pantalon noir flottant, fine chaîne en or, chignon parfait... Primula avait un charme fou. Mais, cette fois, l'angoisse habitait ses yeux.

— Merci d'être venu si vite. J'ai appris, pour ton père... C'est effroyable.

Les deux terre-neuve léchèrent les mains de Mark, dont ils appréciaient les caresses.

Au sein de ce paysage de début du monde, Bruce avait installé la technologie moderne pour être informé en permanence des convulsions de la planète. Entre culture sous serre de fruits et légumes, baignades dans les sources chaudes, randonnées sur les pentes des volcans et des glaciers, Primula, elle aussi, restait à l'écoute.

— Je suis K.-O., avoua Mark ; l'empire me tombe sur le dos, et j'ai peur qu'il ne soit pas assez solide.

— Ton père vivra en toi et te guidera.

— L'urgent, c'est Bruce.

— Entre.

Elle avait façonné une sorte de paradis à la fois austère et douillet ; des meubles en bois aux lignes pures, des fauteuils de cuir capables de supporter le poids de Bruce, de multiples ouvertures captant le moindre rayon de lumière et des fleurs, des centaines de fleurs, sans cesse renouvelées. Grâce à la chaleur montant des profondeurs de la terre, et à sa main verte, Primula était devenue la championne des orchidées, des chrysanthèmes et des lotus. À côté de la maison, des dépendances savamment aménagées leur étaient consacrées.

— Tu veux boire quelque chose ?

— Ta spécialité.

Avec son alambic en cuivre, Primula produisait un alcool dont la composition restait secrète et dont la vertu, selon ses dires, consistait à dissiper les nuages. Bruce l'absorbait dès le petit déjeuner, et ça ne le rendait pas aveugle.

— Pour Saint-John, comment est-ce arrivé... réellement ?

— Un assassinat. On a fait exploser son jet en provenance de New York.

— *On*... Tu as une piste ?

— Pas encore. Mais je saurai. Et j'agirai.

Comment décrire un mélange de cognac, d'armagnac, d'absinthe et de fleurs de montagnes ? Un premier goût, brutal ; un arrière-goût, suave ; et un dernier, apaisant.

Primula conduisit Mark au bureau de Bruce, à la mesure du personnage. Une bonne centaine de mètres carrés, des milliers de bouquins, de revues et de dossiers entassés sur des étagères, et une batterie d'ordinateurs dernier cri, fournis par l'employeur.

Elle désigna un écran.

Un message, en anglais :

Bruce vivant. Un milliard de dollars.

— Ça n'a pas de sens, murmura-t-elle, écrasant une larme ; ni revendication ni signature. On ne pourra pas remonter à la source.

— Ton mari n'est pas donné, mais un véritable ami n'a pas de prix. Et j'ai un peu d'argent de poche.

— Mark…

— Tu le sens, toi aussi : Bruce est vivant. Sinon, on n'aurait pas cette petite flamme qui nous relie à lui.

— Bien sûr que papa est vivant, affirma le gamin, en survêtement orange ; il ne va pas trop bien et sait que nous le cherchons.

Il avait parlé d'une drôle de voix, plutôt grave et pas tout à fait la sienne, comme si quelqu'un s'exprimait à travers lui.

— J'ai faim, je vais à la cuisine, annonça-t-il sur un ton normal.

Les deux terre-neuve l'accompagnèrent. Primula parut gênée.

— Ne me prends pas pour une folle… Bruce Junior a des traits de voyance. Ça énerve son père, mais il a constaté leur réalité et a même constitué un dossier. À n'importe quel moment, et toujours avec une voix étrange, il lance une affirmation, souvent sur un sujet qu'il ne connaît pas. Et on vérifie. Le mois dernier, il m'a prévenue : « Maman, protège ta serre aux légumes. » Je me félicite de l'avoir écouté. Le lendemain, en dix minutes, une bourrasque d'une intensité inouïe a dévasté une partie de la région. Nous avons été épargnés.

— Bruce Junior a-t-il déjà pressenti la mort de quelqu'un ?

Primula baissa les yeux.

— À la fin de l'hiver, il a croisé un costaud prétentieux au pied du grand lac ; le type m'a observée de façon malsaine, et mon fils lui a dit que son cœur ne battait presque plus. Le bonhomme a détalé comme un lapin. L'Islande est remplie de bons et de mauvais génies, les sorciers n'ont pas tous disparu, et l'on ne plaisante pas avec eux. Le costaud a pensé que mon gamin en était un. Trois jours plus tard, dans le journal, sa photo : ingénieur de renom mort d'une crise cardiaque.

— Nous sommes trois à savoir que Bruce est vivant, conclut Mark, et je le ramènerai chez lui.

Elle lui prit les mains.

— Je ne supporterais pas sa disparition. Tu es mon seul espoir.

— Tu peux m'aider, Primula.

— Comment ?

— En m'apprenant tout ce que tu sais sur l'enquête de Bruce. Moi, j'ai une certitude : il se trouvait à Pékin.

Effondrée, elle lâcha les mains de Mark.

— Personne ne sort indemne d'une prison chinoise !

— D'abord, savoir si on l'a enfermé et de quoi on l'accuse ; ensuite, même ce monde-là a changé, et l'empire ne manque pas de moyens de pression. Saint-John m'a bien formé et je me montrerai digne de lui. Alors, Primula, que t'a raconté Bruce avant de partir ?

21.

Primula savait que Mark était le seul ami de Bruce et qu'il risquerait sa vie pour lui.

— Mon mari n'est pas un rêveur. Quand il se lance sur une piste, il y a du solide au bout. D'habitude, il s'excite, puis se calme en accumulant du matériel. Parfois, il le juge insuffisant et jette le dossier à la poubelle. Je ne l'avais jamais vu dans cet état. Après tant d'années de journalisme d'investigation, n'était-il pas blasé ? La bassesse humaine est sans limites, d'accord, mais assez répétitive. « Là, m'a-t-il confié, je tiens un truc énorme ! Pas un truc, *le* truc. On va enfin comprendre qui nous manipule. »

Quels que fussent les mots, Primula s'exprimait avec le calme et la distinction de la reine d'Angleterre.

D'une pochette jaune, elle sortit un texte écrit de la main de Bruce :

Un prince, et SURTOUT UN NOUVEAU PRINCE, doit agir contre sa parole, contre la charité, contre l'humanité, contre les croyances. À lui de s'adapter selon l'air du temps et de pratiquer le Mal en cas de nécessité.

— Machiavel, *Le Prince*, chapitre XVIII. Saint-John m'a lu ce texte pour mon quinzième anniversaire. « C'est ainsi que sont gouvernés nos États ; et ce n'est pas ainsi que je gouverne mon empire. Et chaque jour, c'est la guerre. Quand tu gouverneras à ton tour, ce sera pire. Ne fais aucune confiance aux princes qui nous dirigent en se fondant sur le mensonge. Et si tu perds la guerre, préserve ton honneur. »

— Bruce a mis en majuscules SURTOUT UN NOUVEAU PRINCE ; il n'a désigné personne ?

Elle hocha la tête.

— C'est ce prince-là qu'il recherchait, avança Mark.

— La veille de son départ, il a été plus bavard que d'habitude. D'ordinaire il se contentait de préparer ses bagages en râlant et en buvant un peu trop. Cette fois, il avait envie de parler.

Primula se concentra, afin de se rappeler les confidences de Bruce avec un maximum de précision.

— Il ne supportait plus d'être enfumé et voulait savoir qui tire les fils des marionnettes que nous sommes.

— La fameuse théorie du complot.

— Bruce n'y croyait pas. Pourtant, il a détecté des clubs, des cercles et dressé une liste de noms.

— Tu la possèdes ?

— Il avait tout en tête et ne voulait rien confier à l'ordinateur.

— Des notes, un carnet ?

— Celui-là.

Primula exhiba un cahier d'écolier. De nombreuses pages couvertes de l'écriture de Bruce.

Un gros hic : rien de compréhensible. Des suites de signes, lettres, chiffres et dessins.

— Tu me permets de consulter des spécialistes du décryptage ?

— En codage, Bruce est un as. Essaie quand même.

Elle se concentra à nouveau.

— Quand il partait sur le sentier de la guerre, avec son flair de chien de chasse, il savait distinguer le vrai du faux. Honnêtement, il ne s'est jamais trompé. Ce coup-là, il patinait.

— Pourquoi ?

— Parce que en pistant les tordus qui agissent dans l'ombre, il est tombé sur autre chose. Une sorte de dispositif anti-tordus. Et trier les bons, pas évident. J'ai eu la sensation qu'il se sentait comme du jambon entre les deux tranches d'un sandwich. Et Bruce est plutôt du côté du croqueur que des mangés.

— Bon Dieu, dans quelle jungle il s'est fourré !

— J'ai peur, Mark, tellement peur !

— La demande de rançon, c'est rassurant. Quand on commence à parler d'argent, surtout à ce niveau-là, on peut négocier. Ton mari, c'est un véritable trésor. Et moi, j'aime préserver les trésors.

Primula ferma les yeux.

— Quand il m'a embrassée, juste avant de monter dans le taxi, il a prononcé un mot étrange.

— Lequel ?

— Sphinx, je crois.

22.

Depuis son jet, sur le chemin du retour vers Londres, Mark contacta M. Li, le Chinois qu'il avait croisé à l'aéroport avant d'apprendre la mort de son père. Officiellement, M. Li était délégué commercial du gouvernement, chargé d'étudier les investissements en Europe. En réalité, ses fonctions ne se limitaient pas à cette activité lucrative. Comme Saint-John l'avait appris à son fils, M. Li était aussi l'un des dignitaires les plus influents du régime et appartenait au cercle étroit des dragons décidant des orientations économiques du géant asiatique. À la tête de nombreux réseaux, infiltré dans les ONG, il avait croisé la route de Saint-John, et les deux hommes, après s'être observés comme des fauves protégeant leur territoire, avaient conclu un accord de non-agression.

L'agenda de M. Li était surchargé. Néanmoins, il ne refusa pas l'invitation à déjeuner de l'héritier de l'empire. Cette bonne volonté rassura Mark. Chacun possédait sur l'autre un dossier détaillé.

Proche du degré zéro de la froideur absolue, M. Li n'accordait un entretien privé qu'à un très petit nombre de personnes qu'il jugeait dignes d'intérêt. Lui et Saint-John se rencontraient assez souvent.

L'endroit idéal : le club de l'empire, à Mayfair, quartier chic de la capitale. Un hôtel particulier aux colonnades de granit rose, doté de systèmes de sécurité qui auraient fait pâlir d'envie les spécialistes du contre-terrorisme.

Saint-John avait choisi lui-même la décoration. Détestant l'art moderne, il s'était cantonné à un mobilier de l'époque Tudor, à des parquets de bois exotiques et à des tableaux de primitifs flamands, de la Renaissance italienne et de Turner, le seul peintre récent trouvant grâce à ses yeux. Le salon principal, qu'il appelait « le confessionnal », avait vu défiler les grands de ce monde, souvent en position de faiblesse. Le confort des fauteuils de cuir à haut dossier, la qualité des alcools et, surtout, la certitude qu'aucun des propos échangés ne sortirait de cette pièce, les mettaient à l'aise. Saint-John écoutait et n'oubliait rien. En face de lui, la plupart du temps, des ados attardés, des fêlés, des cupides, des avides de pouvoir. Une ménagerie à dompter. De simples conseils de bon sens illuminaient le cerveau de ses interlocuteurs qui considéraient Saint-John comme le gourou des gourous.

Mark en personne accueillit M. Li au sommet du perron. Vu le nombre de gardes du corps visibles et invisibles, aucun risque d'attentat.

— Merci d'avoir accepté mon invitation.

— Je suis très honoré. J'appréciais beaucoup votre père.

— Un homme irremplaçable et une perte irréparable.

— À vous de prouver le contraire.

Pénalité réussie pour la Chine. Le match débutait en férocité. En entrant dans la salle à manger où Saint-John recevait ses hôtes, Mark ressentit une boule à l'estomac. L'habit n'était-il pas trop grand pour lui ? La volonté de sauver son pote Bruce jugula ses craintes. Gagner la partie était impératif, même si le pack adverse pesait cent kilos de plus.

— Un endroit charmant, susurra le Chinois, en admirant les glaces vénitiennes et les tentures vieil or.

— Foie gras aux figues, langoustines, sole de Douvres sur un lit de poireaux, plateau de fromages de chèvre, soufflé au citron et cognac XO : le menu vous convient-il ?

M. Li sourit. L'héritier avait consulté ses fiches. Le cuisinier du club atteignant l'excellence, le Chinois se réjouissait de déguster ses plats préférés. Contrairement à la mode du vin qui se développait chez lui, il préférait déjeuner au cognac.

— Une enquête approfondie sur l'assassinat de votre père a débuté, je suppose ?

— Je saurai tout.

M. Li dévisagea Mark un long moment.

— Je n'en doute pas. Et puisque vous avez une question à me poser et que nos emplois du temps sont surchargés, autant vous répondre tout de suite et clairement : la Chine ne porte aucune responsabilité dans cette tragédie.

Le ton et le regard avaient été d'une rare fermeté. M. Li voulait convaincre.

— Merci de cette information.

— Vous n'en doutiez pas, j'espère ?

— À dire vrai, ce n'est pas la véritable cause de notre entretien.

Le Chinois parut surpris. La fameuse impassibilité asiatique n'était qu'une invention d'Occidental inattentif.

— Et quelle est-elle ?

— Une autre disparition. Celle de mon ami Bruce Reuchlin.

— Le journaliste ?

— Lui-même.

— La star de la presse d'investigation... Je n'ai pas eu le malheur de le rencontrer.

— Vous pouvez m'aider.

M. Li mangeait vite et buvait du cognac comme un bordeaux léger, sans être ivre. La tournure que prenait la conversation ne l'enchantait pas.

— Je ne vois pas comment.

— C'est tout simple : Bruce se trouvait à Pékin, en mission pour le magazine de mon groupe. Et c'est là que j'ai perdu sa trace.

— Fâcheux.

— Très fâcheux.

— Et vous imaginez quoi ?

— Pour le moment, rien. J'attendais de vous rencontrer.

Foie gras et langoustines touchaient à la perfection, le cognac au sublime. Mais impossible de se laisser aller ; Saint-John était à la fois un confesseur et un inquisiteur, profitant de la moindre brèche, et son fils ne semblait pas moins redoutable.

— Votre ami est le plus impitoyable des chiens de chasse. Même si elle ne correspond pas à vos critères démocratiques, à supposer qu'ils le soient, la Chine moderne ne s'amuserait pas à éliminer un journaliste de cette carrure-là. Le scandale serait trop nuisible.

— Aucune police n'est à l'abri d'une bavure.

— Que désirez-vous exactement ?

— Que vous m'appreniez si Bruce a été arrêté et pour quelle raison.

— Vous me prêtez des pouvoirs que…

— Pas de fausse modestie, monsieur Li. La version officielle ne m'intéresse pas. Je veux la vérité.

— Et si je ne parviens pas à satisfaire votre exigence ?

— Jusqu'à présent, nos relations ont été excellentes, et nous avons de nombreux projets d'envergure. Pourquoi gâcher un partenariat fructueux ? Et je n'aimerais pas déclencher une tempête médiatique qui nuirait à votre rayonnement et à votre réputation.

M. Li réfléchit en savourant la sole à la chair ferme et goûteuse.

— Quel gibier traquait votre ami Bruce ?

— Je l'ignore.

— Soyez sérieux, monsieur Vaudois.

Ce fut au tour de Mark de scruter son interlocuteur, qui réprima un frisson.

— Seule certitude : Bruce a disparu lors de son séjour à Pékin. Que cherchait-il, qui a-t-il rencontré, qui l'a intercepté ? À vous de me répondre. Et vite.

— Et si je vous brisais les reins ?

— Essayez.

— Vous mettriez votre empire en péril pour sauver un journaliste ?

— Pas un journaliste. Mon ami.

— Celui-là doit être plus rare que le plus rare des diamants.

— Comme pierre brute, Bruce se pose là.

— J'ai peur que vous ne soyez aussi entêté que votre père.

— D'après lui, pire.

La variété des fromages de chèvre était inégalable ; et le cognac rehaussait les saveurs.

— J'accepte de vous rendre service. Dans la mesure de mes faibles moyens, bien entendu.

— En échange de quoi, monsieur Li ?

— Certains dossiers commerciaux et industriels traînent un peu. Votre groupe pourrait ôter certains verrous. Si nous les évoquions pendant le dessert ?

23.

Si la Chine était l'empire du Milieu, M. Li était l'empereur des faux-jetons. Après avoir dévoré son soufflé au citron, il avait tenté de tordre le bras de Mark, puis de le piétiner.

Raté.

À la fin du match, le fils de Saint-John n'avait concédé que des broutilles, et le score restait en sa faveur. Le Chinois avait trop besoin de son groupe pour déclencher une guerre idiote. Mais il y aurait d'autres matchs, et se croire vainqueur à vie causait une mort subite. Et puis manquait l'essentiel : une information fiable à propos de Bruce.

Toujours sous bonne escorte, Mark se rendit au pôle technologique de l'empire, une sorte de campus universitaire au sud de Londres. Des chercheurs du monde entier y expérimentaient les brevets achetés par le groupe et développaient les trouvailles de ses propres ingénieurs.

Problème posé par l'expansion informatique : coder les données et sécuriser les messages. Une lutte quotidienne où s'illustraient les Israéliens, producteurs de virus et d'antivirus. Saint-John avait recruté les meilleurs. Et parmi eux, Lévi méritait une médaille d'or.

Vingt-trois ans, un mètre soixante, la tête ovale, une fabrique de logiciels à la place du cerveau, homosexuel au printemps, hétéro en hiver, il cassait les codes des concurrents et bétonnait ceux de l'empire. Et il n'avait qu'un seul dieu : Saint-John.

Lévi tomba dans les bras de Mark et pleura. Pourtant, ils se connaissaient à peine, mais le petit génie ressentait la survie du père à travers le fils.

— Tu buteras ces terroristes, patron ? À coup sûr, des Palestiniens !

Lévi avait une vision bipolaire de la réalité.

— Tu te souviens de Munich et de Septembre noir ? Ça a pris du temps, mais pas un des assassins des athlètes israéliens n'est resté impuni. Et pas un de ceux de Saint-John ne m'échappera.

Lévi eut un grand sourire.

— Moi et toutes les équipes sommes à ton service, patron.

— Déchiffre-moi ça.

Lévi consulta le cahier noir de Bruce.

— Du boulot de super pro.

— Avec tes ordinateurs, tu peux tout décrypter, non ?

— En théorie. Ton grimoire, je le sens pas. Un piège tous les trois signes. Je m'y colle.

Un message s'afficha sur le cadran de la montre de Mark :

Chez moi à 17 heures. Vous connaissez l'adresse.

*

L'Institut Confucius de Greenwich était l'un des plus importants d'Europe. Niché au cœur d'un parc planté de saules, de hêtres et d'acacias, il avait pour vocation de répandre la culture chinoise au Royaume-Uni et, surtout, de renforcer les relations commerciales, sans négliger un zeste d'espionnage industriel. Une escouade de brillants chercheurs chinois se formaient à la mentalité britannique afin de mieux la manipuler.

Portail blindé, sas de contrôle, fouille des visiteurs, obligation de laisser ses armes au vestiaire… Pressé d'entendre M. Li, Mark se plia à ces obligations et pénétra seul dans une sorte de pagode édifiée au bord d'un lac artificiel. Des senteurs de rose musquée flottaient dans l'air.

Une salle ronde. Aux murs, des parchemins couverts de signes chinois et de dessins représentant des oiseaux, des montagnes et des marais.

Assis devant une table basse en laque, M. Li buvait du thé au jasmin.

— Vous en voulez ?

— Non, sans façon.

— J'ai eu Pékin.

Bouillant d'impatience, Mark feignit l'impassibilité.

— Deux solutions, précisa M. Li. Ou vous désirez savoir ce que je sais, ou vous laissez tomber. Je vous recommande la seconde.

— Je choisis la première.

— Imprudent et inutile.

— Ce refrain-là m'a toujours boosté.

Le Chinois mâchonna une friandise.

— Votre ami Bruce s'est effectivement rendu à Pékin, mais sous un faux nom, ce qui est un délit d'une extrême gravité.

— Et le contre-espionnage l'a pincé.

— Inexact.

— Dans quelle prison croupit-il ? Je l'en sortirai !

— Il n'a pas été arrêté.

— Vous l'avez liquidé ?

— Les autorités ont perdu sa trace.

— Ne vous payez pas ma tête, monsieur Li !

Le Chinois but une gorgée de thé.

— Mon pays souhaite d'excellentes relations avec votre groupe. C'est pourquoi j'ai été autorisé à vous fournir des renseignements confidentiels. Votre ami Bruce n'a été ni supprimé, ni incarcéré, et nous ignorons la raison pour laquelle il a brièvement séjourné à Pékin sous une fausse identité. Dans le contexte actuel, les autorités n'auraient pas commis l'erreur d'exécuter ou d'emprisonner un journaliste occidental d'une telle envergure. Le scandale aurait été trop énorme.

— Alors, où est Bruce ?

M. Li se figea et lança à Mark un regard d'une absolue froideur.

— Certaines frontières sont infranchissables, pour vous comme pour moi. Votre ami ne se trouve plus en Chine, et il n'est plus notre problème. Pour nous, le dossier Bruce est clos.

— Où l'avez-vous transféré ?

Le Chinois se leva.

— J'ai le dos fragile, et c'est l'heure de mon massage. Je vous envoie mes collaborateurs pour que nous progressions à propos des affaires sensibles. Un conseil à ne pas négliger : oubliez cet incident, vous ne reverrez jamais Bruce. Attaquer les autorités chinoises serait suicidaire ; elles fourniraient la preuve de leur bonne foi, et votre image serait gravement écornée. Oubliez cet ami-là et dénichez-en un autre.

24.

Bruce se réveilla avec un satané mal de crâne. Au moins, il était à peu près vivant. Il avait résisté au sommeil le plus longtemps possible, peut-être trois jours et trois nuits. Le bandeau collé sur ses yeux troublait sa notion du temps.

Maintenant, il voyait et entendait. Ses doigts remuaient, ses jambes et ses bras fonctionnaient.

Bilan positif, malgré un paquet de douleurs variées, style fin d'un match de rugby après être passé sous le rouleau compresseur de la mêlée adverse.

Et ç'avait été le cas, à Pékin, quand le faux Zhang Dao s'était démasqué. Bruce avait tenté de sortir de la voiture en fracassant le crâne des deux gorilles l'un contre l'autre ; mais le faux Zhang Dao lui avait planté une seringue dans le dos.

Une saloperie de narcotique.

Impossible de résister.

La voiture avait roulé à grande vitesse. Les gus ne prononçaient pas un seul mot.

Elle stoppa net. Autour, un boucan d'enfer. Malgré l'état de ses neurones, Bruce finit par comprendre : un aéroport. Comme il ne pouvait pas marcher, on le porta, genre bagage à mettre en soute, avec un gros supplément de poids. Il n'eut pas droit à la première classe, aux serviettes parfumées et au champagne à volonté.

On le jeta sur le plancher métallique, sa tête heurta une paroi. Côté service à bord, il avait connu mieux. Les vibrations d'un vieux zinc, drôle de massage plutôt bénéfique.

On ne l'avait pas tué tout de suite. Ceux qui voulaient détruire Sphinx comptaient lui faire cracher toute son enquête, persuadés qu'il détenait des renseignements précieux. Ensuite, zigouillage.

Pourquoi ce voyage en avion ? À Pékin, on ne manquait pas de salles de torture compétentes. Pour quelle raison l'éloigner de la capitale ?

On lui avait piqué sa montre. Toute liaison avec Mark était coupée. Dès qu'il s'en apercevrait, son pote se lancerait sur sa piste. Même en Chine, l'empire disposait de puissants moyens d'investigation. Et Mark avait le sens de la diplomatie.

Un très long voyage.

Des turbulences, de l'eau, une galette sans goût, et toujours le bandeau. Les toilettes sous surveillance et en aveugle. S'ils espéraient le briser en l'humiliant, ces pourris se gouraient. Afin d'éviter une nouvelle piqûre, mauvaise pour la santé, il joua les abattus.

Atterrissage aléatoire. Ou le pilote était naze, ou la piste, ou les deux. Une foirade à s'écraser bêtement. Après quelques rebonds, le zinc réussit à s'arrêter.

Un type gueula. Les premiers mots que Bruce entendait depuis son arrestation :

— *Allahou Akbar*[1] *!*

Et d'autres types reprirent en chœur.

Là, ça virait franchement au cauchemar.

On le releva, il marcha à petits pas, descendit de l'avion. Une bouffée de chaleur, un vent de sable.

Où les Chinois l'avaient-ils expédié ? Ils n'avaient visiblement pas envie de lui accorder le gîte et le couvert.

Nouvelle voiture, découverte. Au bruit du moteur, une Jeep. Une piste défoncée, un soleil brûlant, des rafales d'air froid. Typique désert.

1. Dieu est grand.

Un long trajet.

Une lame de couteau dans les reins pour le faire avancer. Un escalier. Un coup de poing dans le dos. Menottes ôtées, bandeau arraché. Une porte qui claque. Bruce n'avait pas eu le temps de voir le geôlier.

Souffler. Réapprendre à regarder.

Une cave.

Sol de terre battue, murs de brique blanchis à la chaux, plafond bas, minuscule ouverture répandant un peu de lumière. Un seau dit hygiénique, un rouleau de papier-toilette, une bouteille d'eau.

Le confort.

Pas évident de se barrer d'ici. Mais on trouvait toujours le moyen de s'évader d'une prison. Étudier les habitudes des gardiens, comprendre l'environnement, repérer les failles. Et d'abord, récupérer.

Des bleus et des contusions, pas de blessure grave. Un rugbyman connaissait son corps.

Quand la porte s'ouvrit, un choc.

Le majordome qui apportait une galette et un bol de riz n'était pas un Arabe, mais un Jaune.

25.

Le nouveau prince et Sphinx : les deux seuls indices dont disposait Mark. Sphinx, inconnu au bataillon. Une recherche informatique n'avait fourni aucune information. Sûrement le nom de code d'une organisation qui avait choisi de rester dans l'ombre.

Le nouveau prince… Bruce avait repéré un gros poisson. Politicien industriel, tête pensante et influente ? En tout cas, du super calibre.

La piste passait par Pékin. Et les Chinois s'étaient débarrassés de Bruce, une patate vraiment trop chaude et même brûlante.

À force de foncer dans l'invisible, ça devait arriver. Cent fois, Mark avait supplié Bruce de baliser son parcours. On ne poussait pas en mêlée avant l'autorisation de l'arbitre ; sinon, pénalité. Mais l'Écossais préférait terroriser le mec d'en face. Au bout, la gagne.

Ce coup-là, l'adversaire avait salement réagi. Aucun moyen de localiser son pote, sa montre n'émettait plus. Et si l'on en croyait M. Li, les Chinois avaient refilé le bébé et l'eau du bain à quelqu'un qui n'aimait pas forcément les nourrissons bavards.

Alerte rouge en provenance d'Islande.

— Primula ?

— Deuxième message, Mark, et une signature : DAO. Une minute pour répondre. Un milliard de dollars, ou ils exécutent Bruce.

— Réponds « oui ». Je connecte ton ordi avec mon centre opérationnel, et on remonte à la source. Dès que tu as des instructions, tu m'appelles.

Ça bougeait. Et quand on commençait à parler sérieusement pognon, l'espoir se renforçait.

Millard tomba sur le dos de Mark. L'empire étant déployé sur tous les continents, il ne dormait jamais. Et les trois surveillants généraux, Millard à Londres pour l'Europe, Dick à New York pour les Amériques, et Takushi à Tokyo pour l'Asie, s'épiaient en permanence afin de ne pas décevoir Saint-John. Lors de la réunion trimestrielle au sommet sur l'un des sites de l'empire, quelque part dans le monde, ce comité restreint adoptait la stratégie. Convocation la veille par communication codée et disponibilité impérative. Depuis un an, Mark y participait ; ils étaient cinq à examiner les résultats et à proposer des améliorations. Ni discours ni langue de bois. Des faits et des chiffres. « La parole est un bien précieux, affirmait Saint-John, il ne faut pas la gaspiller. Les bavards sont des arbres secs. » Il écoutait et tranchait.

Millard observait Mark. Et lui n'avait pas encore tranché. Digne successeur de son père ou fils de famille gâté qui ruinerait l'édifice ? À juger sur pièces, dossier par dossier.

— Nos achats de matières premières, c'est le foutoir.

— Marché volatil.

— Et alors ? C'est votre job de prévoir, non ? Si Dick et Takushi s'en tirent mieux que vous, vous aurez l'air de quoi ? Et moi, je devrais rester inerte ?

Millard eut la chique coupée. Un coup de boule dans l'estomac.

— Reprenez-vous, mon vieux, et ne descendez pas sur la pente fatale. Inversez la courbe.

Le surveillant général Europe battit en retraite. Mark avait appuyé à l'endroit précis où ça faisait mal. La même lucidité que son père. Et probablement la même habileté au bazooka.

— L'enquête ?

— On se décarcasse, monsieur ; Smith, du MI 5, aimerait vous parler en fin de soirée.

— Son grade ?

— Élevé. Trop poli pour être honnête.

D'ordinaire, le MI 5, le contre-espionnage britannique, ne prenait pas autant de gants. Et il n'entrait pas dans le jeu par hasard. Là aussi, ça bougeait.

Pendant que la Rolls se glissait dans les embouteillages, Mark consulta les notes soumises par Millard. Pour l'essentiel, on évitait les processus informatiques, et l'on utilisait de bonnes vieilles feuilles de papier, faciles à détruire.

L'empire était richissime et, malgré la crise qui ne frappait pas les pays de façon égale, les projets d'avenir étaient prometteurs ; l'un des aspects du génie de Saint-John consistait à savoir s'entourer de gestionnaires aussi prudents qu'efficaces. Perdre ici, gagner ailleurs : seul comptait un bilan positif.

Un drapeau, l'Union Jack, ornait le siège du MI 5, sur Millbank. Les fenêtres du lourd bâtiment étaient toujours fermées, et l'on n'y pénétrait que par une entrée des véhicules située dans Thorney Street, et deux autres accès discrets et sévèrement gardés. Herses et plots empêchaient l'agression d'une voiture piégée.

Mark montra patte blanche, à savoir un document que lui avait remis Millard et qui l'autorisait à se garer au parking bardé de caméras et à se rendre au bureau de Smith, lequel se considérait comme un ami de Saint-John. Leurs relations professionnelles n'étaient-elles pas obligatoires ? Pour traiter des affaires dans des pays où il ne fallait pas poser le pied n'importe où, Smith avait fourni à Saint-John d'utiles indications ; et Saint-John, qui aimait la réciprocité, n'oubliait pas de renvoyer l'ascenseur, sous forme de rapports instructifs. Vu la taille de l'empire, impossible de se passer du concours des services secrets, ce qui n'empêchait pas Saint-John d'affirmer sa farouche indépendance et d'agir à sa guise, même en cas de désaccord. Certaines entrevues avaient été houleuses, Saint-John privilégiant toujours les intérêts de son groupe et passant outre les mises en garde.

C'est pourquoi, en parcourant un long couloir bordé de bureaux, encadré de deux gardes au faciès relativement hostile, Mark remâchait une hypothèse : allait-il se trouver face au haut fonctionnaire qui avait ordonné l'assassinat de son père ?

26.

D'après le dossier établi par Saint-John, Smith s'appelait réellement Smith, Andrew de son prénom. Brillant universitaire, travailliste, célibataire, amateur de femmes mûres et jetables, cycliste du week-end, propriétaire d'un bel appartement à Kensington. Intelligent, tordu juste à point, dépourvu de tout humanisme, fiable, sans illusion sur le progrès moral, attaché aux résultats de son service. Bref, un pro de bonne compagnie.

Rondouillard, fin collier de barbe, l'œil neutre, Smith occupait un bureau d'un parfait anonymat. Mobilier standard, ordinateur, pas trace d'une marque personnelle.

— Merci d'être venu. Mes sincères condoléances. Votre père était un homme exceptionnel.

— Votre enquête avance-t-elle ?

— Il faudra du temps.

— Aucune piste ?

— La situation est complexe.

— Rien d'autre à m'apprendre ?

— Vous semblez plutôt direct, comme Saint-John ? Ça ne me déplaît pas.

— Direct et pressé. L'empire n'attend pas.

— Je vous invite à dîner.

— Invitation… ou obligation ?

— Obligation. Moi et l'un de mes collègues avons des éléments importants à vous communiquer. Ça ne vous ennuie pas de m'accueillir dans votre Rolls ?

Direction Albert Embankment, le siège d'un autre service secret, le MI 6, chargé des opérations extérieures. Une des horreurs architecturales du Londres moderne. Ses vitres vertes réfléchissantes attiraient les touristes photographes, mais il n'y avait pas de visite guidée.

Un deuxième ligne de rugby attendait à l'extérieur. Tête carrée, cheveux coupés en brosse, nez cassé, blouson de cuir. Il s'assit à côté de Smith.

— Je vous présente George. Nous n'aimons pas tellement collaborer entre services, mais les circonstances imposent un zeste de diplomatie. J'ai réservé un salon dans un restaurant des docks de Portobello, nous y serons tranquilles.

Mark entrait en terrain inconnu. Ce George-là, Saint-John ne le fréquentait pas. Smith mettait l'héritier de l'empire en contact avec James Bond et le permis de tuer. Ça ne sentait pas vraiment bon.

Bien entendu, la conversation serait enregistrée. Plus besoin de micro caché dans une fleur à la boutonnière ; une unité technique, postée à bonne distance du restaurant, pourrait même savoir si le steak était trop cuit.

George n'ouvrit la bouche que pour dévorer des canapés au saumon accompagnés d'un blanc sec. Smith proposa du homard et une purée de légumes. Décor métallique et branché.

— Avant d'évoquer la tragique disparition de votre père, un autre problème nous préoccupe et nécessite la présence de George.

Quand il jouait arrière et portait le ballon pour courir à l'essai, Mark s'était souvent heurté à deux défenseurs. Soit percuter, soit contourner, mais toujours être plus rapide. Cette fois, mieux valait botter en touche en espérant un meilleur moment. Car ces deux complices possédaient des cartes dont il ignorait la valeur.

— Quel genre de problème ?

— Bruce.

Une gorgée de blanc, un regard dans le vide, le front haut.

— Quoi, Bruce ?

— Un milliard de dollars, c'est une grosse somme, même pour l'empire. Mais DAO est gourmand, et ce ne sont pas des plaisantins. DAO, « La voie ». Dès qu'ils apparaissent quelque part, soit sur notre territoire, soit à l'extérieur, on redoute une horreur. C'est pourquoi, sur ce sujet-là, on collabore. Et vous feriez bien de ne pas rester en dehors du coup, si vous désirez revoir votre ami. Une femme délicieuse, un enfant surdoué... Ce serait dommage de les priver d'un mari et d'un père.

— Où est Bruce ?

— À George de vous expliquer.

Déjà la deuxième bouteille de blanc et une deuxième portion de homard pour l'agent du MI 6.

Il avait une voix sourde et rocailleuse.

— Bruce voulait voir quelqu'un, à Pékin. Qui ?

— Je l'ignore.

— Ou vous coopérez, ou je ferme ma gueule et je me tire. C'est vous le patron de son journal, non ?

— Exact, mais Bruce a carte blanche et ne m'informe *qu'après* les résultats de son enquête.

— Et vous ne restez pas en contact ?

— Si, mais il a été rompu. J'ai perdu sa trace à Pékin. Et DAO exige une rançon.

— Vous avez entendu parler de ces loustics ?

— Non.

George consulta Smith du regard.

— Bruce est *vraiment* l'ami de Mark qui fera tout pour le sauver. Comme Saint-John, il déteste le mensonge. Tu peux continuer.

— Votre copain Bruce, ça fait un moment qu'on lui colle au cul. Sur son passage, il dégage pas mal de poussière. Et nous, on la recueille pour y fouiller. Au fond, il travaille gratis pour nous. Sauf qu'à Pékin, ça a mal tourné. Et on voudrait bien savoir pourquoi nos collègues chinois l'ont alpagué.

— C'est sans doute lié à la personne qu'il devait rencontrer, observa Smith.

— Votre pote voyageait sous un faux nom, reprit George. De quoi être dissous dans l'acide au sous-sol d'une prison. Mais la disparition d'un journaliste de cette taille-là, ça salirait la bonne réputation de la nouvelle Chine. Une bien meilleure solution : refiler le bébé à des affreux qui n'auront aucune honte à s'en débarrasser.

Mark n'eut pas le moindre appétit.

— Les Ouïgours, ça vous chante ?

— Les Chinois musulmans ?

— Le Parti aimerait les exterminer, mais ils sont trop nombreux et reçoivent des aides de l'extérieur. Guantanamo n'a pas été fermé, mais les Ouïgours ont été libérés, et un joli petit groupe s'est engagé, en Syrie, aux côtés d'Isis. Isis, la déesse de la Résurrection, qui est devenue Islamic State of Irak and Syria, autrement dit l'État islamique que certains appellent Daesh pour éviter le mot « Islam ». Le plus embêté c'est le groupe californien Isis Pharmaceuticals qui doit changer son nom en Ionis.

— Les Chinois ont remis Bruce aux Ouïgours de Syrie ?

— Affirmatif. C'est Isis qui lui coupera la tête, en direct sur les réseaux sociaux. Aucune responsabilité de la Chine, et plus d'emmerdeur de journaliste. Selon une source fiable, il n'a rien eu à révéler, puisque la rencontre prévue n'a pas eu lieu. Un parasite à éparpiller.

— La demande de rançon…

— Surprise du chef ! Les Ouïgours sont comme tous les terroristes, il leur faut du pognon. Et le Chinois, même musulman, est commerçant par nature. Puisque leur otage travaille pour l'un des grands groupes mondiaux, pourquoi ne pas en tirer le maximum ? Pékin est furax, mais les Ouïgours de Syrie s'en tapent. Grâce à une récolte de blé inespérée, ils vont devenir les seigneurs de la guerre. Vous êtes vraiment prêt à payer ?

— En échange de la somme exigée, Bruce a-t-il une chance ?

— Infime, mais pas nulle. L'opération sera très délicate, les Ouïgours ne nous rendront peut-être qu'un cadavre. Et puis…

Quelque chose coinçait.

— Videz votre sac !

— Ça nous embête d'offrir un milliard de dollars à Isis. Avec l'armement qu'ils se procureront, ils feront de gros dégâts. Récemment, en Moldavie, on a empêché de justesse un gang de vendre du matériel nucléaire à l'État islamique. Libérer votre copain à ce prix-là, ça ne passe pas. Mes réseaux ne recevront pas l'ordre de vous aider.

— Un journaliste décapité en direct, ce n'est pas gênant ?

— Les gens s'indignent entre dix secondes et une minute. Maintenant, ils sont habitués.

— Moi, j'interviendrai.

— Perdu d'avance. On vous butera. Nous ou les autres. Restez tranquille et prévoyez un peu d'oseille pour récupérer la tête de votre pote. Mais je ne vous promets rien.

George quitta la table.

27.

Avec Bruce, Mark avait été mené une fois trente à zéro par une bande de déchaînés, et il ne restait que vingt minutes à jouer. Ils s'étaient énervés. Lui avait ranimé le paquet d'avants, Mark les lignes arrière. Quatre essais transformés, une pénalité réussie, victoire à la dernière seconde du match.

Là, ça s'annonçait d'autant plus mal qu'ils étaient séparés. Mark préférait crever en tentant n'importe quoi, plutôt que de demeurer les bras ballants en attendant l'exécution de Bruce.

— L'avis du MI 6 n'est pas forcément l'avis du MI 5, murmura Smith.

— Votre service s'occupe du Royaume-Uni, pas des opérations extérieures.

— Il existe parfois des passerelles. Mon collègue semble un peu fruste, mais c'est un excellent professionnel, très discipliné. Je suis assez proche du Premier ministre, qui n'a pas envie de voir la tête tranchée d'un journaliste écossais en vidéo. Ce spectacle désolant pourrait provoquer des troubles regrettables et faire baisser sa popularité.

Les affaires reprenaient.

— Ça ne l'ennuie pas d'armer les Ouïgours ?

— D'abord, on va discuter la somme ; ensuite, on transigera : une partie en liquide, une partie en matériel de guerre fourni par nos soins. Un matériel qui ne sera pas tout à fait opérationnel. Nos techniciens sont parmi les plus habiles du secteur. Enfin, et ce n'est pas le moins important, on retournera deux ou trois leaders des Ouïgours pour que les factions s'entretuent. La libération de Bruce fera la une de tous les médias, et la cote du Premier ministre montera en flèche pendant quelque temps. Voilà la théorie. En pratique, ce n'est pas gagné.

— Avez-vous *réellement* des moyens d'action ?

Smith hocha la tête.

— Quinze pour cent d'augmentation de nos effectifs, notamment du GCHQ, la surveillance électronique.

— Ce n'est pas gratuit, je suppose ?

— Rien ne l'est en ce bas monde.

— En échange de votre aide, vous voulez quoi ?

— Une vérité qui n'est pas forcément bonne à dire.

— À quel propos ?

Smith utilisa une sonnette à pied pour appeler un serveur et commander des cafés et du cognac XO.

Mark ne ressemblait-il pas à un poisson affamé obligé de gober l'appât, tout en sachant que l'hameçon le tuerait ? Et dans ce jeu à haut risque, seul l'adversaire fixait les règles.

— Nous devons parler de Saint-John. Connaissiez-vous bien votre père ?

— Autant que faire se peut.

— Un homme mystérieux, même pour nous. Une belle biographie officielle, avec des dates, des contrats, la structure de l'empire. Un peu trop lisse. Comme il devenait un personnage incontournable, on a creusé. Tout était vrai, tellement vrai que ça cachait forcément quelque chose.

— Vous n'avez pas l'esprit un peu déformé ?

— Complètement. Et je renifle les zones d'ombre. On m'a chargé de contacter votre père afin qu'il travaille pour nous, et je me sentais plutôt mal à l'aise, car je manquais de pinces. Mais le contact fut cordial. Jamais Saint-John n'aurait sacrifié son indépendance, et le chantage n'aurait pas marché. La solution qu'il a proposée obtint l'agrément de mes supérieurs. La division Cadran. L'un de vos fleurons.

Avoir l'air stupide, c'était un métier ; Mark se sentit très amateur.

Mais le rideau se déchirait. Voilà ce dont son père voulait lui parler *vraiment.*

— Millard aurait abordé le sujet tôt ou tard, reprit Smith ; puisque nous avons la chance de nous rencontrer, autant vous informer que Saint-John n'était pas neutre dans la lutte contre le terrorisme islamique, le nouveau cancer de la planète, déjà bien malade. C'est pourquoi il a fondé la division Cadran, consacrée à la fabrication de drones de combat furtifs et indécelables. Quarante-huit heures d'autonomie, vitesse maximale de 600 kilomètres à l'heure, une vingtaine de mètres d'envergure, coordination automatique avec les avions, les hélicoptères et les troupes au sol. Et la capacité de toucher l'objectif avec une authentique précision chirurgicale, par exemple des djihadistes planqués dans un village au milieu des civils. Une petite merveille que produit votre usine secrète indienne, où travaillent des autochtones, des Américains et des Suisses. Perspectives : miniaturisation pour les situations d'urgence, drone manipulable avec un simple ordinateur portable. Une arme superbe. Vous ne renoncerez pas à notre contrat informel, j'espère ?

— À quoi m'engage-t-il ?

— À poursuivre vos recherches et à nous garantir l'exclusivité.

— À vous… et à votre grand frère américain.

— Nous parlons la même langue. L'Europe, c'est la tour de Babel. Nous n'avons pas eu tort d'en sortir. Quand elle s'écroulera, le Royaume-Uni ne sera pas sous les décombres.

— Si Saint-John a jugé bon de fonder la division Cadran, je n'ai aucun motif d'interrompre le processus.

Le visage de Smith trahit à peine un soulagement. Le dossier de Mark indiquait qu'il avait la tête dure et se montrait parfois imprévisible.

— Puisque vous êtes de bonne composition, nous pouvons envisager une opération pour libérer Bruce, selon les modalités que je vous ai indiquées.

— J'en ajoute une : ma présence sur le terrain.

— C'est extrêmement dangereux.

— D'après mon dossier, que vous avez consulté, vous savez que je ne manie pas trop mal les armes et que j'ai suivi avec succès l'entraînement commando. En cas de pépin, je serai utile.

— Bruce a de la chance d'avoir un ami tel que vous.

— C'est plutôt moi qui ai de la chance d'avoir un ami tel que lui. À mon avis, c'est un prototype unique et le dernier des hommes libres.

— Ça lui coûte cher. Et à vous aussi.

Smith passa lentement l'extrémité de l'index sur le pourtour du ballon de cognac. Le cristal chanta.

— Et l'assassinat de mon père… Vous progressez ?

28.

La réponse fut longue à venir.

— La question est : qui était *vraiment* Saint-John ?

Mark prit brutalement conscience qu'il n'avait jamais osé interroger son père sur son passé. Lors de leurs rencontres, ils ne parlaient que de l'empire et de la conduite à tenir pour le développer.

— John Vaudois est né à Saint-Maurice, en Suisse, dans le canton du Valais, précisa Smith. C'est là que perdure la plus ancienne abbaye de toute la chrétienté. Père menuisier, mère au foyer, fils unique. Et une formation peu conventionnelle : l'adolescent est devenu tailleur de pierre et a fait son tour de France. Rien à voir avec la course cycliste. C'est la coutume, chez les bâtisseurs qui érigeaient autrefois des cathédrales, d'aller de cayenne en cayenne, à savoir des établissements où les futurs Compagnons sont logés, nourris, blanchis et apprennent les secrets de métier, notamment l'Art du Trait, une géométrie à la fois sacrée et pratique, héritée des anciens Égyptiens. L'adolescent a parcouru l'Hexagone et une bonne partie de l'Europe, avant de fonder une entreprise de travaux publics. Avec quels capitaux ? Ses parents décédés, il n'avait touché qu'un modeste héritage. J'en conclus qu'un mécène avait croisé sa route et financé ses projets. Et l'ascension fut fulgurante. Rachat de boîtes en difficulté, création de sociétés innovantes, placements fructueux. John Vaudois a fait irruption dans le monde des affaires avec la puissance d'un taureau de combat et l'intelligence d'un loup. Personne ne l'a vu venir. Et ses ennemis se sont retrouvés en caleçon. Travailleur hors norme et joueur d'échecs de première force, il avait toujours plusieurs coups d'avance, s'adaptait en permanence et prévoyait l'avenir à la manière d'un voyant. Un seul drame : la mort de son épouse, une sublime lady milliardaire, lors de votre naissance.

Scotché, Mark avait l'impression de découvrir enfin son père.

— Un homme d'affaires de cette envergure attire forcément l'attention de nos services, reprit Smith, surtout lorsqu'il installe à Londres, où vous êtes né, certains organes vitaux de son empire. Nous l'avons donc pisté au maximum, et ce ne fut pas facile, car Saint-John était à la fois méfiant et bien protégé. Par bonheur pour nous, il existe des bavards, plus ou moins désargentés, fiers de connaître une telle personnalité. En exploitant ce vivier, on a grappillé des informations surprenantes.

La digestion de Mark se bloqua. Allait-il apprendre que son père était un démon, lié à une mafia ou pis encore ?

— Première surprise : Saint-John était honnête. À son niveau, incroyable. Pourtant, pas trace de comptes truqués, d'extorsions ou de pots-de-vin. Il se battait comme un gladiateur, n'hésitait pas à prendre d'assaut des forteresses, mais en dehors de toute corruption. Au fond, il méritait son surnom. Deuxième surprise : pas de vice. Ni les femmes, ni la drogue, ni le jeu... Pas moyen de le coincer. Consolider l'empire, il ne songeait qu'à ça. Désespérant, non ?

— Ça dépend pour qui.

— Récemment, enfin une petite lueur ! L'un de nos agents, que j'appellerai sir Charles et qui vient de partir à la retraite, a tenu à me voir d'urgence et en toute discrétion. Professeur d'histoire des religions, il accumulait des fiches sur les loges maçonniques, les Rose-Croix, les Templiers et autres mouvances plus ou moins occultes. Une fiche énigmatique sur votre père ; il aurait appartenu à la confrérie des

Loups passants, milieu de bâtisseurs itinérants et totalement impénétrable. Tout ce qu'on sait, à la suite d'une séance de torture datant du XVIIIe siècle, c'est qu'ils se transmettent le secret du chiffre, de génération en génération, sans doute une clé de construction offerte lors des anciennes initiations. Sir Charles avait bien davantage dans sa besace. Lors de fouilles à Palmyre, il s'était lié d'amitié avec l'archéologue syrien Khaled Al-Assad, spécialiste et protecteur du site qu'Isis a décidé de détruire. Refusant de s'enfuir, il a été décapité par les fous d'Allah. Prévoyant le pire, il a parlé à sir Charles d'une confrérie de neuf membres, les Supérieurs inconnus, attestée depuis la haute antiquité et tentant d'épargner à notre magnifique humanité de sombrer dans les ténèbres. Tous alchimistes, ils produisaient de l'or à la fois matériel et spirituel.

— Jolie légende !

— Pas pour sir Charles qui m'a remis une valise de documents non négligeables. Estimant cette confrérie en grand danger et lui-même en péril imminent, Khaled a demandé à son hôte s'il pourrait lancer une alerte. Sir Charles a accepté de servir d'intermédiaire. Et il a reçu le message convenu, signifiant l'assassinat de Khaled et la nécessité de sauver ce qui pourrait encore l'être : *Operate Sphinx*. Un doigt de cognac ?

En pleine tempête, Mark avait besoin de carburant. Alors qu'il croyait dominer le monde et s'y mouvoir à sa guise, il n'y comprenait rien. « Il est temps que nous parlions vraiment », avait écrit son père, mais il était mort.

— Vous, un rugbyman, vous connaissez la percussion. Sir Charles m'a percuté, et votre ami Bruce a percuté sir Charles. Tout le monde à terre, beignes et gnons.

— Et vous êtes l'arbitre.

— C'est le boulot le plus mal payé, mais il faut bien que quelqu'un l'assume.

— Et vous avez envoyé Bruce au casse-pipe.

— Les Chinois, ce sont des délicats et des méfiants. Ils connaissent presque tous nos agents en poste sur leur immense territoire et détestent qu'on s'occupe de leurs affaires. Bruce, un correspondant idéal. Sir Charles a complété son dossier et lui a donné le nom du Supérieur inconnu à contacter : Zhang Dao.

— Et ça a foiré.

— Formule concise, mais exacte. Le terrain était piégé. Officiellement, l'archéologue Zhang Dao est décédé accidentellement. Les services chinois l'avaient ciblé, et toute personne suspecte voulant s'entretenir avec lui était condamnée.

— Vous le saviez ?

— Non.

— Et ce n'est pas vous qui avez éliminé mon père ?

— Non plus.

— La preuve ?

— Si l'empire nous avait sérieusement gênés, on aurait aussi éliminé le fils.

L'ange qui passa avait les ailes un peu lourdes.

— On joue à quoi, maintenant ?

— Pourquoi a-t-on tué votre père ? Parce qu'il était le financier, voire le patron des Supérieurs inconnus. Sur les neuf, quatre assassinés : Saint-John, l'Afghan Massoud Mansour, le Syrien Khaled et le Chinois Zhang Dao. Il en reste cinq.

— Vous les connaissez ?

— Justement pas. Avec la mort de Zhang Dao, piste coupée. Si quelqu'un peut recoller les morceaux, c'est Bruce.

— Et ça vous intéresse ?

— Je suis curieux de profession. D'ordinaire, mon métier est assez ennuyeux ; des cloportes, des cafards, des parasites qu'il faut anéantir avec des insecticides indétectables par les médias. Un travail méticuleux et répétitif. Cette fois, c'est du bizarre et du pimenté.

— Qui veut anéantir les survivants ?

— Pas la moindre idée. Et mes supérieurs estiment que ça n'a guère d'importance. Qui peut croire à cette histoire de fous ?

— Alors, pourquoi essayer de libérer Bruce ?

— Parce qu'il a deux défauts très gênants aux yeux du gouvernement : journaliste et Écossais. La totale.

— Ensuite ?

— Soit nous échouons, et nous déplorerons la cruauté des islamistes ; soit nous réussissons, et nous vanterons la qualité de nos forces d'intervention.

— Et Sphinx ?

— Ce sera votre problème, à Bruce et à vous. Des Supérieurs inconnus désireux de préserver notre monde, ça ne nous concerne pas. Quand on a les États-Unis, l'Union européenne et la croissance exponentielle de l'Islam sur les épaules, on n'a plus le temps de rêver.

— Et côté pratique ?

— Réunion au MI 6 demain matin à 8 heures. George nous indiquera comment il planifie l'opération.

29.

Des trombes d'eau s'abattaient sur Angkor, la cité-temple bâtie entre le IXe et le XIIIe siècle par les empereurs khmers, à une époque où l'Europe se couvrait d'un manteau de cathédrales. Aujourd'hui, peu de touristes visiteraient le joyau architectural d'un Cambodge qui se remettait lentement de la barbarie des Khmers rouges, naguère adulés par de grands intellectuels.

Sambor n'aurait aucun groupe à guider. À quatre-vingt-deux ans, grâce aux remèdes alchimiques qu'il préparait lui-même, le vieil homme, très apprécié, était encore capable de gravir les marches des sanctuaires et de révéler aux passionnés les merveilles de cette architecture complexe, symbolisant l'axe du monde incarné dans une montagne de pierres émergeant des eaux primordiales. Les bâtisseurs avaient créé un centre spirituel d'une rare intensité où Sambor avait la chance de vivre. Chaque seconde était une victoire sur la mort et la torture que les Khmers rouges avaient infligées à ses parents, à son épouse et à ses deux fils. Il n'avait pu sauver que sa fille, Apsara, aujourd'hui âgée de vingt-huit ans et d'une beauté rappelant celle des divinités sculptées à Angkor.

Ils avaient survécu en se cachant dans une paillote sur pilotis, disposant d'eau et de plantes, non loin du temple ; au terme de l'horreur, les rescapés avaient refondé un village massacré. Incapables d'oublier, ils tentaient de reprendre une existence normale.

Celle de Sambor ne l'avait jamais été. Étant l'un des neuf Supérieurs inconnus, il possédait, entre autres dons, celui de pressentir le danger. À trois reprises, lui et sa fille avaient quitté la paillote pour se cacher dans la forêt, juste avant un raid des tueurs.

En guidant les touristes, le vieil homme se nourrissait de l'enseignement d'Angkor, dont l'entrée se situait à l'occident, porte de l'au-delà, et le mettait en pratique dans son laboratoire d'alchimiste, un petit sanctuaire oublié où il avait élu domicile. Sa fille tenait une sorte de pharmacie et vendait les produits fabriqués par son père.

Conformément à la tradition des Supérieurs inconnus, leur science servait à soigner les corps et les âmes. Le rayonnement de leurs prières et de leurs incantations, démultiplié par des sites sacrés qu'avaient édifiés leurs prédécesseurs, dépassait le cadre géographique de leur existence et formait une enveloppe protectrice autour de la terre qu'avaient autrefois habitée les dieux.

En raison de l'expansion du fanatisme et des technologies décervelantes, la tâche des Neuf, éparpillés à la surface du globe, devenait de plus en plus ardue. Matérialisme et bêtise triomphaient, et il n'existait pas un seul État capable, comme les Anciens, de célébrer l'union du ciel et de la terre en se fondant sur la rectitude. Comme l'indiquait le *Tao* : « Lorsque le chef est inexact, le peuple devient fautif. »

C'est dans la galerie du second étage du temple, où les ritualistes se retiraient en méditation, que Sambor encaissa un premier choc. Une vision terrifiante, celle d'un avion explosant en plein vol. Et le visage de Saint-John, le Supérieur qui assurait les liens entre les membres de la confrérie.

Un assassinat.

Alors qu'il quittait ce lieu voué à la sérénité, Sambor éprouva une douleur intense au plexus et eut le souffle coupé. Il lui fallut de longues minutes de récupération avant de pouvoir marcher, d'un pas hésitant, jusqu'à la pharmacie de sa fille.

Le visage creusé de son père l'affola.

— Viens vite, Apsara, nous n'avons pas beaucoup de temps.

Inquiète, elle l'aida à se déplacer ; la distance les séparant du laboratoire parut interminable.

Sambor souleva une dalle. De la cache, il sortit une boîte en bois et la remit à sa fille.

— Tu y trouveras de l'argent, un passeport britannique et une enveloppe scellée. Ne l'ouvre que lorsque tu seras en sécurité chez ton amie Primula Phong, en Islande. Quand tu auras pris connaissance du contenu, agis en conséquence. Et ne reviens jamais au Cambodge.

Habituée à obéir à ce père qu'elle vénérait, Apsara se révolta.

— Je ne partirai pas sans toi.

— Ils arrivent, dépêche-toi de quitter Angkor.

— *Ils*...

— Ceux qui ont reçu l'ordre de me tuer. Cette fois, j'ai vu que je ne leur échapperai pas. Et si nous tentions de fuir ensemble, nous serions massacrés tous les deux.

— Je refuse de t'abandonner !

— Sois raisonnable, je t'en prie. Je te confie une mission capitale. Mon corps est usé, et je vais demander à mon âme de rejoindre le pays sans limites. Les exécuteurs ne trouveront qu'un cadavre.

— Avertissons la police, elle...

— Ce sont des policiers qui ont reçu l'ordre de m'abattre. Ne perds pas une seconde.

Sambor embrassa tendrement sa fille qui ne parvint pas à retenir ses pleurs.

— Vite, mon enfant, et n'oublie pas de prier les dieux. Nous nous rejoindrons.

Bouleversée, Apsara courut sans se retourner. Elle négocia avec un chauffeur de taxi le prix d'une longue course et ferma les yeux afin de graver dans sa mémoire le visage de ce père qui lui avait si souvent sauvé la vie.

Une dizaine de minutes plus tard, un bruit agressif lui déchira les oreilles et l'arracha à sa méditation.

La sirène d'une voiture de police, lancée à pleine vitesse, qui croisa le taxi et se dirigea vers Angkor.

30.

— Salut mon gars, dit Bruce. Tu serais pas un peu loin de ton Asie natale ?

Petit, la tête ronde, le Chinois déposa sur le sol une galette et une bouteille d'eau qui avait beaucoup vécu.

— Content de votre hôtel, monsieur Bruce ?

— J'ai connu pire.

— J'ai votre vie entre mes mains.

— Si tu crois que je vais pleurer, abandonne. Et n'espère pas me faire jouer les paniqués devant une caméra.

— Nous aurions dû vous couper la tête afin de montrer que la justice d'Allah n'épargne aucun infidèle.

— Tu ferais mieux d'oublier tes bêtises et de lire Lao-tseu.

— Le peuple ouïgour a ses traditions.

— Le djihad, tu parles d'une tradition !

— Nous avons gagné, ici et ailleurs.

— C'est où, ici ?

Rictus du Chinois.

— Vous aimeriez bien le savoir.

— Je suis curieux de tout.

— Vous vous croyez très fort, comme tous ceux qu'on a piétinés. Pendant des siècles, l'Europe a combattu le Prophète. Aujourd'hui, elle lui ouvre les bras.

— Tu faisais quoi, avant terroriste et preneur d'otages ?

Intervieweur de première force et leader du confessionnal, Bruce sentait que le gus avait envie de causer, style paon faisant la roue.

— Professeur de mathématiques. La police politique m'a pourchassé parce que je recrutais des étudiants pour le djihad. La renaissance du califat, en Orient comme en Occident, nous permettra d'imposer la charia au monde. Et j'ai décidé de me battre en première ligne. Allah est notre but, le Prophète notre chef, le Coran notre Constitution, le djihad notre voie.

Bruce attaqua sa galette. Tiède et pas mauvaise.

— Et tu me le coupes quand, mon cou ?

— Ça demande réflexion. Vous n'êtes pas n'importe qui.

Là, ça puait la rançon.

— Combien tu veux ? J'ai au moins mille dollars sur mon compte en banque.

— Un peu juste pour un journaliste de votre valeur.

— Faudra t'en contenter.

— Votre employeur, lui, est richissime. Et nous avons besoin d'équipement.

Mark avait dû recevoir la facture. Salée, peut-être inacceptable. L'Ouïgour s'amusait tel un chat avec une souris blessée.

— Vous êtes notre meilleure prise depuis que nous formons une légion d'Allah. C'est pourquoi vous bénéficiez de conditions de détention exceptionnelles. D'ordinaire, les condamnés ne sont pas traités avec autant d'égards.

Le professeur s'éclipsa.

Bruce termina sa galette et but un ersatz de liquide vaisselle. Heureusement qu'il avait des intestins en titane. Mais tôt ou tard, la diarrhée et une kyrielle de misères. Juste pour le fun, on tenterait de le briser.

À dix contre un, il était en plein cœur de l'enfer syrien. Les services chinois, qui avaient une pince sur son contact, Zhang Dao, s'étaient débarrassés de lui en le refilant aux Ouïgours. Un meurtre délocalisé. Mais Bruce était lié à l'empire Vaudois, et le sens du commerce avait pointé le bout de son nez renifleur. À partir d'une certaine somme, même les élus de Dieu retenaient leur sabre.

Ça n'empêchait pas Bruce de songer à filer. Libre de ses mouvements dans cette cave, il devait enregistrer un maximum d'informations avec l'espoir de déceler une faille.

Souvent, chez ces cinglés, on observait une discipline militaire. Rondes, horaires de repas, transport et retour du seau hygiénique, et surtout les cinq prières quotidiennes. Parfois, une petite erreur à exploiter.

Dans un premier temps, observer et se retaper, avec un super médicament : le sommeil. Bruce dormait sur un tas de cailloux, à n'importe quelle heure du jour ou de la nuit.

Et puis il n'était pas seul. Une force bizarre le reliait à Bruce Junior, ce petit voyant qui savait qu'il était vivant et déclenchait les fibres lumineuses de Primula. Du bizarre, mais de l'efficace.

Et Mark.

Mark qui le cherchait partout et ne le laisserait pas tomber dans un trou noir.

31.

Mark voulait rassurer Primula en lui apprenant qu'il mettait tout en œuvre pour libérer Bruce, mais sans alerter quiconque, ennemi à l'affût ou alliés de circonstance, comme les services britanniques. Aussi évita-t-il tout type de messagerie électronique, même sécurisée, et employa-t-il une méthode sans risque de piratage : un court message de sa main, acheminé par porteur.

Rassurer… Ce n'était pas le terme exact. Primula avait subi trop d'horreurs pour céder à la naïveté, et Mark ne voulait pas lui mentir. Aussi n'écrivit-il qu'une seule phrase : « J'entre en mêlée. » À force de regarder les matchs de rugby en compagnie de Bruce, elle comprendrait qu'une opération décisive était en cours.

À la place de son père, à l'arrière de la Rolls, Mark récupérait des bombardements qu'il venait de subir. Lui, qui avait eu la vanité de croire qu'il contrôlait une partie du monde, ressemblait à un naufragé, perdu en plein océan, et dérivant sur un radeau.

À présent, au moins, il savait de quoi Saint-John voulait lui parler *vraiment* : des Supérieurs inconnus. Ce secret-là était le sens de sa vie, il désirait le transmettre à son fils. Et quelqu'un l'en avait empêché de la manière la plus radicale. Sans doute ce « nouveau prince », jugeant nécessaire d'éliminer des adversaires qui gênaient l'expansion de ses pouvoirs. Un type à la tête d'une organisation puissante et déterminée. Quel qu'il soit, Mark le débusquerait.

Avant de le traquer, retrouver Bruce. À deux, ils ne craindraient personne. Et l'Écossais suivait une piste.

Mark avait pris son breakfast en compagnie de Lévi qui, comme il le redoutait, ne parvenait pas à déchiffrer les notes codées de Bruce. Il n'avait identifié qu'un mot : Sphinx. Le reste était trop elliptique ; sans doute un aide-mémoire dont seul l'auteur possédait les clés.

Tant pis et sans grande importance. Maintenant, Mark passait à l'action et concentrait ses énergies sur le but à atteindre.

*

La salle de réunion du MI 6 offrait une exposition d'ordinateurs et d'écrans. Smith, costume trois-pièces et cravate de luxe ; George, chemise marron à manches courtes et pantalon de velours.

— D'ici, révéla-t-il, j'ai commandé des opérations de nettoyage au Proche-Orient grâce à vos drones. De l'excellent matériel. D'abord le repérage par satellite, provenant également de vos usines ; ensuite, destruction de la cible.

— Et les dommages collatéraux ?

— Négligeables. On ne le claironne pas sur les toits mais, en certaines circonstances, nous sommes plus performants que nos amis américains.

— Ils sont informés de cette opération, je suppose ?

— Non, répondit Smith ; ni eux ni les membres de l'Otan. C'est une affaire privée entre vous et nous.

— On aura quand même un allié, mais neutre et fiable, précisa George : les Suisses.

— Comme négociateurs ?

— Pas seulement. Étant donné le site d'intervention, qu'ils connaissent par cœur, ils nous fourniront des renseignements indispensables.

— Ça signifie que… Vous avez repéré la prison de Bruce ?

— Affirmatif.

Enfin, une bonne nouvelle !

Un écran s'alluma.

Des photos prises par satellite. Un village dans une zone désertique. Une dizaine de maisons, deux palmiers, une citerne, des chèvres, des hommes armés en faction.

L'un d'eux buvait du thé.

Un Jaune.

— Le repère des Ouïgours, indiqua George. Une idée géniale. Jamais on n'aurait été les chercher là.

— Et comment les avez-vous trouvés ?

— Chacun son métier. Nous, on a encore des gars sur le terrain. Même d'une prudence de Sioux, un groupe de musulmans chinois ne passe pas inaperçu. Parfois, il faut savoir payer.

— Le MI 6 est souvent dépensier, déplora Smith.

— Où est Bruce ?

— À l'une des frontières syriennes. Pour le moment, ça vous suffira.

— Certitude ou hypothèse ?

— Quand on a eu l'info, on a scruté l'intérieur des bâtisses avec l'un de vos drones équipé de multiples systèmes de repérage et d'analyse, de la chaleur corporelle à la densité des masses. Dix mâles et une femelle, plus un gros type enfermé dans un gourbi. Le seul à ne pas sortir.

— Et si c'était un autre otage, et pas Bruce ?

George croisa les bras.

— On n'est pas des amateurs. La description de votre copain correspond poil à poil. Et pour le pognon, les négociations ont débuté avec le chef du commando ouïgour, un ex-prof de maths.

— Un infiltré… Vous avez un infiltré !

George se contenta de sourire.

— Les Ouïgours ont mordu à l'hameçon, commenta Smith. Ils sont d'accord sur le principe : 400 millions de dollars en liquide, même valeur en armement.

— Et Bruce libéré ?

— Pas lui, trancha George. Son cadavre.

— Hypothèse ou certitude ?

— Certitude. Ces dingues-là, ce sont des féroces. La seule chance de votre copain, c'est une opération coup de poing. Uniquement avec des pros.

— La cerise sur le gâteau, c'est moi.

— Pas question.

— Je suis un instinctif, pas un suicidaire. Et mon instinct me commande d'être présent.

— J'ai dit : pas question.

— Si M. Vaudois veut risquer sa vie, estima Smith, pourquoi l'en empêcher ? D'après ses états de service à l'armée, il pourrait se tenir en couverture.

— Et s'il se fait buter, qui sera responsable ?

— Moi, répondit Mark. Je vous signe une décharge ?

— En plusieurs exemplaires.

— Entre gentlemen, conclut Smith, on finit toujours par s'entendre.

— Après la paperasse, décréta George, vous venez avec moi. Entraînement intensif pendant trois jours et remise à niveau. Et puis on décolle.

32.

Bruce avait de la veine. La plupart des otages étaient maltraités, jouets entre les mains de sadiques. Le patron local des Ouïgours, lui, se plaisait à bavarder, au moins une heure par jour, en observant le prisonnier qui allait rapporter une fortune et de l'armement à son commando. Et ce serait un plaisir suprême de décapiter lui-même cet infidèle et de répandre la scène à travers le monde.

Bruce observait et enregistrait le moindre détail. Grâce à un soupirail, il gardait le sens de l'heure, en fonction des rayons du soleil. Et la mécanique de ses geôliers, inspirée des prisons chinoises, ne se détraquait pas, à une exception près : le préposé au repas du soir avait, la veille, oublié de tirer un verrou au claquement caractéristique.

Vraie négligence ou piège subtil ? Tester un prisonnier était un petit plaisir des tortionnaires. Si Bruce poussait la porte, festival de matraques et de coups pour mieux le briser ou… la liberté ?

Il ne céda pas à la première tentation. D'abord, ressentir son environnement ; ensuite, voir si ce verrou serait de nouveau oublié.

Seule autorisation de sortie : la douche, sous la surveillance de deux types, arme au poing ; un troisième versait sur Bruce un seau de flotte tiédasse. Quelques secondes d'extase. Être à poil devant ces tordus ne gênait pas l'Écossais. Une serviette vaguement propre, il s'essuyait lentement et renfilait ses vêtements. Obsession, repérer une faille.

Pour le moment, zéro.

Le soleil se couchait ; le chef entra dans la cellule.

— Dîner de gala. Poulet et galette.

— T'as des bonnes nouvelles ?

— La négociation est entamée. Votre valeur marchande n'est pas négligeable.

« Mark s'agite, pensa Bruce, mais ces tarés ont un plan simple : ramasser le pognon, me trucider et vendre mon cadavre. »

— Vous n'êtes pas un infidèle comme les autres.

— Ah ouais ? C'est quoi, mon genre de beauté ?

— Journaliste très connu et très influent.

Le Jaune semblait toujours sourire. En fait, il avait une gueule aimable de naissance, mais elle ne bougeait pas d'un millimètre, comme un bloc de glace incapable de fondre. Il tuait en souriant.

— Et ça te fait bander ?

— J'aimerais que vous me rendiez un service. L'Islam a gagné, et vous devez le faire savoir. C'est votre métier d'informer les gens. Des milliers de jeunes s'engagent, à travers le monde, pour faire croître l'État islamique. Grâce à l'application de la charia, ils retrouvent un sens à leur vie ; et quand les enfants assistent aux exécutions des mauvaises personnes, ils apprennent à combattre le Mal. Et vous n'êtes pas une mauvaise personne, j'espère ?

— La pire des pires, mon gars !

— J'ai un rêve : voir le drapeau de l'État islamique flotter sur la mosquée des Omeyyades, à Damas. Et ce ne sera qu'une étape. Je souhaite que vous annonciez les suivantes. Voici du papier et un stylo. Notez mes déclarations et rédigez un article que je diffuserai.

L'Écossais croisa les bras.

— On se comprend mal, pépère. Compte pas sur moi comme haut-parleur pour répandre ton intox.

— Pas de l'intox, de l'info.

— Parce que tu vas me donner de la vraie, de la bonne, de la pure, à moi, ici ?

— Certainement.

— Et tu crois pas que si tu annonces tes coups tordus, tu auras des ennuis à l'allumage ?

— Aucun, car nous avons gagné la bataille des idées. Le 21 septembre 2015, les Nations unies ont nommé l'Arabie saoudite à la tête du groupe consultatif proposant des experts pour le Conseil des droits de l'homme. Le président turc est vénéré par l'Union européenne, et notre foi se répand partout. Les résistants sont considérés comme racistes. En restaurant le califat au Moyen-Orient, nous annonçons l'avenir. Mon groupe aura pour mission de conquérir l'ensemble des Balkans, pendant que seront ciblées deux zones stratégiques chères aux mécréants : le détroit de Gibraltar et le canal de Suez.

— Pourquoi tu me racontes ça ?

— Parce que personne ne réagira. Au contraire, la certitude de l'avenir remplira de terreur les derniers opposants. Ils jetteront leurs armes et se convertiront.

Bruce avait la trouille. Une vraie trouille. Pour la première fois, il touchait du doigt, et pas seulement du cerveau, un monstre prêt à tout dévorer sur son passage.

— Je vous fournirai d'autres précisions, car je sais que vous êtes un journaliste exigeant.

— Sphinx, ça te dit quelque chose ?

L'Ouïgour réfléchit et demeura muet. Bruce contempla le stylo-bille à encre noire.

— Mettez en ordre ces premières indications. Ensuite, nous développerons.

— Et tu crois que je crois que c'est *mon* texte que tu vas balancer ?

— C'est mon intérêt. Nous gagnerons cette guerre, parce que nous aimons la mort plus que vous n'aimez la vie.

33.

Les Ouïgours avaient déniché un coin génial pour planquer Bruce. Mark l'aurait plutôt recherché en plein territoire de l'État islamique, près de Raqqa, mais pas là, dans un bled du plateau du Golan, côté syrien, non loin de la frontière israélienne.

Pourtant, rien de plus sûr. À quelques centaines de mètres, diverses troupes de fanatiques s'étripaient : le front al-Nosra, métastase d'al-Qaida, soutenu par les États-Unis, l'Arabie saoudite et la France ; les guerriers de l'État islamique, nourris par les États du Golfe et la Turquie ; des milices chiites armées par la Russie et l'Iran ; et quelques tribus indéterminées, pas moins violentes. Dans ce chaudron infernal, on s'entretuait quotidiennement au nom d'Allah. Et les Israéliens observaient la situation à travers le regard attentif de militaires suisses.

En tenue commando, George présenta Mark au chef du poste le plus avancé. Originaire du canton de Fribourg, âgé d'une trentaine d'années, le collier de barbe impeccable, l'œil vif et le menton affirmé, le Suisse avait l'air soucieux.

— On en est où, Niklaus ?

— Ça n'a pas bougé. Grâce aux rapports satellite, on a repéré votre bonhomme pendant qu'on le douchait.

Le Suisse montra une photo.

C'était bien Bruce. Et il n'avait pas maigri.

— Combien d'affreux ?

— Une vingtaine d'Ouïgours. Et pas des amateurs. Voilà trois jours, ils ont repoussé une attaque d'al-Nosra. Assaillants ratatinés, pas un blessé chez les Chinois.

— La négo ?

— Ça avance sans avancer. Ils veulent le blé et les armes ; ensuite, ils nous rendront l'otage.

— Autrement dit, ils nous restitueront la tête coupée dans un colis piégé.

— Probable.

— État des lieux ?

— Champ de mines autour du village, plusieurs guetteurs de jour comme de nuit.

— Nos chances de délivrer l'otage intact ?

— Entre zéro et un pour cent, en étant optimiste.

— C'est dans ma nature, affirma Mark. Le meilleur moment pour foncer ?

— Juste avant l'aube.

— Vous avez une description précise du site ?

Le Suisse conduisit ses hôtes jusqu'à son QG. Ils passèrent devant l'élément vital, la citerne, grimpèrent un escalier métallique et atteignirent une tour de contrôle aux vitres blindées. Un Vaudois, un Valaisan et un Lucernois braquaient leurs jumelles surpuissantes sur les alentours.

Des vignes dévastées, des champs cramés, de la pierraille, des carcasses de chars et de Jeep, des maisons plus ou moins en ruine.

Un chat multicolore frôla les jambes de Mark.

— Précieux auxiliaire, commenta le Suisse ; il repère les scorpions qui pullulent dans le coin. Ces saloperies ont tendance à se glisser dans nos bottes. Sans le chat, on aurait eu des victimes. Vous voulez voir la cible ?

Le grossissement était impressionnant. Mark distingua les bâtiments et les gardes.

— Nous, rappela Niklaus, on est cloués ici. Même si on en a envie, pas question d'intervenir.

— On ne vous le demande pas, précisa George, et nous n'avons jamais existé.

— Ça me convient. Vous êtes sûr de ne pas aller au casse-pipe ?

— Les risques du métier. On a quand même des biscuits.

Entre les Anglais, fidèles suiveurs des Américains, et les Israéliens, le climat n'était pas au beau fixe. Mais le MI 6 savait s'adapter, et ses négociateurs avaient convaincu leurs homologues juifs de ne pas entraver l'opération, et même de donner un léger coup de pouce, en échange d'informations utiles à la sécurité d'Israël.

Le moment était venu de planifier.

— Toujours envie de participer ? demanda George.

Mark hocha la tête affirmativement. Ses tests avaient été positifs, et il avait l'intuition que sa présence serait indispensable.

— Vous vous tiendrez à l'arrière, en couverture, avec deux de mes gars, tandis que les dix autres emprunteront la bande étroite où il n'y a pas de mines.

Sur un écran, elle apparut nettement. Les analyses du terrain par des drones équipés de caméras et d'ordinateurs étaient d'une précision remarquable.

— Pour démolir l'armurerie, la cantine, le dortoir et le centre de commandement, annonça George, nous utiliserons l'arme la plus récente fabriquée par les Russes, une petite merveille, le TOS-1 Buratino. C'est un lance-roquettes non conventionnel, combinant charge explosive et réservoir de liquide inflammable. Effet de souffle et nettoyage garantis. En Ukraine, les séparatistes pro-Russes en sont très contents. S'il reste des survivants, on terminera à la main. Allez, on s'équipe.

Chacun grava dans sa mémoire la disposition des lieux, mais bénéficia d'un pense-bête fabriqué par l'empire Vaudois : une montre servant d'émetteur-récepteur et de GPS. Un point rouge clignotait en cas de danger.

Mark l'enfila à son poignet avant de recevoir une veste pare-balles à la fois légère et souple, conçue par un atelier de l'empire pour assurer de manière discrète la sécurité de personnalités menacées. Elle se déclinait en diverses tailles et couleurs, et ne manquait pas d'élégance, si nécessaire.

Mark vérifia l'arme confiée par George, un P 226 SI Sig Sauer, neuf millimètres et seize coups. Maniement aisé, balles perforantes et ravageuses.

— Méfiez-vous, recommanda le Suisse, ces Ouïgours sont de sacrés tordus. J'ai l'impression qu'on a repéré tous leurs systèmes de défense et que votre stratégie est parfaitement au point. Et c'est ça qui m'inquiète.

— Des renforts possibles ? questionna George.

— Non, le village est isolé, et nous observons les alentours en permanence. Rien à signaler. Et votre intervention sera si rapide que d'éventuels secours n'arriveraient pas à temps.

Restait la question vacharde, que personne ne désirait poser : et si l'un des fanatiques égorgeait Bruce avant que le commando ne le sorte de son trou à rats ?

Comme disait Saint-John : « lorsqu'on n'a pas le choix, on est libre. » Et l'heure n'était plus aux minauderies.

34.

Bruce souffrait d'une migraine à lui faire péter les tempes, et ses intestins commençaient à partir en vrille. En plus, le prof de maths l'avait bassiné toute la soirée avec un cours de théologie coranique, additionné d'un plan de destruction du canal de Suez qui, à première vue, relevait de l'utopie. Mais depuis le 11 septembre 2001, il fallait se méfier des gentils garçons propres sur eux, polis et diplômés.

Bruce avait pris des notes, à la grande satisfaction du Chinois qui se voyait déjà en haut de l'affiche du terrorisme international grâce à l'article d'un journaliste-vedette dont il montrerait la tête tranchée à la caméra.

Impossible de dormir.

D'autant plus impossible que Bruce, après la sortie du prof, n'avait pas entendu le « clac » du verrou.

Il pensa aux êtres qu'il chérissait, sa femme, son fils, ses chiens et son pote Mark. Celui-ci se démenait dans tous les sens pour le retrouver. Et s'il y parvenait, les Ouïgours trucideraient leur otage à la moindre alerte.

Seule chance apparente : le versement de la rançon. Mais Bruce avait un léger doute sur l'honnêteté du prof de maths. De son point de vue, en livrant le cadavre d'un mécréant, il aurait rempli son contrat moral.

À moins de se tirer d'ici, Bruce était foutu. Et vu qu'il croupissait sûrement en plein désert, il lui fallait un véhicule.

À deux reprises, il avait entendu des bruits de moteur. Sans doute une brève vérification du matériel. Pourvu que les cinglés aient eu la bonne idée de laisser la clé sur le contact... Et valait mieux éviter le mauvais polar où la bagnole ne démarrait pas. Ensuite, direction l'inconnu. Avant d'en arriver là, un océan bourré de requins à traverser.

Le bon moment : la prière avant l'aube. Les Ouïgours ne rigolaient pas sur la pratique du culte. Bruce se concentra, le visage de son impossible gosse de voyant lui apparut. Ça voulait dire quoi ? Stopper ou foncer ?

Doucement, très doucement, il poussa la porte. Pas de grincement. Pas de réaction. Dans l'entrebâillement, il glissa un regard.

Personne.

À gauche, l'endroit où on le douchait ; à droite, un empilement de caisses ; en face, l'arrière d'un bâtiment.

L'Écossais sortit de sa prison.

Un étourdissement.

La liberté, ça rendait malade.

Quelques secondes pour l'équilibre, un pas à gauche, un deuxième, un troisième. D'après les sons entendus, les véhicules étaient garés de ce côté-là.

Deux Ouïgours tournés vers La Mecque. La prière. Bruce avait tapé juste. L'instant ou jamais.

À dix mètres, une Jeep.

Ne pas courir, ne pas faire crisser le sable, s'installer au volant.

Pas de clé de contact.

— C'est ça que vous cherchez ? demanda le prof de maths en l'exhibant.

Bruce serra le volant.

Les Ouïgours se massèrent autour de leur chef. Le piège avait fonctionné.

— Avec moi, on ne s'évade pas. Vous avez eu tort de trahir ma confiance, une punition s'impose. Demain, les négociations devraient aboutir et nous toucherons notre dû ;

c'est pourquoi nous avons besoin d'un portrait de vous en excellente santé.

Le flash d'un appareil numérique. Le prof vérifia.

— Ça manque de sourire, mais ce sera suffisant. Maintenant, la punition.

Les Chinois brandirent des gourdins. Bruce en percuterait un ou deux, mais ça tomberait dru, et il allait dérouiller.

D'un geste nerveux, le prof déclencha la curée.

Second flash, nettement plus énorme que le premier. Une gerbe de feu envoya valser les Ouïgours, et un souffle genre tornade expédia Bruce vers le désert.

*

Une roquette par bâtiment, à l'exception de la prison de l'Écossais. Pas d'erreur de calcul, tirs précis, objectifs atteints. Le terrain dégagé, les membres du commando s'ébranlèrent, tous les sens en alerte. George courait en tête, prêt à réagir au moindre signe de résistance.

Mark et deux grands types s'immobilisèrent à l'orée du chemin tracé entre les mines. Les bâtiments brûlaient. Effet de surprise parfait, réussite totale. À condition que Bruce soit encore vivant.

L'un des deux Anglais s'effondra, face contre terre, la gorge tranchée. Mark se retourna en bondissant de côté, évitant de peu le couteau d'un des trois Ouïgours qui avaient jailli de leur cache creusée dans le sable.

Le second Anglais et son assaillant s'entretuaient. Mark roula au sol et tira, visant la tête. Son Sig Sauer ne le déçut pas. Les balles perforèrent les crânes des Ouïgours. Pour les deux Anglais, terminé.

Côté village, l'enfer. Les flammes montaient haut, une puanteur de chair cramée.

— Bruce, hurla Mark, Bruce, t'es où ?

35.

S'extrayant du brasier, George et ses gars tiraient la masse de Bruce, inanimé. Les vêtements déchirés, maculé de sang, il semblait en mauvais état.

— Rien de grave, affirma George ; il est sonné par l'effet de souffle. La totalité des salopards a été annulée.

Il aperçut les cadavres de ses deux compagnons et des trois Ouïgours. Aucune émotion ne s'inscrivit sur son visage.

— Beau travail. On embarque les nôtres et on ne traîne pas dans le coin.

Jeep à pleine vitesse, direction aérodrome militaire et vol pour Londres. Un toubib s'occupa de Bruce qui dormait comme un bébé après une piqûre de sédatif.

— On a frôlé le désastre, estima George. Votre copain avait quitté sa cellule, il aurait pu être tué. Dès qu'il se réveillera, débriefing.

— Pardon ?

— On doit savoir ce que sait Bruce. Deux jeunes types sont morts pour le libérer.

— Et s'il refuse ?

— Exclu.

— Vous êtes sûr qu'on est en démocratie ?

— Vous êtes entre les pattes du MI 6. Et c'est moi qui commande.

*

Une villa discrète dans le sud de Londres, au milieu d'un parc entouré de hauts murs, et hautement sécurisée. Une chambre médicalisée pour Bruce, une autre pour Mark. Tout le confort moderne, de la nourriture correcte. Mais quand même une prison, et l'isolement. Porte blindée, ni télé, ni radio, ni moyen de communiquer avec l'extérieur. Juste le *Times* et des romans policiers.

Pendant que Mark trépignait, Bruce se réveilla. Il avait mal partout, et se tâta des pieds à la tête. Pas de pièce manquante.

Fenêtre avec barreaux, murs blancs, salle de bains aseptisée. Et une sonnette qu'il écrasa du poing.

Quelques minutes plus tard, la porte métallique coulissa. Apparut George, chemise à carreaux et pantalon de sport.

— Ça va mieux, Bruce ?

— Ta gueule ne me revient pas. T'es qui ?

— Le mec chargé de vider ta mémoire. J'adore les confidences.

— Moi aussi. C'est pour ça qu'on va pas s'entendre.

— Je t'ai libéré et j'ai perdu deux gars à cause de toi. Tu dois me raconter ton séjour et pourquoi on t'a emballé.

— Whisky. Et du bon. Les émotions, ça déshydrate.

George utilisa son portable. Un garde apporta une bouteille dont Bruce s'empara.

— Pas terrible, mais ça suffira pour une urgence.

Il but au goulot.

— Bon, c'est pas que je m'ennuie, mais j'ai à faire. Tu m'ouvres la porte et je me casse.

— Ça m'embêterait d'utiliser des méthodes musclées, déplora George.

— Eh ben ne t'ennuie pas, libère la chaussée et détends-toi en allant voir un film comique.

— Je suis d'un naturel patient, mais faut pas trop pousser. Qui devais-tu rencontrer à Pékin, pourquoi as-tu été arrêté et livré aux Ouïgours ?

Bruce leva les bras au ciel.

— Atteinte à la liberté de la presse, à la vie privée et à l'indépendance de l'Écosse ! Y a qu'un Anglais pour déraper sur toute la longueur. Fourre-toi ça dans ta petite tête : personne n'a jamais confessé le père Bruce. Il dit ce qu'il a envie de dire au moment qui lui convient. Et si tu me tortures genre sérum de vérité, tu entendras tellement d'horreurs que tu t'enfuiras en courant. En plus, la pub que je consacrerai aux tordus des services secrets risque de porter atteinte à ton salaire.

Une nouvelle goulée de whisky. Bruce avait hâte d'en goûter un meilleur.

Un tantinet déstabilisé, George hésitait sur la conduite à suivre. Même à son niveau, il y avait des procédures à respecter, sous peine de soulever des vagues gênantes. Et malgré plusieurs années de métier, il n'avait pas encore affronté un spécimen pareil.

— T'as failli me bousiller, mais je reconnais que tu m'as sorti de la panade. Note bien que je m'apprêtais à me faire la malle. Happy end non garanti, j'admets. Puisque tu as dévasté mon village de vacances à la roquette, tu le connaissais par cœur et mieux que moi. Des Chinois musulmans chargés de me bousiller après avoir empoché la rançon. Leur patron, un prof de maths qui confondait les équations avec les versets du Coran et voulait déclencher un tsunami sur le canal de Suez et un incendie dans les Balkans. Tu t'en doutais un peu, non ? Voilà, j'ai coopéré. Alors, on s'embrasse sur la joue et on se quitte.

— Et Pékin ?

Bruce se mit en rogne.

— Pékin, c'est mon job, et si j'ai envie de niquer le Parti communiste, ça ne regarde que moi ! Tu n'auras qu'à lire mes articles.

La montre de George bipa.

Il sortit de la chambre pour rejoindre Smith, qui avait écouté la conversation. Quoique tendue et provisoire, la collaboration entre MI 5 et MI 6 se poursuivait.

— Je veux le travailler au corps, celui-là ! s'énerva George.

— Je vous le déconseille. N'oubliez pas que son meilleur ami est le patron d'un empire dont certaines productions nous sont fort utiles. Le patriotisme ayant tendance à se perdre chez les industriels, nos services pourraient pâtir d'une méchante rancune. Et puis nous avons au moins une certitude.

— Laquelle ?

— Nous sommes en plein brouillard. Ce qui se trame échappe à la logique habituelle, et j'ai peur que nous ne soyons pas équipés des bonnes clés.

— Que proposez-vous ?

— Bruce et Mark ont un flair que nous ne possédons pas et l'obstination des meilleurs chasseurs.

— La longue corde… On les laisse agir, on ne les perd pas de vue et on tire les marrons du feu. Et s'ils nous baisent ?

— L'important n'est-il pas d'être en paix avec notre conscience ?

George eut une aigreur d'estomac, tant Smith lui tapait sur les nerfs. Bien entendu, ils afficheraient une parfaite entente en agissant chacun de leur côté, et sans prévenir l'autre. Néanmoins, George admettait un point commun avec Smith : il était aussi paumé que lui.

36.

— Désolé de vous avoir infligé cette rétention administrative, s'excusa Smith en présentant à Mark une dizaine de feuillets. Auriez-vous l'obligeance de lire attentivement, de signaler d'éventuelles erreurs et de signer ?

Le récit du raid ayant abouti à la libération de Bruce. Style militaire pur et dur, faits précis.

Une omission.

— Il n'est pas mentionné que j'ai abattu les Ouïgours qui nous ont attaqués par-derrière.

— Ce rapport circulant dans divers services, des esprits malintentionnés pourraient utiliser cet acte héroïque contre vous. Navré de ne pas vanter votre bravoure, mais la discrétion est parfois préférable.

Mark ne doutait pas qu'un rapport complet serait versé aux archives. Il signa.

— Et Bruce ?

— Un dernier examen médical pour s'assurer que sa détention n'entraînera aucune séquelle. Une voiture sera à votre disposition. Heureux que cet épisode agité se termine bien.

— Et la suite ?

— J'espère que vous ne serez plus jamais en contact avec George. Quant à moi, si des problèmes se posaient, je serais toujours prêt à vous aider.

*

Ils se figèrent, à deux pas l'un de l'autre.

— Ils t'ont coffré, toi aussi ? s'étonna Bruce.

— Plus ou moins, répondit Mark ; tu n'as pas faim ?

— Un petit creux, genre vautour déprimé.

Les deux amis se donnèrent une accolade de rugbymen venant de marquer un essai.

Le chauffeur, muet, les emmena à l'hôtel particulier des Vaudois. Certains que la Jaguar entière était un micro, Mark et Bruce n'échangèrent pas un seul mot.

Le *butler* accueillit son patron avec une distinction mêlée de joie contenue. La dose idéale.

— Pas de visite insolite ?

— De faux plombiers, de faux électriciens et de faux informaticiens. Nous les avons sobrement renvoyés à l'expéditeur.

À plusieurs reprises, les services secrets avaient tenté de piéger le domicile londonien de Saint-John, soucieux de préserver un havre de paix ; la haute technologie des spécialistes de l'empire rendait l'hôtel particulier plus sûr qu'une ambassade.

— Caviar, foie gras, salade de homard, émincé de veau aux morilles, plateau de gruyères, farandole de sorbets : le menu vous convient-il ?

Bruce se lécha les babines. Il n'avait jamais eu autant envie de dévorer.

— Je vous propose du champagne rosé millésimé, un saint-émilion léger et une vendange tardive pour terminer.

Bruce découvrait l'antre des Vaudois. Les sculptures égyptiennes du grand hall l'épatèrent.

— C'est pas du toc ! Ces types-là, ils savaient tailler la pierre.

Le salon où était servi le dîner célébrait les charmes de la campagne : travaux champêtres, paysages idylliques, troupeaux, bosquets.

Bruce vida sa première flûte de champagne.

— Bon Dieu, quel pied ! Tu m'appelles Primula ?

Le *butler* tendit à Mark un portable dernière génération. La Cambodgienne apparut sur l'écran.

— Regarde qui est là.

Bruce s'empara de l'appareil.

— C'est toi, c'est bien toi ? interrogea-t-elle, rejointe par son fils et les deux terre-neuve.

— J'ai tellement changé ?

— Tu as l'air fatigué.

— J'ai mal bouffé. Mais on va rattraper le coup.

— Tu n'es pas blessé ?

— On m'a soufflé dans les bronches, mais la carcasse est intacte.

— C'est vrai, papa ? s'inquiéta Bruce Junior.

— T'inquiète pas, fiston. Corrects, tes derniers devoirs ?

— Corrects.

— Viens vite, intervint Primula.

— Tu sais, je…

— Viens vite, il y a une surprise.

— Bonne ou mauvaise ?

— Je ne sais pas, mais elle concerne ton travail.

Mark hocha la tête.

— On grignote et on arrive.

Chaque fois qu'il la voyait, Bruce craquait. Primula était un assemblage de fierté, d'élégance, de désespoir et de bonheur. Aucune autre femme ne lui faisait cet effet-là. Il n'avait pas besoin de se forcer pour être fidèle, car toutes les autres lui paraissaient fades.

Le champagne rosé ne passa pas les cinq minutes, et les toasts au caviar servirent d'amuse-gueules, avant un authentique foie gras aux figues.

— T'étais sur le terrain, Mark ?

— J'ai assuré les arrières.

— Et tu as risqué ta peau.

— Comme tu l'aurais fait pour moi.

Bruce nota un détail anormal. Une tristesse inhabituelle dans le regard de Mark.

— Un os ?
— Saint-John.
— Quoi, Saint-John ?
— Assassiné. Son avion a explosé en plein vol.

Bruce vida deux verres de saint-émilion. Les géants du genre de Saint-John ne mouraient pas. L'âge n'avait aucune prise sur eux, et personne n'était capable de les remplacer.

Pour Mark, la fin du monde. Et pourtant, il était propulsé à la tête de l'empire et n'avait pas le droit de renoncer. Désormais, il portait le costume d'amiral et dirigeait la flotte.

Bruce ne se répandit pas en condoléances glaireuses.

— T'auras les épaules assez larges, mais ça va tanguer. Saint-John te guidera.

— Sa mort est liée à Sphinx.

Nouvel uppercut.

— Tu débloques ?

— Il faut qu'on cause, Bruce. D'habitude, tu m'apportes ton papier, et je le publie. Cette fois, je participe à l'enquête et on avance main dans la main.

L'Écossais grogna.

— Je mange et je bois à la mémoire de Saint-John, et on causera dans l'avion. Si tu ne te goures pas, nous coincerons l'assassin de ton père.

37.

Joss avait inspecté lui-même l'avion, et pas qu'une fois. Il n'arrivait pas à digérer l'attentat qui avait coûté la vie à Saint-John. S'il avait été chargé de la sécurité à New York, le pire ne se serait pas produit.

Dès que Mark monterait dans un zinc, Joss s'en occuperait personnellement ; et s'il constatait la moindre anomalie, le coupable dérouillerait.

Le jet décolla en pleine nuit à destination de l'Islande. À bord, outre l'équipage, Mark, Bruce et deux gorilles.

Un steward, rompu aux sports de combat, leur servit un armagnac, du café et des mignardises. Sur le parcours, temps calme ; et sur la grande île, pas de volcan en éruption.

— J'en avais tellement marre des guignols qui prétendent nous gouverner, commença Bruce, que je suis allé voir derrière le rideau. Et je n'ai pas été déçu. Il existe une belle brochette de cercles et de clubs plus ou moins planqués où les vrais décideurs se réunissent en secret, à l'abri des médias. Et quand un traître commence à causer, on le dégage et on reforme un groupe. J'avais une petite liste d'éminences grises quand je suis tombé sur une drôle de combine : Sphinx. Mon flair m'a dit que c'était du sérieux, du très sérieux. De fil en aiguille, une barbouze nommée sir Charles a confirmé mon intuition et m'a fourni la piste d'un certain Zhang Dao, à Pékin. Ce n'est pas lui qui m'attendait, mais un officiel chinois qui avait pris sa place. Il m'a expédié chez les Ouïgours pour se débarrasser de moi, sans que son gouvernement soit accusé d'avoir massacré un journaliste occidental trop voyant. Cette ordure a au moins éclairci un point clé : les types de Sphinx, ils sont dans la colonne des bons, pas dans celle des méchants.

— Et les méchants, tu les connais ?

— Pas encore, mais j'en ai une furieuse envie. Et je remonterai jusqu'au donneur d'ordres.

— *Nous* remonterons, corrigea Mark. J'ai la certitude que Saint-John était l'un des éléments majeurs de Sphinx, une confrérie de neuf membres qui existe depuis l'Ancien Empire égyptien et cherche à protéger notre monde des ténèbres qui nous menacent en permanence.

— Ils ont du boulot !

— Jusqu'à présent, ils ont réussi à transmettre leur principal secret : celui de l'alchimie.

— Transformer le plomb en or ?

— Ça, c'est l'image enfantine. En réalité, l'alchimie des anciens Égyptiens consistait à percer le secret de la vie, et à opérer la transmutation de la mort en éternité grâce à la connaissance de la matière première d'où découlent toutes les autres : la lumière. Les scientifiques les plus pointus poursuivent des recherches assidues en ce sens, mais il leur manque des clés que possède Sphinx.

— Pourquoi il les donne pas ?

— Parce qu'il juge les humains incapables de s'en servir correctement. Les Chinois connaissaient les explosifs, et se sont contentés pendant longtemps de restreindre leur application aux feux d'artifice. Quand les militaires s'en sont emparés, tu as vu le désastre. Les anciens Égyptiens connaissaient le pétrole, et ne l'ont utilisé que pour la momification ; aujourd'hui, c'est vraiment un or noir qui a enrichi l'Arabie saoudite, à la tête des mouvements intégristes, et d'autres pays tout aussi sinistres. Et le pire est en pleine expansion : Internet, un outil militaire qui n'aurait jamais dû contaminer le grand public. L'uniformisation du monde s'annonce totale.

Dans ce paysage-là, toute originalité doit être supprimée. Ne pas être sous contrôle entraîne une condamnation à mort. À mon avis, c'est la raison pour laquelle tous les membres de Sphinx doivent être supprimés.

— Ton père, le Chinois Zhang Dao, le Syrien Khaled à Palmyre, l'Afghan Massoud Mansour... Si je compte bien, déjà quatre victimes.

— Et cinq survivants, dispersés à la surface du globe, comme l'exige la loi de la confrérie. La disparition de Saint-John, qui tenait les cordons de la bourse et assurait l'influence des Neuf à divers niveaux, est une catastrophe majeure. La curée est en cours, elle est peut-être terminée ; et nous n'avons aucune piste. Les services secrets britanniques non plus. C'est pourquoi ils nous utilisent comme des chèvres, en espérant que nous les mènerons quelque part.

— Tu n'as pas envie... de laisser tomber ?

— Je veux savoir qui a tué mon père et pourquoi.

Bruce réclama de l'armagnac.

— C'est une histoire de dingues, Mark ! Tu ne crois pas qu'on nous enfume ?

— Les Supérieurs inconnus ne sont pas une légende, mais c'est derrière une légende qu'ils se cachaient.

— Saint-John t'a parlé de tout ça ?

— Il s'apprêtait à le faire. Et on l'a tué. Alors, je ne lâcherai pas l'affaire. Ma vie est dévastée, Bruce, je n'ai plus rien à perdre.

— Je ne suis pas du style vertige et tête à l'envers, mais là, c'est du lourd ! J'ai l'habitude d'en prendre plein la tronche quand je m'approche d'une vérité pas bonne à dire, et ce coup-là, c'est le pompon ! L'assassin en chef, je le connais.

Mark se figea.

— T'excite pas, je sais juste qu'il est « le nouveau prince », donc le Machiavel du XXIe siècle. Comme piste, plutôt un cul-de-sac. Je suis souvent parti en chasse avec moins que ça.

Les deux amis se tapèrent dans les mains.

— Et ta chérie, la belle Irina ?

— Elle m'a plaqué, le jour où j'ai appris la mort de mon père et ta disparition.

— Tant pis pour elle. Si on roupillait ?

Le jet disposait de deux chambres plutôt confortables. Habitué aux situations tordues, Bruce estimait avoir touché le jackpot. Les draps sentaient bon, la couette valait le voyage. Le colosse s'allongea et sombra aussitôt dans le sommeil.

38.

À l'atterrissage, un vent violent. Puis une averse, suivie d'un rayon de soleil. Et de nouveau des bourrasques. L'Islande était fidèle à sa réputation : plusieurs climats dans la même journée, voire plusieurs saisons se succédant à un rythme rapide.

À Reykjavík, les deux Ford Bronco et les gardes du corps attendaient l'héritier de l'empire et le journaliste. Les voitures blindées roulèrent à vive allure, et Bruce retrouva avec plaisir les cahots de la route 37. Il adorait la sauvagerie et le caractère primitif de cette terre de feu et de glace, où l'humain n'était qu'une anecdote. Lui, qui avait parcouru le monde, éprouvait une forme de paix en contemplant le domaine qu'avait choisi et aménagé Primula.

À peine la portière ouverte, Bruce Junior et les deux terre-neuve accoururent. Le père souleva son fiston comme une plume et le serra contre sa poitrine. Le gamin adorait ce moment-là où il se sentait tellement protégé par ce géant.

— Alors, sale gosse, c'est quoi ta dernière bêtise ?

— Je n'ai pas eu le temps d'en faire, à cause de la surprise de maman.

« Elle concerne ton travail », avait précisé Primula, ce qui n'avait rien de rassurant.

Bruce reposa son fils, Mark l'embrassa.

— J'aime bien quand tu es là. Tu joueras avec moi ? Et j'ai une nouvelle promenade secrète, très secrète ! Elle conduit à une chapelle, la maison d'un bon génie. Mais il a mauvais caractère, il faut lui parler doucement. C'est lui qui m'a annoncé le retour de papa.

Dante aboya ; et son frère, Virgile, l'imita. Les deux énormes chiens avaient faim et ne plaisantaient pas avec l'heure des repas. Ils précédèrent le trio sur le chemin menant à la maison.

Sur le seuil, Primula, si fragile. Blouse vert pâle, pantalon gris perle, chignon impeccable, et toujours ce charme qui fascinait le pire des machos.

Bruce ne l'enlaçait jamais, de peur de la briser ; c'est elle qui prenait l'initiative.

— Tu n'as rien, c'est sûr ?

— Une petite faim. On n'a presque rien mangé depuis des heures ; et l'avion, ça creuse.

— L'alambic a bien fonctionné, j'ai préparé un nouvel alcool de fleurs.

— C'était ça, la surprise !

— Pas exactement.

Dante et Virgile insistèrent pour prendre la direction de la cuisine. L'heure, c'était l'heure, et leurs maîtres auraient bien le temps d'échanger des mamours.

Dans l'immense pièce, on pouvait manger à une vingtaine. Des boiseries claires et joyeuses dissimulaient la batterie d'appareils ménagers ; aux murs, des casseroles, des couteaux, des louches et autres ustensiles, anciens et modernes. Sur des étagères, une bonne centaine d'épices. Excellente cuisinière, Primula avait quatre fauves à nourrir. Et ils ne se contentaient pas de trois grains de riz.

Mark compta les couverts : cinq. Pendant que Dante et Virgile attaquaient un bœuf mijoté aux petits légumes, Bruce fit la même constatation.

— Un copain de Junior ?

— La surprise, répondit Primula en se retournant.

Les deux hommes l'imitèrent.

À l'orée de la cuisine, une Cambodgienne digne des déesses représentées sur les murs des temples. La peau très pâle, un peu plus grande que Primula, les traits d'une finesse irréelle, elle aurait éclipsé sur l'écran toutes les stars que Mark trouvait de plus en plus moches. Vêtue d'un corsage mauve et d'un pantalon noir, elle avait un regard direct, à la fois tendre et profond.

— Mon amie Apsara, révéla l'épouse de Bruce. Elle était en grand danger à Angkor. Son père a été assassiné. Son seul refuge, c'est ici ; et elle est porteuse d'un message.

Tourneboulé, Mark ne pouvait se détacher de cette apparition.

Saumon frais, pâté de lièvre, porc aux cinq épices, gratin de pommes de terre au lard, bourgogne charpenté à souhait ; si les femmes se contentaient de grignoter et Mark de rêvasser, Bruce père et fils faisaient honneur au festin. Le nouvel alcool de Primula, digestif avant et après le repas, avait décuplé l'appétit de l'Écossais. Chacun attendait l'inévitable question.

— C'est quoi, ce message ? demanda Bruce.

— Mon père s'appelait Sambor, révéla la Cambodgienne ; il était le meilleur des hommes. Et se nourrissant de l'enseignement des temples d'Angkor, il priait pour que l'humanité ne sombre pas dans les ténèbres et guérissait quantité de maladies grâce aux remèdes qu'il préparait lui-même dans son laboratoire.

Mark et Bruce se regardèrent : pas nécessaire de leur faire un dessin. Sambor était l'un des neuf Supérieurs inconnus, le cinquième à disparaître.

— Pourquoi l'a-t-on assassiné ? questionna Mark.

— Parce que ses activités gênaient les autorités.

— Et vous connaissez le coupable ?

— Des policiers ont exécuté un ordre. J'ignore de qui il provenait.

La noblesse d'Apsara était impressionnante. Malgré une peine déchirante facile à percevoir, elle gardait une dignité qui l'aidait à lutter contre le malheur.

— Afin d'éviter la torture, mon père a séparé son âme de son corps. Elle s'est envolée vers le soleil, et les tueurs n'ont trouvé qu'un cadavre. Avant le grand voyage, il m'a confié une enveloppe scellée et m'a conseillé de prendre connaissance de son contenu quand je serais en sécurité, puis d'agir en conséquence. Voilà pourquoi j'ai prié Primula de m'accueillir.

Joignant les mains, elle s'inclina, en signe de reconnaissance.

Mark n'avait jamais contemplé autant de grâce. Un vieux mot qu'on n'employait plus, qui s'imposait de façon magique.

— Mon père appartenait à une confrérie de neuf membres, les Supérieurs inconnus, dispersés à travers le monde. Depuis des siècles, leur mission consiste à préserver la petite lumière du Grand Esprit que les humains tentent sans cesse d'étouffer. Ils possèdent le secret de l'or céleste, le cœur même de la vie, et sa transmission n'a jamais été interrompue. À la mort de l'un d'eux, son successeur poursuit l'œuvre commune. À plusieurs reprises, au cours des âges, les Supérieurs inconnus ont été pourchassés, certains assassinés ; aux pires moments de leur histoire, ils ont surmonté les épreuves. Mon père avait réussi à échapper aux Khmers rouges. Cette fois, il s'agit d'une destruction systématique. Doté de vastes pouvoirs, sans doute capable de manipuler les États, quelqu'un a décidé d'éliminer tous les Supérieurs inconnus, car leur action souterraine, si infime soit-elle, contrarie ses plans. Voilà la première partie du message que j'ai pris soin de brûler.

Tout en continuant à dévorer, Bruce voyait la mayonnaise prendre de l'épaisseur.

— Et la seconde ? interrogea Mark, fasciné.

— Le nom et le lieu de résidence d'un Supérieur inconnu auquel mon père devait s'adresser en priorité, en cas de danger.

— John Vaudois, Massoud Mansour, Zhang Dao, Khaled ?

— Aucun de ceux-là.

— S'il est encore vivant, nous le sauverons.

— C'est mon vœu le plus cher, mais je pose une condition.

Les mâchoires de Bruce cessèrent de claquer.

— J'exige de participer à son sauvetage.

— C'est foutrement dangereux, petite ! s'exclama Bruce. Pas question.

— J'agirai donc seule.

— Tu seras ratatinée !

— J'ai perdu le seul être que je vénérais et je me moque de mourir. Merci de m'avoir accueillie, je partirai dès demain.

— Pas de décision hâtive, recommanda Mark ; accordons-nous un temps de réflexion.

— C'est tout décidé, confirma Bruce, buté.

39.

Sans prononcer un mot de plus, Apsara s'était levée, puis inclinée devant ses hôtes avant de s'isoler dans sa chambre.

Gavé de mousse au chocolat, Bruce Junior prit la main de Mark.

— On promène les chiens.

Eux aussi rassasiés, Dante et Virgile couinaient d'aise.

Pull de laine bariolée, bonnets et bottes : correctement équipés, Mark et Junior suivirent les terre-neuve. Un rayon de soleil et un petit vent incitaient à la balade.

Bruce s'offrit un verre de digestif maison.

— Toi, viens ici.

L'ordre de Primula ne souffrait pas de contestation. Cette voix-là et ce regard-là... Inutile de discuter. Comme l'Écossais ne comprenait rien aux femmes, il laissait l'initiative à la sienne. C'était quand elle voulait, où elle voulait et comme elle voulait.

Primula choisit la piscine d'eau chaude à trente-neuf degrés toute l'année ; on ne risquait pas d'y voir les terre-neuve. Nue en un instant, elle déshabilla le colosse qui ferma les yeux. Accompagnées d'un léger clapotis et d'une chaleur détendant tous les muscles, les mains et la bouche de la sorcière se déchaînèrent. Après avoir eu si peur de perdre Bruce, elle lui offrit un festival de jouissances style Cléopâtre et Marc Antoine. Réduit à l'état d'objet sexuel, flottant dans son paradis aquatique au gré de la fantaisie de Primula, Bruce accepta son sort.

Quand elle l'eut vidé de toutes ses énergies, elle lui prit le visage entre les mains.

— Moi, je n'ai pas pu venger les miens ; Apsara, elle, a une chance de retrouver l'assassin de son père que tu t'obstineras à rechercher, même si tu dois y laisser ta peau. Elle aussi prendra tous les risques et sera une alliée, pas un boulet. Tu fermes ta grande gueule et tu l'engages comme assistante. Maintenant, refais-moi l'amour comme si c'était la dernière fois.

*

Une sarabande de nuages allongés, une petite pluie, une éclaircie, une bourrasque. Virgile et Dante s'ébrouaient dans un champ de mousses, au bord d'un lac où ils aimaient nager, en quête d'un bâton que lançait Bruce Junior. « Si le temps ne te convient pas, enseignait un proverbe islandais, patiente cinq minutes. » De quoi forger le caractère et s'adapter en permanence. Mark comprenait pourquoi Bruce avait adopté ces paysages du début du monde pour se ressourcer ; à l'état brut, avec ses volcans, ses glaciers, ses geysers, ses rivières et ses chutes d'eau, la grande île ne tolérait l'humain qu'à une dose minimale. Entre deux enquêtes à haut risque, l'Écossais puisait des forces titanesques, genre Hercule sans talon d'Achille.

— C'est du sérieux, cette histoire, estima Junior. Ces Supérieurs inconnus, il faut les sauver. Sans eux, le monde ira très mal.

La gravité du gamin impressionna Mark. Par flashs, son esprit traversait l'avenir ; ne se comportait-il pas comme un chamane, communiant avec l'invisible ?

Courant entre les deux chiens, qui évitaient de le renverser, l'enfant traça une sorte de spirale, puis fonça vers la rive du lac, bordée de genêts entourant une minuscule chapelle en bois, surmontée d'une croix blanche.

Junior s'agenouilla, les terre-neuve s'accroupirent. Mark s'approcha et, lui aussi, pria. Pas de formules toutes faites, mais un désir d'élévation vers ce ciel immense, parcouru de souffles inépuisables. Les Supérieurs inconnus n'étaient-ils pas une espèce si précieuse que sa disparition toucherait au cœur l'humanité entière ?

Les dinosaures, eux aussi, avaient disparu ; et plusieurs civilisations extraordinaires, de l'Égypte pharaonique aux Indiens d'Amérique du Nord, s'étaient effondrées sous les coups de hordes barbares qui, aujourd'hui, gouvernaient la planète. Qu'importait le sort de neuf rêveurs, croyant au Bien et luttant contre le Mal, des notions archaïques, témoignant d'un manichéisme coupable. Seule comptait la zone grise où toutes les perversités pouvaient se développer sans susciter l'indignation.

Mark aurait dû abandonner. Les Supérieurs inconnus, du moins ce qu'il en restait, ne modifieraient pas le cours des choses, puisque le point de non-retour avait été dépassé. Mais Saint-John était son père, et il voulait la vérité. Quelqu'un avait appuyé sur le bouton. Et il aurait la peau de ce quelqu'un.

Bruce Junior et les terre-neuve s'en donnaient à cœur joie. Un petit moment de bonheur avant la tempête. Une épouse, un gosse, une maison, des chiens… Mark n'était pas aussi doué que l'Écossais. Les études, les voyages, les affaires, quelques filles et pas la moindre envie de fonder une famille. Il n'aimait vraiment que deux êtres : Saint-John et Bruce, puisqu'il serait mort pour eux. Aimer, c'était s'oublier et se perdre en l'autre. Et l'on se retrouvait par surcroît.

Apsara le troublait. Une beauté fascinante, mais pas seulement. Une force étrange, une magie provenant des temples d'Angkor, une acceptation du malheur qui ne l'empêchait pas de lutter. Pourtant, Bruce avait raison : il ne fallait pas l'embarquer à destination de l'enfer.

40.

Primula préparait un nouveau festin, Bruce épluchait les légumes, les terre-neuve gardaient la cuisine, Junior jouait aux échecs avec Apsara.

Mark, lui, occupait le bureau de l'Écossais, et s'était connecté, en vidéoconférence, aux trois surveillants généraux de l'empire en pétard. Dick, le responsable des Amériques, fut leur porte-parole. Un mètre quatre-vingt-dix, la tête carrée, une crinière blanche, un torse de footballeur, des mains de boxeur, un costume bleu pétrole sur mesure et la voix d'un général en colère.

— On doit pouvoir vous joindre à tout instant, et vous aviez débranché le système d'alerte ! Certaines décisions n'attendent pas, et votre père...

— Mon père était le meilleur, trancha Mark, et je ne lui arrive pas à la cheville. Le singer, ce serait le trahir. Vous accepterez donc ma gouvernance et mes priorités, ou je vous vire.

L'Américain avala sa salive ; à Tokyo, Takushi resta impassible, constatant que l'hérédité n'était pas une illusion ; à Londres, Millard resserra son nœud de cravate en soie. Le fauteuil du grand patron n'était pas vide.

— Protocole simplifié, messieurs. Je vous écoute sur l'essentiel et je décide. Moins nous bavarderons, plus nous serons efficaces. En cas d'urgence absolue, et si je suis indisponible, prenez vos responsabilités. Si vous échouez, je prendrai les miennes. Ne me cachez rien des difficultés, ce serait votre arrêt de mort. Inutile de vous demander si cette réunion est sécurisée ?

— Même la NSA n'en saura rien, affirma Dick.

— Je prends votre parole pour argent comptant. Mon père ne tolérait aucun mensonge, et moi, c'est pire.

Afin de détendre l'atmosphère, Millard aborda les dossiers européens concernant l'énergie et l'agroalimentaire ; face aux données, Mark suivit son instinct. Et il se comporta de même avec Dick et Takushi, précis et concis. Les trois surveillants généraux de l'empire se sentirent en présence d'un grand fauve, puissant comme un lion et rapide comme un guépard. Mieux valait ne pas le titiller.

En moins d'une heure, cent problèmes furent résolus et une stratégie générale adoptée.

La communication coupée, Mark soupira, vidé. L'empire, un poids lourd !

Junior fit irruption dans le bureau.

— Viens voir, elle est échec et mat !

Le gamin ne se vantait pas. Apsara et Mark partagèrent un regard ; il sut qu'elle l'avait laissé gagner sans qu'il s'en aperçût.

— Apéro, clama Bruce. Liqueur maison et croustillants au fromage.

Dante et Virgile furent les premiers à en profiter. Les senteurs d'une omelette aux champignons et aux fines herbes enchantaient déjà les narines.

— On n'a pas réussi à déchiffrer ton carnet noir, avoua Mark.

— Super ! Mon code, c'est la Grande Pyramide de Khéops : indestructible.

— Et ça disait quoi ?

— Du menu fretin à côté des Supérieurs inconnus et de ceux qui les traquent. À propos…

Bruce vida sa pinte.

— J'ai réfléchi.

— Ça ne te ressemble pas.

— On a tous nos faiblesses.

L'Écossais dévisagea Apsara.

— T'es une effarouchée ou une amazone ?

— Je veux savoir qui a tué mon père, et j'agirai en conséquence, comme il me l'a demandé.

— Ça ne t'ennuierait pas d'être un peu violée et torturée ?

— Dommages collatéraux.

— Si ça chauffe, tu ne te mettras pas à couiner ?

— Dans ma famille, on ne se plaint jamais. On agit.

Bruce se détourna.

— Je t'engage comme assistante temporaire, à une condition : pas d'initiative. Le boss, c'est moi.

Apsara approuva d'un signe de tête.

Un sourire au coin des lèvres, Primula, aidée de Junior, câlina ses chrysanthèmes et ses orchidées.

— On en bavera forcément, objecta Mark ; vous êtes sûre que...

— Certaine, décréta Apsara. Quand on sait pourquoi on meurt, on continue à vivre.

Elle but son verre cul sec, et ça rassura Bruce. Une fille qui supportait les boissons naturelles n'avait pas que du mauvais.

— Puisque je suis votre employée, vous pourriez me raconter le début de l'histoire ? Quand il est informé, le petit personnel se montre plus efficace.

Douce et ferme, sa voix enchantait Mark. « Une princesse », pensa-t-il stupidement, tel un môme devant un dessin animé.

Bruce raconta, Mark ajouta des précisions.

— À toi de jouer, préconisa l'Écossais. Qui devons-nous sauver ?

— Un Japonais.

— Son nom ?

— Hiroki Kazuo.

— Adresse précise ?

— Quelque part au Japon, s'il ne s'est pas enfui. Il n'acceptera de contact qu'avec deux mots de passe. Le premier, c'est Sphinx.

— Et le second ?

— Je le garde en réserve.

— Dis donc, cocotte, s'énerva Bruce, ne me prends pas pour une bille ! On a signé un contrat, non ?

— Justement pas. Et on doit se connaître mieux. Vous pourriez avoir l'intention de m'oublier en chemin. Si tout se passe correctement, vous n'aurez pas à vous plaindre de moi.

Mark la sentit inébranlable.

— Un accord raisonnable, jugea Primula. Maintenant, on déguste ; comme vous partez ce soir, autant bien vous nourrir.

41.

L'automne à Kyoto avait un charme particulier. Certes, les touristes qui s'attendaient à contempler une cité-temple, sorte de musée en plein air composé de monuments anciens, déchantaient en découvrant le modernisme qui défigurait et rongeait l'ancienne capitale du Japon. Là comme ailleurs, le béton, allié inconditionnel de la laideur, imposait sa loi. Au sud-ouest de la mégapole de Tokyo, Kyoto, siège du pouvoir impérial pendant mille ans, s'appelait à l'origine « la capitale de la paix et de la tranquillité » et avait été épargnée par les bombardements américains. Elle préservait encore quelques lieux secrets, comme le petit sanctuaire de l'illumination, non loin du pavillon d'argent, datant du XVe siècle.

C'est là qu'officiait Hiroki Kazuo, un septuagénaire râblé aux capacités physiques exceptionnelles. Capable de nager pendant des heures dans une eau froide ou de courir un marathon dans un temps digne d'un athlète, il était aussi considéré comme la mémoire de la ville qui, selon un recensement, ne comptait pas moins de 1 598 temples et 253 sanctuaires, voués à diverses expressions du shinto, la plus ancienne tradition japonaise, et du bouddhisme. Archéologues, conservateurs et restaurateurs sollicitaient souvent ses conseils, alors qu'il n'occupait aucun poste officiel.

Héritier d'une famille de commerçants qui, au cours des siècles, avaient négocié les richesses provenant de la route de la soie, Hiroki Kazuo était célibataire. Séducteur-né, d'une rare élégance, portant toujours un costume blanc cassé coupé à la perfection, il n'avait jamais quitté sa ville natale, cernée de trois côtés par des collines boisées, et jumelée à la perle de l'Italie, Florence, en raison de quelques analogies. Florence, où résidait l'un des Supérieurs inconnus qui, l'année passée, avait rendu visite à son frère japonais.

Comme chaque jour, en automne, les médias faisaient le point sur l'inéluctable modification de la nature se dirigeant vers l'hiver, et s'attachaient, notamment, à décrire la progression du rougeoiement des érables. Hiroki Kazuo aimait contempler les vieux arbres, écouter le chant des oiseaux et des grillons, marcher sous la pluie et méditer en observant les nuages. Grâce à la pratique de l'alchimie que lui avait enseignée un moine, le Supérieur inconnu auquel il avait succédé, il luttait contre l'âge et la maladie. Lors de son intronisation, une longue cérémonie d'une semaine en présence de ses huit frères en esprit, il avait reçu le secret de la matière première, cette énergie liée à la lumière qui permettait d'ouvrir l'esprit aux dimensions du cosmos et de maintenir l'âme et le corps en bonne santé.

Après avoir traversé Nishijin, le quartier des tisserands, et longé un canal, Hiroki Kazuo se dirigea vers son petit royaume, dissimulé au cœur d'un jardin, à l'écart des passants et du tumulte du monde profane. Qualifiée par Rudyard Kipling d'heureuse et de somptueuse, l'antique Kyoto n'échappait pas aux ravages de la démographie et du progrès.

Le jardin secret avait la forme d'un triangle ; à son sommet, un ginkgo au feuillage d'or. On en extrayait une substance efficace contre les troubles du cerveau, les pertes de mémoire et la tension oculaire. À son pied, un autel recouvert d'offrandes, bâtons d'encens, lotus et lanternes, qui attiraient les bons génies. À l'école de l'invisible depuis son enfance, l'alchimiste savait que le Grand Œuvre exigeait la connaissance des portes entre l'ici-bas et l'au-delà.

Et celle de son laboratoire donnait accès à l'antichambre classique d'une maison ordinaire, aux murs blancs et aux stores de bambou, agrémentée d'une peinture zen et d'un ikebana, composition florale respectant les harmoniques du ciel et de la terre.

L'un des panneaux coulissants s'ouvrait sur un appartement, le second sur une vaste pièce équipée de cornues, de vases, d'éprouvettes et de bocaux contenant minéraux et végétaux aux couleurs variées. Depuis des siècles, on avait fabriqué ici de l'« or » alchimique, en perçant le secret de la matière et des origines de la vie.

Hiroki Kazuo se déchaussa, se purifia les mains et s'agenouilla pour rendre hommage à ses véritables ancêtres, les Supérieurs inconnus qui avaient tracé le chemin. Il prononça les formules qui calmaient les génies des espaces souterrains, écarta les forces négatives et laissa son cœur s'emplir de la liberté de créer. En tant que Supérieur inconnu, Hiroki Kazuo avait connu ce que les bouddhistes nomment l'illumination, mais, au lieu d'entrer dans le paradis du nirvana, il avait promis de demeurer ici-bas afin d'aider les humains à ne pas sombrer dans les ténèbres, la violence et la destruction. Que la tâche fût impossible ou non, la question ne se posait pas. Telle était, depuis son origine, la vocation des neuf membres de la confrérie.

Entre les multiples éléments de la Création, des planètes aux animaux en passant par les minéraux et les végétaux, un échange continu de flux invisibles assurait un ordre universel. Et le travail quotidien des Supérieurs inconnus consistait à éviter la rupture de ces flux.

« Ce qui est en bas est comme ce qui est en haut pour accomplir le miracle de l'unité », affirmait la *Table d'Émeraude* d'Hermès le Trois fois grand, héritier du Thot égyptien. Et si ce miracle ne se reproduisait pas à travers l'alchimie, l'ordre se briserait et l'espèce humaine se disloquerait.

Hiroki Kazuo s'apprêtait à préparer un remède à base de cinabre et d'herbes médicinales lorsqu'un bruit étrange l'alerta. Doté d'une ouïe excellente, à l'écoute du moindre souffle de son domaine, l'alchimiste ressentit un danger. Son plexus solaire se noua, ses doigts se crispèrent. Un désagrément rarement éprouvé, qu'il fallait prendre au sérieux.

Hiroki Kazuo quitta son laboratoire et pénétra dans son salon. Une lucarne lui offrait une vue panoramique sur le jardin.

Trois hommes.

Un accroupi au pied du ginkgo, un deuxième derrière l'autel, un troisième progressant vers la demeure.

À leurs ceintures, des poignards à double lame.

Le Japonais ferma les yeux et respira profondément. Venir le tuer, lui... Cela signifiait que la confrérie entière était en péril et qu'une machine destructrice avait été mise en marche.

Une seule possibilité de fuite : la fenêtre de la salle de bains, à l'arrière. En cas de succès, Hiroki Kazuo n'aurait que peu d'avance sur ses poursuivants.

Reverrait-il un jour son laboratoire ?

42.

Dix-sept objectifs généraux, divisés en 160 « cibles », un coût de 4 000 milliards de dollars par an pendant quinze ans : tel était le rapport pondu par les hauts fonctionnaires des Nations unies, incarnant la communauté internationale, pour éradiquer la pauvreté et sauver le monde. L'un d'eux, Dieter Cloud, s'amusait de ce nouveau programme dit de « développement durable », qui concilierait enfin le social et l'environnemental. Personne n'y croyait, mais l'important était de dégager des flux financiers et de les répartir correctement : quatre-vingt-dix pour cent destinés aux pays admissibles, aux multinationales et aux ONG méritantes, et le reste aux pauvres. Dans cet exercice-là, nécessitant des compétences comptables et occultes, Dieter Cloud excellait.

Ayant un accès direct au bureau du président des États-Unis, conseiller spécial des principaux grands patrons, éminence grise des clubs financiers où se prenaient les décisions d'investissement, il aurait dû se féliciter de ses manœuvres. Signe de contrariété, il ôta ses lunettes à monture argentée et aux verres ronds qu'il nettoya avec des papiers humides. Même les décideurs haut placés redoutaient cet homme de l'ombre, de taille moyenne, au front large et dégagé, au nez pointu ressemblant à une lance, aux yeux noirs et mobiles transperçant l'interlocuteur. Son visage demeurait indéchiffrable en toutes circonstances, ses lèvres minces ne trahissaient aucune émotion. Et son menton fuyant complétait le portrait d'un être insaisissable, capable de promouvoir un inconnu qui lui serait indéfiniment redevable ou de briser les reins d'un ingrat.

Se servant le premier lorsqu'il intervenait sur les marchés ou montait une affaire, Dieter Cloud était à la tête d'une immense fortune, mais n'apparaissait nulle part. L'emboîtage de sociétés-écrans le rendait inaccessible. Et qui s'approchait trop risquait l'accident bête.

Dans son bureau d'un building de New York, dont il était propriétaire sous un autre nom, il étudia les dossiers concernant ses deux récentes trouvailles. La première, la fabrication d'un laser pour faire tomber la pluie, après avoir fabriqué des nuages ; les résultats des expériences menées par les physiciens de l'université de Genève semblaient encourageants. Priorité : mettre la main sur les brevets et le circuit industriel. La seconde trouvaille, celle de la nouvelle mine d'or à l'échelle planétaire : le sable. Des grains de silice, il en fallait partout : dans les microprocesseurs, les téléphones portables, les cartes de crédit et même les lessives ; le gros gourmand, c'était le bâtiment : la préparation du béton armé exigeait deux tiers de sable.

Avec le cancer démographique et le délire de construction, les bâtisses modernes réclamaient au moins quinze milliards de tonnes chaque année. Et le bon sable, celui du désert n'étant pas utilisable, commençait à manquer. Un peu partout, on draguait les plages, les trois quarts promises à la disparition vers 2100. Auparavant, il convenait de tirer un maximum d'argent de ce trafic, dont une bonne partie s'effectuait au noir. Dieter Cloud possédant une liste sans cesse remise à jour des dirigeants corrompus, l'intervention de ses équipes s'annonçait juteuse.

Mais ces succès ne le déridaient pas, car un autre combat, encore plus important, l'obsédait : anéantir les Supérieurs inconnus, cette confrérie dont il avait découvert l'existence récemment. Les groupuscules de déments et les sectes farfelues pullulaient, et ces tarés n'avaient jamais gêné les activités de Dieter Cloud. Sceptique, il avait cependant étudié le dossier monté par l'une de ses espionnes, une scientifique qui n'avait rien d'une illuminée gobant n'importe quoi.

Une confrérie de neuf alchimistes née à l'époque de la Grande Pyramide, toujours en activité, et prétendant détenir le secret de la matière et de l'origine de la vie... S'il n'y avait qu'un gramme de sérieux et de vérité, ce serait un gramme de trop, car ce grain de sable là risquait d'enrayer la gigantesque machine dont Dieter Cloud était l'un des adeptes les plus dévoués et les plus actifs.

Sur son bureau, une photo : celle d'Alan Turing, né en 1912, et auteur, en 1936, du texte qui allait modifier de manière fondamentale et définitive l'histoire de l'humanité : *On computable numbers*, autrement dit la base de l'informatique. Membre du contre-espionnage britannique pendant la Seconde Guerre mondiale, le père des ordinateurs avait réussi à décrypter les codes des nazis, offrant ainsi un avantage majeur à son pays. Coureur de fond, cycliste portant un masque à gaz, il arrivait en guenilles au travail, téléphonait plusieurs heures par jour à sa mère, parlait sans arrêt, et regardait trente fois de suite *Blanche-Neige et les sept nains* de Walt Disney, fasciné par le moment où la méchante reine se transformait en sorcière. En 1950, nouvel article proclamant la naissance de l'intelligence artificielle. Selon Turing, prédisant l'avenir que construisaient Dieter Cloud et ses commanditaires, les ordinateurs n'étaient pas des machines, mais des enfants à éduquer ; et lorsqu'ils seraient adultes, ils éduqueraient les humains, devenus des enfants.

Une erreur fatale, en 1952 : avoir appelé la police en raison d'un cambriolage. Les enquêteurs ayant constaté que Turing cohabitait avec un garçon, il avait été arrêté et condamné pour homosexualité. Et en 1954, une drôle de fin : suicide officiel par empoisonnement au cyanure. À côté du cadavre, une pomme à moitié croquée, le futur logo d'Apple, selon les persifleurs. La pomme empoisonnée de la sorcière de *Blanche-Neige* et celle offerte à Ève par le serpent de la Genèse, qui avait abouti à New York, « la grosse pomme ».

Turing avait-il eu conscience que ses théories modifieraient radicalement le monde des humains ? Peu importait, puisque mathématiciens, techniciens et industriels avaient repris le flambeau pour embraser la planète. La nouvelle mesure d'Internet serait le zettaoctet, à savoir mille milliards de gigaoctets ; et deux tiers des Terriens n'étaient pas encore connectés, d'où la nécessité de produire de petites machines peu coûteuses afin de raccorder les plus démunis.

Une simple étape. Prolongeant les idées de Turing, le Singularity Institute, cofondé par Ray Kurtzweil, implanté à San Francisco et dans une petite maison en bois de Berkeley, avait fixé le cap : en 2045, l'intelligence des machines dépassera celle des hommes, et toutes les données anciennes seront bouleversées. Un gouvernement mondial sera mis en place, et l'on comprendra que la « Singularité », le grand basculement, consistera à confier ce gouvernement à l'informatique et aux robots, comme c'était déjà le cas dans certains secteurs de la finance et de l'industrie. Afin d'accélérer cet inévitable progrès, l'heure venait de pénétrer les milieux politiques et de façonner la nouvelle mentalité des décideurs ; le TPUK, Parti transhumaniste de Grande-Bretagne, venait d'être fondé, avec comme programme « un humain amélioré hyperperformant et immortel » ; d'autres entités comparables ne tarderaient pas à voir le jour, sous la bannière de *Humanity plus*.

Non négligeable, le travail de lobbying disposait d'un bras armé : Google, où travaillait Kurtzweil. Google, déformation de googol, terme utilisé en 1940 par le mathématicien Edward Kasner pour désigner le nombre constitué du chiffre un suivi de cent zéros. Désormais, ses activités s'étant multipliées – biotechnologie, gestion des données, fibre optique, domotique, voitures autonomes –, Google s'était transformé en Alphabet. À lui d'apprendre à lire et à écrire à la nouvelle humanité en capturant les poissons grâce au meilleur des hameçons : la santé. Trois divisions d'Alphabet, Google Ventures, Life Sciences et Calico, œuvraient à la guérison de toutes les maladies et au remplacement des organes usés. Les bienfaiteurs de l'humanité ne domineraient-ils pas les gouvernants dépassés par la mondialisation ? L'ancienne devise de Google, *Don't be evil*, « Ne soyez pas malveillants », avait cédé la place à celle d'Alphabet, *Do the Right Thing*, « Faites la chose juste ».

Par ce biais, un objectif pourrait un jour être atteint : connecter le cerveau humain à un ordinateur qui lui dicterait son comportement et lui transmettrait les « bonnes » informations. Et ce rêve-là ne relevait plus de la science-fiction ; le Max Planck Institute, en Allemagne, et l'École polytechnique fédérale de Zurich avaient réussi à établir des connexions entre des cellules nerveuses d'individus vivants et un semi-conducteur. Le décryptage du langage des neurones avançait à grands pas, et l'on ne tarderait pas à utiliser des neuroprothèses électroniques pour contrôler certaines zones du cerveau.

Fondés sur des profils statistiques et nourris par un nombre infini de données, les algorithmes permettraient de prendre des décisions et de gérer l'ensemble des domaines vitaux, avec l'assentiment des humains persuadés d'avoir obtenu l'immortalité. Intelligence artificielle… Deux termes désormais indissociables. Et ce n'était pas une minuscule confrérie de Supérieurs inconnus, si antique soit-elle, qui bloquerait ce progrès.

Une lampe rouge s'alluma.

Un rendez-vous.

43.

En se rendant en Syrie, à Palmyre, Dieter Cloud avait vérifié par lui-même que les Supérieurs inconnus n'étaient pas une légende. Et la rencontre de l'archéologue Khaled, résistant aux interrogatoires jusqu'à sa décapitation, lui avait prouvé l'ampleur du danger. Parfois, un individu, genre Karl Marx ou Adolf Hitler, suffisait à changer le monde. Alors, neuf... Dieter Cloud ne mésestimait pas l'adversaire. Si les autres membres de la confrérie étaient aussi déterminés et muets que Khaled, une seule solution : les supprimer. Ils n'avaient plus leur place dans un avenir qu'ils refusaient et que leur seule existence risquait de dénaturer. N'avait-on pas exterminé les tribus indiennes pour créer les États-Unis d'Amérique, première puissance mondiale ?

Ponctuel, Galin Market s'immobilisa devant son employeur. Un grand brun décontracté, genre séducteur, polo orange et jean délavé, d'apparence inoffensive. En réalité, un tueur génétique, à la tête de ce que Dieter Cloud appelait son « comité exécutif ». En fonction des circonstances, il fallait parfois intervenir de manière brutale.

Diplômé de Harvard, expert en informatique, chasseur de fauves, Galin Market avait beaucoup baroudé avant d'être engagé par Cloud et de lui donner totale satisfaction. Disposant du budget nécessaire pour monter des opérations complexes, il savait recruter les meilleurs et se débarrasser d'éventuels bavards. Aussi Dieter Cloud lui avait-il confié le dossier Sphinx.

Les deux hommes faisaient le point oralement. Ni enregistrement d'aucune sorte, ni prise de notes. Officiellement cadre technique dans une société fabriquant des logiciels, Market recevait ses véritables appointements en liquide.

— L'enquête sur l'explosion de l'avion de Saint-John ? s'inquiéta Dieter Cloud.

— Au point mort. Elle n'aboutira pas, et l'affaire sera classée.

— Vous en êtes certain ?

— Certain. Si les experts britanniques sont particulièrement doués, ils remonteront à New York. Et là, ce sera l'impasse ; tout est sous contrôle, d'autant plus que notre artificier vient de décéder dans un accident de voiture.

— Pour Zhang Dao, confirmation ?

— Les autorités chinoises ont annoncé sa mort et publié un émouvant éloge. Âgé et fatigué, ce grand archéologue a fait une mauvaise chute sur son site préféré. Mon correspondant chinois m'a remercié de lui avoir signalé un dangereux dissident voulant s'attaquer à la légitimité du Parti communiste.

— Du côté Massoud Mansour, pas de vagues ?

— Les talibans ont été grassement payés par mon agent pakistanais. Ces braves gens étaient heureux de faire sauter à la fois le couple de bouddhas et un espion américain.

— Cet agent pakistanais...

— Il a rendu son âme à Allah. Un cambriolage qui a mal tourné, et pas trace du voleur qui lui a tranché la gorge.

Galin Market avait une qualité : la fiabilité. Ne cachant pas les difficultés, il les abordait avec calme, à la recherche d'une solution propre et définitive. Et quand il présentait un résultat positif, aucune erreur à redouter.

— L'opération cambodgienne ?

— La manip a fonctionné. Les autorités ont reçu un dossier prouvant que Sambor était un ancien Khmer rouge préparant des assassinats. Ils ont jugé nécessaire de l'éliminer.

— L'émetteur du dossier ?

— Officiellement, un autre Khmer rouge trahi par son ami Sambor et désireux de se venger. Rongé par la haine et le remords, il s'est suicidé.

Ayant assisté à l'exécution de Khaled à Palmyre, Dieter Cloud possédait maintenant une certitude : cinq des neuf Supérieurs inconnus avaient été supprimés.

— Le Japonais Hiroki Kazuo ?

— Opération en cours.

Le ton de Market avait légèrement changé.

— Un souci ?

— Mon correspondant à Kyoto a engagé des spécialistes de la mafia. Pour eux, ce Kazuo est un trafiquant de drogue qui a triché sur la marchandise. Après un repérage, ils ont lancé le nettoyage, mais le gibier s'est enfui.

— Fâcheux.

— Les Japonais sont des gens sérieux. Ils retrouveront la piste de Kazuo.

— Mettez le paquet !

— Trop d'insistance leur mettrait la puce à l'oreille. De leur point de vue, une affaire banale, qui sera bientôt résolue. C'est pourquoi je recommande la patience.

Dieter Cloud céda aux arguments de Market, bien qu'il eût envie de progresser au plus vite. La patience, il n'en manquait pas, et avait tissé sa toile année par année, en parfaite discrétion. Anéantir les Supérieurs inconnus devenait prioritaire. Pourquoi étaient-ils une lourde menace, en dépit de leur petit nombre ?

Trois raisons majeures.

La première, leur opposition au progrès scientifique indéfini. Ils avaient empêché l'Égypte pharaonique d'exploiter le pétrole et la Chine ancienne les explosifs, pour ne prendre que deux exemples.

La seconde, la spiritualité archaïque qu'ils incarnaient. Avec les religions monothéistes, pas de problème : d'excellentes clientes pour la Machine. Les Supérieurs inconnus avaient le tort de prôner la liberté de penser et n'acceptaient pas l'esclavage imposé par l'air du temps.

La troisième, leur connaissance de la transmutation et des énergies vitales qui ne passait pas par le crible de la technicité qu'imposait la Machine. Et cette économie les rendait particulièrement dangereux.

Une question taraudait Cloud : avait-il abattu le patron de la confrérie ? Saint-John semblait avoir joué ce rôle, mais aucune preuve. Et s'il n'avait été que le trésorier ? Le véritable Maître ne serait-il pas Sphinx, dissimulé sous ce nom de code ?

Identifié et pourchassé, Hiroki Kazuo était condamné. Restait à débusquer les trois derniers Supérieurs inconnus dont, peut-être, le cerveau.

Saint-John avait commis une erreur fatale en refusant de collaborer à des projets de développement qui détermineraient l'avenir de l'humanité. Dès qu'un entrepreneur de cette taille prenait des positions hostiles, Cloud intervenait, utilisant toutes les formes d'espionnage afin de déceler les points faibles de l'adversaire et de le mettre à genoux. Et l'empire avait commis de petites imprudences informatiques ; à la suite de milliers de recoupements, Dieter Cloud avait décelé les seules anomalies du comportement de Saint-John, des contacts plus ou moins fréquents avec des personnalités extérieures à son champ d'action habituel. En tirant sur ce fil, avec l'aide d'une espionne exceptionnelle, il avait ciblé, au moins en partie, la confrérie des Supérieurs inconnus.

— Dès que vous aurez du nouveau, Market, informez-moi.

Vaguement soucieux à cause de la fuite de Kazuo, Dieter Cloud se rendit à un autre rendez-vous urgent, à la périphérie de New York. Une usine en forme de bunker abritait des informaticiens de pointe chargés du *malicious software*, autrement dit des cyberattaques permettant d'infecter des ordinateurs et de s'emparer de données sensibles. Aucun gouvernement, aucune entreprise, aucune personnalité n'étaient à l'abri. Le piratage à grande échelle exigeait des moyens considérables et des spécialistes en formation perpétuelle ; Américains et Israéliens fournissaient les principaux bataillons. Naviguant dans le Web profond, inaccessible au grand public, ils paraient des milliers d'attaques quotidiennes et en lançaient davantage afin de maintenir la suprématie des États-Unis. Virus et *botnets* étaient des armes redoutables, causant des dégâts considérables. Et l'équipe de Dieter Cloud se montrait d'une redoutable efficacité. Il analysa les derniers résultats, tout en songeant à son ennemi principal : Sphinx.

44.

Bruce détestait Tokyo. Il détestait aussi Mexico, Le Caire et toutes les autres fourmilières géantes. Et c'était là que croupirait bientôt la grande majorité de l'espèce humaine. Pendant le voyage, il avait bu, mangé et dormi à poings fermés. De la viande rouge, du gratin de pommes de terre, des fromages suisses... De quoi tenir le coup un petit moment face à la bouffe nipponne qu'il exécrait, en particulier le poisson cru. À l'exception des sumos, les Japonais n'étaient pas obèses, ne souffraient pas de diabète et vivaient vieux ; mais Bruce préférait son régime.

Mark n'avait cessé d'observer Apsara. La fatigue et le décalage horaire ne semblaient pas avoir de prise, elle gardait un regard clair et un teint parfait ; son père lui avait-il prescrit un remède alchimique capable d'effacer l'usure du temps ?

Il avait fini par s'allonger sur l'un des lits confortables du jet privé. Aussitôt, un tourbillon de pensées confuses. Lui, dont l'existence semblait toute tracée, se trouvait au cœur d'une tempête. Une seule pensée le guidait : venger son père. Et ça passait par la sauvegarde des derniers Supérieurs inconnus et l'identification du cerveau qui les supprimait un à un.

Mark avait prévenu de son arrivée Takushi, le surveillant général de l'empire pour l'Asie, en lui fixant une mission : retrouver le dénommé Hiroki Kazuo.

Service de sécurité privé, formalités simplifiées à l'aéroport, voiture blindée, escorte musclée. Et les rues de Tokyo, la pieuvre en perpétuelle croissance. Autoroutes urbaines, béton triomphant, métros aériens, tours serrées les unes contre les autres, climatisation générale, des millions de voyageurs chaque jour dans les transports en commun, des hordes envahissant les gares, les trottoirs et les piscines. Un seul poumon, au centre de la capitale : le parc impérial et ses 110 hectares.

Partout et à chaque instant, la lutte pour l'espace. Bruce étouffait déjà.

Le convoi pénétra dans le garage ultrasécurisé du centre névralgique de l'empire à Tokyo, un building anonyme bénéficiant des derniers dispositifs antisismiques. Grâce à l'ordinateur K, le plus puissant du monde – 68 544 microprocesseurs et huit millions de milliards d'opérations par seconde – on parviendrait à prédire tsunamis et tremblements de terre. Cette machine serait bientôt dépassée, car les ingénieurs de l'empire ne tarderaient pas à augmenter sa puissance de vingt-cinq pour cent. Les Américains s'étaient associés au programme, les Européens piétinaient.

Takushi en personne accueillit ses hôtes à la descente de la voiture blindée. Digne héritier d'une authentique lignée de samouraïs, adepte de plusieurs arts martiaux qu'il pratiquait à un haut niveau, le cinquantenaire de taille moyenne, très élégant, avait deux cerveaux : l'un japonais, l'autre mondialisé.

Au service de l'empire, de son développement et de son enrichissement, le mondialisé était impitoyable et privilégiait une langue : celle des chiffres. Conserver la confiance de Saint-John et un poste d'une telle importance, convoité par une meute de requins, exigeait des exploits quotidiens. Mieux valait posséder des gènes de guerrier.

Le cerveau japonais procurait au surveillant général des avantages complémentaires. D'abord, une vision à long terme dans un monde drogué à l'instantané ; ensuite, le sentiment d'appartenir à une collectivité solide, dépassant celles de l'université, des clubs sportifs et de la famille ; enfin, le sens du protocole et de la politesse, vertus indispensables pour survivre sur un petit territoire. Ne pas céder à la confrontation, entretenir des rapports harmonieux avec chacun : une règle de conduite encore observée, malgré les soubresauts de la société japonaise. Elle n'empêchait pas Takushi de briser ses adversaires, mais sans s'énerver.

— Avez-vous fait bon voyage, monsieur Vaudois ?

— Excellent. Vous connaissez mon ami Bruce ?

— De réputation. Bienvenue à Tokyo.

— Apsara est cambodgienne. Elle nous accompagne.

Le surveillant général s'inclina. Il ne commit pas l'impolitesse de solliciter des précisions.

— Je tiens à vous présenter de nouveau mes sincères condoléances. J'admirais profondément votre père et je suis persuadé que vous saurez honorer sa mémoire.

Côté courbettes, Bruce était un peu rouillé ; Apsara demeurait lointaine.

Le quatuor emprunta l'ascenseur réservé à Takushi et menant au sommet de la tour. Gardes armés et mesures de sécurité, incluant reconnaissances vocale et digitale, excluaient toute intrusion. Le premier cercle de collaborateurs du surveillant général était formé de membres de son clan et lui avaient juré une fidélité absolue.

À l'abri des écoutes, même sophistiquées, l'immense bureau dominait la capitale. Un sobre mobilier en métal, un bar, pas un papier.

— Puis-je vous offrir un verre ?

— Bourbon sans glace, répondit Bruce.

Mark l'imita, Apsara se contenta d'eau pétillante et Takushi d'un jus de pomme.

— Plus besoin d'une batterie d'ordinateurs, indiqua-t-il ; celui que nous avons produit et que je porte au poignet est en contact permanent avec l'ensemble de mes services et me permet d'intervenir à tout instant.

— Vous devez pas vous marrer souvent, observa Bruce.

Impassible, Takushi procéda à une manœuvre rapide.

— On ne m'alertera qu'en cas d'extrême urgence.

Le surveillant général afficha sa gêne.

— Monsieur Vaudois… Il nous faut aborder un sujet délicat, la mission que vous m'avez confiée. Ces deux personnes sont-elles habilitées à…

— Sinon, je ne vous les aurais pas présentées.

— Bien entendu. Veuillez m'excuser.

— Avez-vous retrouvé Hiroki Kazuo ?

— En espérant ne pas dépasser les bornes, oserais-je vous demander pourquoi vous recherchez cet homme ?

— Vous les dépassez.

Pendant que Bruce se servait un deuxième bourbon et grignotait des chips de poisson, le surveillant général proposa des sièges et s'assit près de ses hôtes, laissant vide son fauteuil directorial.

Ses ultimes doutes se dissipaient : le fils était du même bois que le père. Et son allure de play-boy cachait une armature en acier trempé.

— Alors, Takushi, avez-vous abouti ?

— Oui et non.

45.

Ce genre de réponse avait le don d'énerver Bruce. En plus, le Japonais lui tapait sur le système.

— Avec ce seul nom, s'empressa d'expliquer Takushi, ce ne fut pas facile. Mes enquêteurs ont ciblé un certain nombre de personnes, mais sur quel critère procéder à un tri ? J'ai sûrement le bon Hiroki Kazuo, mais comment l'identifier ?

— Je suis ici pour ça, précisa Apsara dont le charme troublait un peu le surveillant général. Septuagénaire, Kazuo réside à Kyoto.

« La gamine en a sous la pédale, pensa Bruce ; elle n'a pas fini d'écraser le champignon. »

Takushi manipula aussitôt sa montre. Le retour ne tarda pas.

— Nous avons trois possibilités : un entrepreneur de pompes funèbres, un marchand de légumes et une sorte d'archéologue local, grand connaisseur des monuments anciens.

— C'est le troisième, trancha la jeune femme.

— Je m'en occupe immédiatement. Après ce long voyage, vous avez sûrement besoin de repos. J'ai réservé un étage du Toranomon Hills. Sécurisé, bien entendu. Dès que j'obtiendrai des renseignements sérieux, je vous alerte.

— Faites-moi parvenir vos résultats récents et l'état des investissements en cours, ordonna Mark. J'ai horreur de perdre mon temps.

— J'espère que vous serez satisfait. Pardonnez-moi une question qui me tient à cœur : l'enquête sur l'assassinat de votre père progresse-t-elle ?

— Soyez-en persuadé, le coupable ne m'échappera pas.

*

— Ah ben dis donc ! s'exclama Bruce en découvrant sa suite ; ton larbin ne nous a pas expédiés dans un boui-boui. Faut admettre, ça en crache !

L'Andaz Tokyo Toranomon Hills occupait plusieurs étages, du 47e au 52e, d'une tour de 247 mètres, au cœur de la capitale. Les baies vitrées offraient une large vue sur la mégalopole ; piscine, fitness et salles de soins permettaient aux hommes d'affaires stressés de se détendre. À la modernité s'ajoutaient des notes traditionnelles, poteries anciennes, panneaux de papier de riz ou large emploi du noyer de Hokkaido.

Du champagne et des sushis attendaient les hôtes de marque qui disposeraient d'un vaste espace et d'un équipement informatique adéquat, y compris des portables locaux.

Bruce s'assura que le bar était correctement garni et jeta son sac à dos sur son lit, style futon.

— Je vais me balader aux autres étages et causer avec le petit personnel, annonça-t-il ; en baragouinant, on apprend toujours quelque chose.

Apsara s'était déjà enfermée dans sa salle de bains, truffée de produits de beauté.

Mark n'avait donc plus qu'à étudier les dossiers concernant la situation de la section asiatique de l'empire, des documents codés glissés dans une enveloppe scellée. Concernant les points sensibles, des notes au crayon de la main de Takushi. Et des décisions à prendre, à court, à moyen et à long terme. Mark se félicita d'avoir bossé comme un bûcheron, afin de maîtriser les rouages de l'empire ; et chacun des conseils de Saint-John lui servait de guide. En s'attaquant à cette tâche complexe, il éviterait de s'impatienter.

*

La foule, les voitures, les déjantés aux costumes bariolés, les nouvelles geishas en minijupe, les *love hotels* où l'on faisait l'amour en vitesse dans d'étroites cabines, les innombrables boutiques que protégeait le symbole du commerce, un chat levant la patte et présent dans certaines vitrines, des magasins ouverts vingt-quatre heures sur vingt-quatre, une vie trépidante qui ne s'arrêtait jamais... Perdu dans cette masse, Hiroki Kazuo se savait pourtant en péril. Les hommes venus pour le tuer étaient des professionnels qui exécuteraient leur contrat, sous peine d'être eux-mêmes exécutés.

Ce n'était pas la première fois, au cours de leur très longue histoire, que les Supérieurs inconnus étaient pourchassés et persécutés. Jusqu'à présent, en assumant leur devoir de transmission et en préservant l'intégrité de la confrérie, ils s'étaient opposés aux multiples formes de la barbarie. Mais les temps avaient changé et, depuis la Terreur couronnant la Révolution française, suivie du communisme, du nazisme et de l'islamisme, les forces de destruction s'étaient considérablement renforcées, à l'échelle de la planète. Et l'informatique leur avait fourni une arme terrifiante.

Lors de leur dernière réunion, Saint-John, en présence du Maître de la confrérie, n'avait pas caché ses inquiétudes. Sans preuve formelle, il redoutait une offensive de grande envergure, demandant à chacun de déployer ses perceptions pour identifier l'assaillant.

Hiroki Kazuo éprouvait de plus en plus fréquemment un trouble inhabituel, tel un nuage noir se reformant sans cesse, même au sommet du ciel bleu ; mais qui le nourrissait ?

L'alchimiste de Kyoto ne connaissait pas la capitale. Un seul contact possible : un restaurateur qu'il avait soigné et guéri, grâce à une potion alchimique. Le patient lui avait vanté son restaurant de poissons, le *Kumiko*, terme désignant une technique raffinée d'assemblage de petites pièces de bois.

Hiroki Kazuo ressemblait à ces rescapés du tsunami qui, sans gémir, observaient en souriant les ruines de leur maison. En habitant un pays menacé en permanence par des catastrophes naturelles, il fallait apprendre le fatalisme, complété de la dignité devant l'épreuve, si rude soit-elle.

Mourir n'effrayait pas Hiroki Kazuo. En revanche, l'anéantissement des Supérieurs inconnus l'épouvantait et, à cette perspective, il peinait à conserver un semblant de sérénité. Si cette catastrophe-là survenait, l'humanité ne s'en relèverait pas. Une autre espèce, même dotée de visages identiques et trompeurs, exercerait la pire des dictatures.

Le fuyard était arrivé à Tokyo à bord d'une camionnette transportant des fruits et légumes ; acceptant d'aider un vieil homme, le chauffeur l'avait déposé près de la gare principale. Politesse oblige, un préposé à la sécurité s'était empressé de lui fournir l'adresse du *Kumiko*. Environ deux heures de marche, le moyen de déplacement le plus sûr, au milieu d'un flux de passants.

Un établissement respectable. Hiroki Kazuo salua un serveur, qui accepta de prévenir son patron, un ancien sumo converti à la diététique. Reconnaissant son guérisseur, il se confondit en remerciements.

— Vous avez table ouverte. Sans vous, je serais mort.

— Un grand malheur m'a frappé. Puis-je solliciter votre hospitalité pour une période que j'espère aussi brève que possible ?

— Je dispose d'un petit studio, au-dessus du restaurant. Vous êtes mon invité.

— Et votre santé ?

— Une sorte de miracle ! La médecine officielle n'en revient pas. Si j'osais… M'accorderiez-vous un nouveau traitement ?

Hiroki Kazuo acquiesça.

— Venez, je vous installe.

46.

L'alerte se déclencha à 20 heures, au moment où Bruce regagnait ses appartements. Mark vérifia la justesse du code ; émanant bien de Takushi, le message était bref : « Je viens. »

— Je crève de soif, avoua l'Écossais qui se précipita au bar ; whisky pour deux ?

— Takushi a du nouveau.

— Super, les affaires reprennent !

— As-tu déniché quelque chose ?

— Ton Takushi est sacrément connu dans le coin ! Un parrain qu'il ne faut pas contrarier. On respecte et on obéit. Et le discours a été appris par cœur. Tu ne crains pas qu'il te tire dans le dos ?

— Tout peut arriver, concéda Mark.

— Je crève également de faim, et j'ai une super nouvelle : le cuisinier de cette crèche est autrichien et ne mijote pas que du poisson cru ! J'ai commandé un plateau de charcuterie, du homard et du poulet. Et l'artiste m'a promis un bourgogne de derrière les fagots. La gamine a fini de tremper ?

— Je n'ai pas eu le temps de m'en occuper.

— Dommage pour toi… Elle est sexy, non ?

— Possible.

— Toi, tu regrettes ton Indienne !

— Vraiment pas. J'avais du travail.

— L'empire se porte bien ?

— Takushi a suivi les directives de Saint-John.

— Maintenant, ce seront les tiennes. Ne te torture pas les méninges, et suis ton instinct ; c'est comme ça qu'un fauve survit.

Le repas fut servi au moment où le surveillant général se présentait à l'étage de ses hôtes.

Apsara réapparut. Une longue robe rouge provenant de la collection mise à sa disposition, un maquillage soulignant la finesse de ses traits, une allure de déesse. Mark hypnotisé, Takushi regardant ailleurs. « Elle en jette », admit Bruce.

— Si on mangeait un morceau ? proposa l'Écossais en s'asseyant.

Souriante, Apsara l'imita.

— Félicitations, dit Mark ; vous avez correctement travaillé, Takushi. Un point faible, cependant : le Vietnam. Zone trop négligée. Et attention à Singapour.

Le surveillant général s'inclina et prit place face à son patron, dont la lucidité l'inquiéta et le rassura. L'empire serait dirigé, mais conserver son poste ne serait pas une partie de plaisir.

— Bois un coup, recommanda Bruce, ça te décoincera.

Amateur d'eau minérale et de poisson cru, Takushi n'était pas enthousiasmé par le menu.

— Depuis longtemps, j'ai d'excellentes relations avec l'un des hauts responsables de notre police. Très efficace, cette dernière apprécie les équipements de sécurité que nous leur fournissons, à des prix concurrentiels. À plusieurs reprises, mon ami m'a procuré des renseignements utiles et facilité des démarches dans l'intérêt de l'empire. Mais je ne lui avais jamais soumis une affaire aussi… délicate. Une affaire criminelle.

— Hiroki Kazuo est mort ? s'inquiéta Bruce.

— Probablement pas, mais il est en fuite. Sa maison et son laboratoire de Kyoto ont été fouillés de fond en comble et complètement dévastés. Un témoin l'a vu monter dans la camionnette d'un marchand qui a coutume de livrer des légumes à Tokyo. Mon ami était étonné, car Hiroki Kazuo, au cours de son existence, ne s'est rendu coupable d'aucun délit ; or, des tueurs professionnels le pourchassent. De simples cambrioleurs ne se seraient pas comportés ainsi.

— À Tokyo, n'est-il pas hors de portée ?

— Ce vieil homme doit se loger et se nourrir. Mon ami déploie d'importants effectifs et recueille les informations remontant des hôtels et des restaurants. Grâce au voisinage, la police dispose d'un excellent portrait-robot ; et son armée d'indicateurs ne tardera pas à obtenir la bonne piste. Malheureusement, elle n'est pas la seule à traquer Kazuo. Et ceux qui veulent le supprimer ne manquent pas de moyens.

— Une idée de leur identité ?

— Un gang chargé d'exécuter un contrat. Quand on en démantèle un, un autre se forme. Remonter à la tête est presque impossible ; trop d'intérêts sont en jeu. J'ai confié à mon ami que le nouveau patron de l'empire tenait beaucoup à une rapide résolution de cette affaire, en toute discrétion.

— Et nous assumerons les frais, assura Mark.

Takushi se leva et s'inclina.

— Je me tiens en liaison directe et permanente avec mon ami. Soyez certains que l'enquête progressera rapidement.

Le Japonais s'éclipsa, Bruce attaqua le homard et remplit le verre de Mark. Apsara buvait et mangeait lentement.

— Une île, une langue qu'on ne parle nulle part ailleurs, des centaines de foutus protocoles... Impossible de savoir si on te dit la vérité ou si on t'enfume ! Et voilà les flics dans la boucle. Nous, on est cloués dans cette turne ! Y a pire, d'accord, mais j'ai besoin de bouger pour digérer. Cette nuit, je me tape la tournée des bars ; tu me vois tomber sur notre gus ?

Takushi avait remis à Mark le portrait-robot de Hiroki Kazuo. Une véritable photographie, révélant un visage austère, profond et déterminé. Un Supérieur inconnu, qui avait connu Saint-John et partagé ses secrets. Mark éprouvait une furieuse envie de lui parler.

— Je vais à la piscine, annonça la jeune femme, pendant que Bruce, après avoir dévoré le poulet au citron, enfilait son sac à dos.

— Toi, tu fais le standardiste, indiqua-t-il à Mark ; nos montres sont connectées, et tu me bipes s'il y a du nouveau. Pareil de mon côté.

Inutile de recommander la prudence à Bruce. Même sans parler japonais, il parviendrait à confesser un chef de gang.

47.

Le patron du restaurant avait apporté à Hiroki Kazuo un dîner composé d'algues et de légumes confits. En lui magnétisant la nuque, le guérisseur l'avait soulagé d'une pénible douleur ; et son diagnostic, foie encombré et tube digestif à vif, se conclut par un traitement à base de plantes.

Avant de s'accorder quelques heures de repos, il écrivit un bref message à l'intention de son frère de Florence qu'il posterait à la première heure. Tout autre moyen de communication serait intercepté, et cette lettre le serait peut-être aussi. Un impératif, s'il était encore vivant : sauver le Maître de la confrérie. Lui seul saurait remplacer les adeptes disparus et perpétuer la tradition.

Hiroki Kazuo jeta un œil à une pile de revues entassées à côté d'une télévision. La une d'un magazine d'économie attira son attention : un portrait de John Vaudois. Un long article évoquait sa carrière, l'étendue et les ramifications de son empire, sa tragique disparition, officiellement accidentelle, et son héritier, Mark, promis à une tâche ô combien ardue.

L'alchimiste savait qu'il devait quitter au plus tôt ce havre de paix ; ses poursuivants mettraient tout en œuvre pour le retrouver, et il n'avait aucune chance de leur échapper.

Aucune, à moins que…

*

Le patron du *Kumiko* pleura. Si son éducation avait été moins stricte, il aurait démoli son appartement à coups de poing, en hurlant de rage.

Il vénérait Hiroki Kazuo, ce vieux guérisseur qui le soulageait de ses maux ; sa seule voix le réconfortait, il incarnait la sagesse et la bonté.

Et pourtant, le restaurateur devait le donner à la police. Son supérieur, le chef des indicateurs du quartier, lui avait montré le portrait-robot du guérisseur qu'il convenait d'arrêter au plus vite.

Le patron du *Kumiko* n'avait pas le choix. S'il était accusé de complicité, ce serait la prison et la ruine.

Dernière marque de reconnaissance : laisser dormir son bienfaiteur jusqu'à l'aube. Et il avertirait son supérieur de la présence du suspect dans son établissement.

*

Le troisième aide-cuisinier du restaurant *Kumiko*, récemment engagé, avait de l'ambition. Ce travail ingrat et mal payé ne lui plaisait pas, et ce n'était pas ainsi qu'il réaliserait son rêve : s'acheter une grosse moto et se payer des geishas de luxe.

Et la chance le favorisa. Le chef du gang régnant sur le quartier l'avait repéré et lui proposait de faire ses preuves lors d'une opération de racket. Après une rapide réflexion, l'aide-cuisinier s'apprêtait à répondre par l'affirmative, lorsqu'un vieil homme était venu se cacher chez son patron.

Forcément un malfrat en cavale. Et s'il le vendait au gang local ? Ce premier exploit lui vaudrait une jolie récompense. Ce vieux type était peut-être une pointure.

L'aide-cuisinier le filerait et préviendrait son supérieur. Demain serait une belle journée.

*

Quand Apsara rentra de la piscine, Mark broyait du noir, du jaune et de toutes les autres couleurs. Lui, qui s'évertuait à croire qu'il maîtrisait les situations, ressemblait à un astronaute perdu dans l'espace et bientôt à court d'oxygène.

— C'était bon ? demanda-t-il stupidement.

— Vous feriez bien de vous raser.

— Me raser… Mais pourquoi ?

— Parce que je vais me baigner et que vous me masserez le dos. Au cas où votre menton heurterait mon cou, j'aimerais éviter une irritation. Ma peau est plutôt sensible.

— Vous baigner, mais…

— Au Japon, le bain est un rituel. Il ne s'agit pas de se laver mais de goûter une forme de sérénité dans une eau pure à quarante-cinq degrés. Et la baignoire en bois de cèdre de ma suite est une invitation à respecter la coutume locale. Je vous attends.

Déstabilisé, Mark se refit une beauté et s'aspergea d'un parfum à base de jasmin.

Il s'immobilisa sur le seuil de la salle de bains.

— Je peux… Je peux entrer ?

— Je commençais à m'impatienter. Si vous êtes toujours aussi lent, votre empire risque de péricliter.

Il s'approcha.

Pas de mousse dissimulant le corps sublime de la Cambodgienne.

— Au Japon, précisa-t-elle, la nudité n'est pas un tabou, et l'on se baigne volontiers en famille. Si vous ôtiez vos vêtements ?

Mark obéit machinalement et ne ressentit même pas la chaleur de l'eau quand il s'y glissa face à la jeune femme, souriante et détendue.

— Mon père est mort, et je suis morte. Maintenant, je désire revivre, et pas n'importe comment. C'est avec toi que je veux une nouvelle vie.

Les yeux dans les yeux, elle l'enlaça, et leurs poitrines se touchèrent.

— Apsara…

— Tu es mon premier amour et tu seras le dernier. Si tu me trompes, je te tuerai, au nom de nos pères.

48.

À peine le patron du *Kumiko* avait-il alerté son supérieur que la police envahissait son établissement. Mais le studio où avait dormi le vieil homme était vide, et la fouille ne procura aucune indication sur l'endroit où le fugitif comptait se réfugier.

Malgré ses protestations, le patron fut embarqué sans ménagement et serait soumis à un interrogatoire serré, de même que son personnel, à l'exception d'un aide-cuisinier qui n'était pas venu travailler.

*

Après avoir posté sa lettre à l'intention de son frère de Florence, Hiroki Kazuo alla caresser le museau de la statue de Hachiko, le chien le plus célèbre du Japon. Elle avait été érigée à l'une des sorties du métro aérien où, pendant sept ans et chaque jour, cet animal, fidèle entre tous, était venu attendre son maître, un professeur décédé. Toucher l'effigie de ce chien extraordinaire ne portait-il pas chance ?

Puis, au grand étonnement de l'aide-cuisinier qui le filait, le vieil homme pénétra dans un *pachinko*, l'un des milliers de halls remplis de machines à sous, dont les recettes étaient presque équivalentes à celles des grands magasins.

Le public était varié : hommes et femmes de tous âges et de toutes conditions. Des gains modestes, même en cas de succès, mais une addiction à la fois individuelle et collective.

L'aide-cuisinier fut déçu ; ce bonhomme n'était qu'un drogué du jeu, sans doute couvert de dettes et obligé de fuir ses créanciers.

Mais il ne s'assit pas devant une machine et s'adressa à un vigile qui accepta d'utiliser son portable et de passer un appel. Satisfait, le vieux le remercia et entama une longue marche qui l'amena au temple Senso-ji dans le quartier d'Asakusa. Un endroit très animé, où les dieux s'accommodaient de la présence d'innombrables pèlerins, de touristes, d'acrobates, de jongleurs, de devins et de filles de joie.

À un grillage étaient accrochées des bandes de papier blanc contenant des horoscopes. Au lieu d'en acheter un, le vieux inséra un petit document de taille semblable, le noyant dans la masse.

Le bonhomme avait un comportement anormal. En fin de compte, un bon client ; aussi l'aide-cuisinier appela-t-il son nouvel employeur, avec l'espoir de susciter l'intérêt du gang et de marquer son adhésion par un coup d'éclat.

*

Bruce rentra à l'aube et se précipita sous la douche. Une demi-heure d'eau brûlante le remettrait d'aplomb et dissiperait la fatigue. Évitant le saké, l'Écossais avait été surpris de découvrir un whisky japonais de grande qualité, rivalisant avec ses homologues occidentaux.

Une bonne vingtaine de bars, du plus huppé au plus pouilleux, mais pas trace de Hiroki Kazuo. Quand de petits malfrats l'avaient pris pour un flic, le ton était monté, et Bruce avait dû montrer les dents. Une petite bagarre, de temps en temps, ça gardait jeune.

Récuré du sol au plafond, l'Écossais ressentit une légère faim. Contournant le petit déjeuner traditionnel, composé de poisson séché, de riz, de soupe et de thé vert, il commanda du café, des saucisses, des œufs au bacon et du fromage.

Tokyo était plongé dans la brume, la journée serait maussade. Connaissant son Mark, il planchait déjà sur des dossiers. Mais la suite du nouveau patron de l'empire était vide.

— Ah ouais, d'accord ! Bon, je réveille… On n'est pas en vacances.

Bruce pénétra dans la suite d'Apsara et poussa la porte de la chambre.

Mark et la Cambodgienne dormaient, nus et enlacés.

— Le pingouin jabote, la chauve-souris grince, le sanglier grommelle et l'amoureux roucoule… Debout, le café est chaud !

Lorsqu'il frappa dans ses mains, les amants sursautèrent.

— Les jeunes, on fait mouvement.

Leur première réaction fut de se regarder longuement, comme s'ils étaient irréels ; puis ils s'embrassèrent avec fougue, peinant à se séparer.

Apsara se leva.

— Bruce adore sa femme, et c'est un mari fidèle ; mets quand même un peignoir.

Eux aussi avaient faim. L'Écossais leur raconta sa nuit, déplorant son échec. Dans son boulot, il fallait se montrer persévérant.

Le téléphone sonna, Bruce décrocha.

— Ouais… qu'il monte.

— Takushi ? demanda Mark.

— Soi-même.

Le surveillant général maîtrisait mal sa nervosité.

— La police a reçu un appel de Hiroki Kazuo. Il souhaite s'entretenir avec Mark et lui parler de son père.

— Du sérieux ?

— Impossible à dire.

— A-t-il révélé son adresse ?

— Il vous attend ce matin au temple Senso-ji.

— Ça pue le piège à plein nez ! décréta Bruce.

— Kazuo se sait en danger de mort et compte sur moi pour s'en sortir. Allons-y.

— Nous serons accompagnés d'une brigade d'intervention en civil, et je vous prie de ne courir aucun risque.

— Toi, fillette, ordonna Bruce à la Cambodgienne, tu restes au chaud.

— Sûrement pas. Et c'est moi qui parlerai la première à Hiroki Kazuo pour le rassurer. Je lui communiquerai les mots de passe et le conduirai à Mark. Je serai prête dans cinq minutes.

— Excellente stratégie, jugea le surveillant général, ne songeant qu'à protéger son patron.

— Cette gamine a du peps, concéda Bruce. En piste.

49.

Hiroki Kazuo méditait sur sa belle et longue existence. Indifférent à la foule composée de dévots et de badauds, il se félicitait de sa chance inouïe. Avoir été l'un des Neuf, côtoyer des êtres exceptionnels, recevoir les secrets des Supérieurs inconnus, les mettre en pratique, vivre l'alchimie au quotidien et lutter afin de préserver une part d'harmonie chez les humains… Qu'espérer de mieux ? Une ombre au tableau, cependant, une ombre terrifiante : qui voulait briser la transmission en détruisant la confrérie ? Les survivants seraient-ils capables d'échapper à l'ennemi et de le combattre ?

Si la police prenait son appel au sérieux et prévenait Mark Vaudois, ce dernier interviendrait rapidement. Lui seul disposait des moyens suffisants pour sauver ce qui pouvait encore l'être.

Hiroki Kazuo serait bientôt fixé. S'angoisser altérait l'énergie ; aussi reprit-il sa méditation.

*

Les policiers en civil se postèrent à plusieurs endroits du site, se mêlant aux visiteurs ; reliés par radio, ils interviendraient sur ordre du coordinateur qui centralisait observations et messages d'alerte. Il se tenait aux côtés de Mark, Apsara et Takushi, à une centaine de mètres de l'entrée principale. Incapable de tenir en place, Bruce, équipé d'un micro, s'attelait à la tâche prioritaire : repérer Hiroki Kazuo, s'il ne s'agissait pas d'une mauvaise blague ou, pis, d'un traquenard. L'Écossais se souvenait de l'embrouille à Pékin, et son instinct ne reniflait rien de bon.

Une attraction fort prisée suscita la curiosité. Des yamabushi, moines bouddhistes se consacrant à des pèlerinages à travers le pays, soufflèrent dans des conques afin d'annoncer une cérémonie.

Vêtus de chemises blanches et de robes grenat, ils disposèrent un lit de braises, puis certains se déchaussèrent.

— Ils marchent sur des charbons ardents sans se brûler, murmura Takushi à l'oreille de Mark, et prouvent ainsi leur capacité de détachement par rapport à la souffrance.

Mark, lui aussi, était sur des charbons ardents. Et il ne se sentait nullement détaché.

— Je l'ai, annonça Bruce. Assis à droite d'un grillage auquel sont accrochés des morceaux de papier.

— Le grillage des horoscopes, précisa Takushi.

Le coordinateur ordonna à ses hommes de s'en approcher, sans alerter la cible.

— À moi d'intervenir, trancha Apsara, que la voix de Bruce guida.

Tous les regards s'étaient tournés vers le premier ascète qui, pieds nus, s'engageait sur le chemin de braises.

La jeune femme fendit la foule sans heurt, en s'excusant et en souriant. Le trajet lui parut interminable, mais elle finit par apercevoir le Supérieur inconnu, en méditation.

Il émanait de ce robuste vieillard une étrange lumière, comme s'il n'était pas un humain ordinaire. Habituée à fréquenter les divinités du temple d'Angkor, la Cambodgienne éprouvait une sensation aussi intense qu'en admirant les sculptures.

Elle hésita à briser la prière intérieure de Hiroki Kazuo. Non loin, impassible, le moine bouddhiste progressait sur le chemin de feu, et ses plantes de pied ne grésillaient pas.

— Pardon de vous importuner. Je suis envoyée par Mark Vaudois. Mon nom est Apsara.

Kazuo ouvrit les yeux.

— Qui nous observe ?

— Sphinx.

— Et qui a traversé les ténèbres ?

— Sambor, votre frère et mon père, assassiné.

Les émotions de l'alchimiste se bousculèrent. La joie de contacter la messagère de l'espérance, la tristesse de savoir avec certitude qu'il avait perdu son ami le plus cher.

— Mark est ici. Il a hâte de vous parler.

À l'instant où Hiroki Kazuo se relevait, deux moines bouddhistes jaillirent du groupe, bousculèrent des curieux et se précipitèrent vers le vieil homme. Le premier écarta Apsara et planta un couteau en plein cœur de sa victime ; le second, avec une rare violence, lui fracassa le crâne à coups de marteau.

Tétanisé, le policier le plus proche brandit son arme, mais hésita à tirer… Trop de monde !

Les deux assassins s'enfuirent en longeant le sanctuaire, pendant qu'un nouvel ascète, sous les regards émerveillés des spectateurs, entamait sa marche sur les braises.

La tuerie s'était déroulée en quelques secondes. Le policier appela à la rescousse ; certains de ses collègues accoururent, d'autres poursuivirent les fuyards.

Bruce releva Apsara, choquée.

— Tu es blessée ?

— Non, non… Mais lui…

— Lui, c'est fini.

À dix pas, le spectacle continuait. En l'absence de cris, la foule ne s'était aperçue de rien. Mark serra la Cambodgienne dans ses bras. Nerveux, une dizaine de policiers entourèrent le cadavre ; à l'appel du coordinateur, un médecin constata le décès et des techniciens commencèrent à baliser la scène de crime.

— Désolé, dit bêtement Takushi ; mieux vaut nous éloigner.

— Un instant, exigea Apsara ; ce malheureux ne se trouvait pas ici par hasard. Et s'il nous avait laissé un message ?

Mark fixa la grille couverte de bandes de papier. Bruce en déplia une et la tendit à Takushi.

— Ça raconte quoi ?

— Une promesse de bonheur. Il y a plusieurs centaines de prédictions du même acabit !

— On vérifie.

L'Écossais fut veinard. Le soixantième papier n'était pas un horoscope, mais le souhait du défunt : « Sauvez Sphinx. »

— On est bien avancés, râla Bruce.

50.

Il pleuvait sur Tokyo et, dans l'antre luxueux de Mark, Bruce et Apsara, l'atmosphère n'était pas au beau fixe. L'ennemi avait frappé avec fulgurance, ils pataugeaient en plein brouillard. Six Supérieurs inconnus éliminés… et trois survivants dont ils ignoraient tout ! Avec la mort de Hiroki Kazuo, le fil menant jusqu'à eux était coupé.

— Ils ont forcément des liens, estima Bruce ; moi, quand je démonte une combine, je fouille partout.

Mark tira la conclusion qu'espérait l'Écossais.

— En ce qui concerne l'Afghan Massoud Mansour, le Chinois Zhang Dao, le Syrien Khaled et le père d'Apsara, méthode inapplicable ; en revanche, pour Saint-John et Hiroki Kazuo, il y a peut-être des trouvailles en vue.

Mark joignit Takushi. Un déplacement à Kyoto, sous surveillance policière, fut immédiatement organisé. Mauvaises nouvelles : pas trace des assassins, rien à tirer des moines auxquels les tueurs s'étaient joints au dernier moment. L'interrogatoire du restaurateur, patient de Hiroki Kazuo, avait été tout aussi stérile ; et la disparition d'un de ses aides-cuisiniers tendait à prouver que l'employé travaillait pour une mafia et lui avait vendu le vieil homme.

Seul espoir : dénicher un indice au domicile de la victime.

*

La journée de Dieter Cloud était particulièrement chargée : opération de lobbying auprès de sénateurs encore insuffisamment corrompus, lancement d'une série d'attaques informatiques contre de grandes banques européennes dont l'Amérique voulait casser les reins, rencontre avec des ingénieurs d'Alphabet à propos du programme de santé et du contrôle de la production de nouveaux médicaments.

Cloud prit cependant le temps de recevoir Galin Market entre deux portes.

— Mission accomplie, monsieur. Hiroki Kazuo a été effacé.

— Proprement ?

— Impeccable. L'enquête n'aboutira à rien.

— Des confidences de Kazuo ?

— Malheureusement non. Vu les circonstances, impossible de le cuisiner. Et chez lui, néant.

— On poursuit.

Market s'éclipsa, laissant Dieter Cloud songeur. Il était plus facile d'acheter des politicards, des entrepreneurs et des scientifiques pour leur dicter la conduite à suivre que d'anéantir une minuscule confrérie enracinée dans le passé.

Six sur neuf, cependant, mais la piste était coupée et trois Supérieurs survivaient, dont, probablement, Sphinx lui-même. En supprimant Saint-John, Cloud et ses employeurs n'avaient-ils pas obtenu une victoire décisive ? Le trésorier éliminé, le nerf était tranché.

Une analyse lucide contredisait cette vision optimiste. D'abord, les trois survivants tenteraient de recruter et de remplacer les disparus ; ensuite se posait le problème de l'héritier de l'empire. Se contenterait-il de son nouveau statut et de son immense fortune, chercherait-il à venger son père, aiderait-il d'une manière ou d'une autre les Supérieurs inconnus, avait-il pleine conscience de la situation ? Question majeure : le père avait-il initié le fils, Mark était-il un des trois rescapés ?

Peu probable, car les Supérieurs étaient tous des hommes âgés liés à l'archéologie et à l'alchimie ; mais l'unique rejeton de Saint-John avait peut-être repris les fonctions du père.

En ce cas, son sort était scellé. Avant de convoquer Market et de provoquer un accident digne de celui de lady Diana, Dieter Cloud envisagea une autre stratégie. Tôt ou tard, l'empire Vaudois devait tomber dans ses filets, comme tant d'autres ; et la puissance industrielle américaine accomplirait un nouveau bond vers l'objectif ultime, le contrôle du cerveau humain. De nouveaux milliards d'investissements seraient les bienvenus.

Après tout, Mark était un jeune loup, ambitieux et avide ; pourquoi ne serait-il pas accessible à des arguments commerciaux bien formulés ?

En priorité, savoir ce qu'il avait dans le ventre et le manipuler au maximum.

*

— Du boulot d'excités, constata Bruce en découvrant le logis de Hiroki Kazuo, complètement dévasté.

Cloisons éventrées, vêtements déchirés, objets brisés en mille morceaux.

— Que cherchaient-ils, s'interrogea Mark, sinon quelque chose qui les mettrait sur la piste d'un Supérieur inconnu survivant ?

L'Écossais déploya son flair de chien de chasse, Apsara se déplaça avec légèreté, l'œil acéré, Mark traqua un détail insolite. Deux policiers en civil les accompagnaient. Les étrangers ne seraient pas, en théorie, autorisés à emporter une éventuelle trouvaille, qu'ils devraient soumettre aux autorités. Et, dès le lendemain, on nettoierait les lieux.

Le modeste appartement du défunt n'apprit rien au trio. En revanche, le laboratoire d'alchimie les étonna. Là aussi, tout avait été brisé, mais l'on identifiait les débris de cornues, de vases aux formes variées, de récipients de tailles diverses contenant des substances colorées, certaines visqueuses. Quantité de minéraux et de végétaux jonchaient le sol.

— Ce laboratoire ressemble à celui de mon père, nota Apsara ; lui aussi fabriquait des remèdes qu'il nommait « or végétal ».

— Et aussi de l'or métallique ? questionna Bruce, sceptique.

— Très rarement, et juste pour subvenir à nos besoins. D'après lui, le Grand Œuvre, c'était la transformation de n'importe quel matériau en un autre. Et qui connaissait l'art de la transmutation pouvait transformer la mort en vie, grâce à l'utilisation de la matière première.

— Et c'est quoi ?

— Je l'ignore.

— Le secret majeur des Supérieurs inconnus, estima Mark ; en as-tu parlé avec ton père ?

— Une seule fois, quelques jours avant son assassinat, et je viens de vous confier ce qu'il m'a transmis.

À présent, plus aucun doute : dans son dernier message, Saint-John annonçait à son fils sa décision de lui révéler l'essentiel de sa vie, son appartenance à la confrérie des neuf Supérieurs inconnus. Lui aurait-il transmis leurs secrets ?

Le trio explora le capharnaüm. Bruce feuilleta des livres et des documents éparpillés, les uns consacrés à l'alchimie, à l'astrologie et à la magie, les autres à des sites archéologiques, des temples orientaux et des sanctuaires occidentaux.

— Le bonhomme s'intéressait aux vieilles pierres et aux villes d'art… Il y a le monde entier là-dedans !

— Palmyre, par exemple ?

Les regards se croisèrent et les mains s'activèrent.

Parmi les ouvrages, en japonais et en anglais, pourvus de nombreuses photographies, des études consacrées à Palmyre, aux bouddhas d'Afghanistan, aux grottes peintes de Chine, aux temples d'Angkor et à Stonehenge, le site mégalithique le plus célèbre de Grande-Bretagne.

— Un lien avec les cinq Supérieurs inconnus éliminés, constata Mark.

— Les pays où résident les trois derniers sont donc indiqués, conclut Apsara.

— L'ennui, objecta Bruce, c'est le nombre de pistes possibles ! On a tous les continents, une centaine de pays et un paquet de villes d'art, de Bénarès à Chartres en passant par Florence ! Et si les survivants se planquaient au Japon, en Afghanistan ou en Angleterre ?

— On dresse quand même une liste, décida Mark ; quand j'examinerai à fond la bibliothèque de Saint-John, j'obtiendrai peut-être un recoupement.

— Y a des trucs qui manquent.

— Quoi donc ?

— Un ordinateur, une tablette, un portable… Même les vieux, surtout ici, sont accros. Et personne ne peut plus s'en passer.

— Hiroki Kazuo ne communiquait-il pas par la pensée, comme ton gamin ?

Bruce soupira.

— Prenons chacun un coin. En avant pour la liste.

51.

Takushi accompagna son patron jusqu'au jet privé.

— Voici mes propositions pour améliorer la rentabilité du secteur Asie. J'ai eu ce matin même un contact fructueux avec un haut responsable du Parti communiste chinois, qui apprécie nos encouragements au développement. Et les points faibles que vous avez repérés cesseront de l'être.

Mark appréciait les responsables qui ne tournaient pas autour du pot.

— L'enquête sur l'assassinat de Hiroki Kazuo ?

— Une impasse. Ce vieillard n'avait aucune importance, et la police n'a pas intérêt à démanteler les gangs qu'elle contrôle et utilise en cas de nécessité.

Message clair : le Supérieur inconnu avait été exécuté sur un ordre venu de très haut, avec l'accord des autorités qui ne creuseraient pas l'affaire. Le successeur de Saint-John était prié d'oublier cet incident sans importance, sous peine de représailles économiques.

Le jet décolla. Apsara observa un Japon ensoleillé, Bruce éclata de rire en lisant sur écran un quotidien américain citant la déclaration d'un porte-parole militaire russe : « Contre les terroristes normaux, nous utilisons des bombes normales. Contre les terroristes modérés, des bombes modérées. Nos bombes normales se différencient des bombes modérées, comme les terroristes normaux se différencient des terroristes modérés. »

Par bonheur, le menu n'était pas japonais : terrine de sanglier, sauté de veau, pommes de terre rissolées, roquefort et tarte aux pommes. Prudente, Apsara réussit à s'adapter. D'une bonne année, un bordeaux léger facilitait la digestion.

— Trop tôt pour publier sur les Supérieurs inconnus, jugea Bruce ; ça mettrait un coup de pied dans la fourmilière, mais l'urgence est ailleurs : retrouver les rescapés. Pour tromper l'ennemi, je sors une autre enquête, comme si je laissais tomber.

— Tu as un bon sujet ?

— Comment, par qui et pour qui est détournée une belle masse de fonds publics destinés officiellement à l'humanitaire. C'est fun, non ?

— C'est surtout dangereux.

— Je ne donne pas dans le tiédasse et j'en ai marre de voir parader tous ces faux-jetons qui chialent dans les médias sur le sort des damnés de la terre avant d'aller se goinfrer dans un super restau.

— Tu n'y changeras rien.

— Je sais, mais ça défoule. Et ça excitera les intellos.

L'article susciterait de longs et inutiles débats, ajoutés à des vagues de protestations indignées. Une ou deux têtes sauteraient, pour la galerie, et le trafic continuerait.

Bruce dévorait les infos défilant sur son écran. Il possédait un don : trier d'instinct l'essentiel du secondaire. Et quand ça percutait, il creusait.

— Tiens donc… L'Union européenne a confirmé son feu vert financier et administratif pour le Human Brain Project et le programme Horizons 2020. Dans un premier temps, un petit budget d'un milliard d'euros et une jolie perspective : « Stimuler artificiellement le cerveau humain avec l'espoir de faire émerger une intelligence. » Vu la dinguerie de certains chercheurs, ça promet !

— Saint-John s'était opposé à un premier projet et avait refusé de participer à son financement, révéla Mark.

— Il avait donc senti une grosse magouille… Qui est réellement derrière et qui manipule les Européens, sinon leurs chers alliés américains ? Les cow-boys ne se contentent pas d'écouter grâce aux grandes oreilles de la NSA, ils agissent.

Bruce allait fouiner dans tous les recoins et risquait de s'attirer un maximum d'ennuis. Inutile d'agiter un chiffon rouge devant ce taureau-là, qui ne se détournait jamais de son objectif et encornait souvent le toréro.

— Je passe voir ma petite famille, annonça-t-il, et je ponds mon petit article humanitaire avant de gratter l'histoire du cerveau. Pendant ce temps-là, explore à fond les archives de Saint-John. Dès que tu auras besoin de moi, j'arrive.

— Aucune nouvelle de l'enquête sur le crash, déplora Mark. Je vais secouer les experts.

— Je ne suis pas optimiste ; essaye quand même. Bon, on roupille.

À peine la tête posée sur l'oreiller, l'Écossais s'endormit.

— Je n'ai pas sommeil, murmura Apsara.

— Tu n'as rien mangé.

— Il faut que je m'habitue… Si j'en ai l'occasion.

— Que veux-tu dire ?

— Voilà longtemps que je ne rêve plus. À l'aéroport, tu m'embrasseras sur la joue et ce sera fini.

— Tu me connais mal.

— Irais-tu jusqu'à m'appeler un taxi et à me réserver une chambre d'hôtel ?

Longuement, il la scruta. Un regard aussi intense qu'indéchiffrable. Elle le soutint, prête à un inévitable déchirement. Elle avait connu un bonheur fou l'espace d'une nuit, et c'était un luxe hors de portée ; maintenant, il fallait payer. N'éprouvant aucun ressentiment, puisque telle était la loi du destin, Apsara sut que cet amour-là rendrait les suivants fades et dérisoires.

— Mon *butler* est un type remarquable, précisa Mark ; quelles que soient les circonstances, il s'en arrange. Saint-John lui témoignait une profonde estime, et notre hôtel particulier de Londres a toujours été tenu d'une manière impeccable.

Tu n'auras pas besoin de faire le ménage, et le cuisinier te préparera les repas qui te conviennent. Tu vois, quantité de problèmes seront résolus. Sauf un sur lequel je ne transigerai pas.

Apsara se sentait perdue. Mais elle préférait entendre la vérité.

— La bâtisse est vaste, les chambres nombreuses. J'aurais pu t'autoriser à choisir la tienne, si j'avais été un honnête homme. Malheureusement pour toi, ce n'est pas le cas. Et je t'obligerai à dormir dans la mienne et dans mon lit. Demain, après-demain et les autres jours.

Apsara avait appris à ne pleurer ni de souffrance ni de joie.

— As-tu oublié ce que je t'ai promis ?

— Justement pas. Et je suis sûr que tu es une femme de parole.

Féline, elle l'enlaça.

52.

Bruce continuant vers son repaire islandais, la Rolls déposa Mark et Apsara devant le perron de l'hôtel particulier des Vaudois, étroitement sécurisé.

Très digne dans son costume noir, le *butler* ouvrit la porte.

— Heureux de vous revoir, Monsieur.

— Voici ma compagne, Apsara.

Un authentique *butler* maîtrisait ses émotions, même en présence d'une si belle femme.

— Pardonnez-moi cette familiarité, Madame, mais permettez-moi de vous souhaiter un excellent séjour. Le personnel sera à votre disposition, et je m'efforcerai de vous donner satisfaction.

Apsara joignit les mains et s'inclina.

Légèrement déstabilisé et totalement séduit, le *butler* eut recours à l'ultime arme défensive : un toussotement, transmis de génération en génération.

— Le repas sera servi dans la salle à manger d'honneur ; un champagne rosé conviendra-t-il ?

Mark acquiesça et fit découvrir à la Cambodgienne le refuge des Vaudois. Ils possédaient d'autres demeures à travers le monde, mais c'était ici que l'âme de Saint-John était la plus perceptible.

Apsara s'attarda devant les statues et les stèles égyptiennes ornant le hall d'entrée, ressentant leur puissance secrète ;

puis elle découvrit les salons, la bibliothèque, les bureaux et les chambres. Un mobilier plutôt austère, aucune surcharge, une impression de solidité et de paix.

À la vue de la piscine intérieure, elle ne résista pas, se dévêtit et plongea. Après un long voyage, le meilleur moyen de se détendre. Mark l'imita et, nageant sous l'eau, la rejoignit. Il avait faim. Faim d'elle.

*

En moins d'une journée, Apsara avait conquis l'ensemble du personnel. Convoqué en urgence, un grand couturier lui avait proposé le nécessaire pour l'immédiat, avant de l'habiller sur mesure. Le styliste aurait volontiers engagé la Cambodgienne comme top model, mais il eut la certitude que cette idée déplairait à Mark Vaudois.

Le *butler* avait commandé à un restaurant thaïlandais des plats orientaux d'une extrême finesse ; et Apsara se laissa immerger dans ce conte de fées, qui se terminerait forcément mal. Autant profiter de chaque instant et goûter la présence de Mark comme une sorte de miracle.

Le nouveau maître de l'empire Vaudois lui accorda un privilège : une visite guidée des principaux monuments de Londres. Ils n'avaient pas la splendeur des temples d'Angkor, mais Apsara ne se sentit pas étrangère à cette vieille cité, malheureusement défigurée par de hideux bâtiments modernes ; et ce fut en parcourant Hyde Park que la jeune femme se sentit le plus à l'aise. Un soleil doux, des chants d'oiseaux, des pelouses parfaitement tondues, l'impression de quitter la ville et d'oublier le passé en savourant une nouvelle vie, même provisoire.

Ensemble, ils explorèrent la bibliothèque de Saint-John. Et la constatation s'imposa : y figuraient des volumes identiques à ceux rassemblés par Hiroki Kazuo. Les Supérieurs inconnus se référaient aux mêmes ouvrages et s'en servaient probablement pour communiquer entre eux. Mais le champ couvert était si vaste que localiser les trois survivants paraissait impossible. Si la vérité se trouvait ici, elle demeurait hors d'atteinte.

Pour la première fois, Apsara vit un Mark découragé.

— Échec total. Et je suis crevé.

— Ton père n'a-t-il pas laissé des papiers personnels, des souvenirs de famille ?

— Rien de rien. Tu n'imagines pas à quel point Saint-John était secret. Je vais finir par détester cette confrérie qui me l'a volé ! Après tout, qu'ils se débrouillent. Puisque le fil est rompu, ce n'est plus mon problème.

Apsara s'écarta et se tint très droite.

— Si tu n'agis pas pour ton père, agis au moins pour le mien. Il ne méritait pas cette mort-là.

Le *butler* s'immobilisa sur le seuil de la bibliothèque.

— M. Millard souhaite voir Monsieur.

Mark abandonna Apsara et grimpa l'escalier de marbre jusqu'au bureau de Saint-John.

Il s'assit dans le fauteuil de cuir vert à haut dossier et tenta de prendre possession de ce vaste espace.

Le surveillant général du secteur Europe était toujours aussi anonyme qu'un banquier formaté de la City. Étonnant de passer inaperçu en disposant d'autant de pouvoirs.

— Des problèmes ? agressa Mark.

Comprenant que le nouveau grand patron était de méchante humeur, Millard ne s'en émut pas. Ça faisait partie de son job.

— De l'ordinaire. Les résultats sont bons, juste quelques investissements à finaliser. Si les dossiers vous ennuient, je...

— Je tiens à tout examiner moi-même. Ne prenez aucune initiative sans me consulter auparavant. Et l'enquête ?

— Elle ne continue qu'en apparence. Les rapports d'expertise concluront à un accident. Une conjonction de malchances : un défaut technique de l'appareil, une erreur de pilotage et la mauvaise météo. La fatalité.

Mark se leva ; mains croisées derrière le dos, il arpenta le bureau.

— Ça signifie quoi, cette mascarade ?

— Que le MI 6 a reçu l'ordre de ne pas creuser.

— L'ordre de qui ?

— Étant donné que l'avion est parti de New York, où les investigations n'ont rien révélé d'anormal, ce n'est pas trop difficile à deviner. Mon collègue américain sollicite un entretien privé. Là-bas, il y a un problème qu'il veut vous exposer en tête à tête.

— Une démarche habituelle ?

— Rarissime. La dernière fois, c'était pour appeler votre père en urgence, avant son ultime voyage.

— Vous insinuez que Dick a organisé sa liquidation et qu'il s'occupe de la mienne ?

— Certainement pas. Je hais les Américains, et celui-là en particulier. Nos rapports sont détestables et nous contraignent à une compétition permanente. Dick souffre de la même tare que moi : sa fidélité à l'empire. En nous choisissant, de même que Takushi, votre père ne s'était pas trompé. Idiot, cet attachement, mais chronique. À mon avis, la difficulté qu'aurait dû résoudre votre père à New York n'a pas disparu. Maintenant, à vous de jouer.

53.

— Tu pars ?

— Une urgence à New York. L'empire n'attend pas.

— Tu m'emmènes ?

— Pour toi, un voyage sans intérêt.

— Si tu as décidé de penser à ma place, renonce.

— Écoute, Apsara…

— Si tu ne m'emmènes pas dans tes bagages, moi aussi je pars.

— Ce sera bref, et…

— Pour ton père aussi, ce fut bref. Juste une explosion. Et nous deux, ce sera certainement très bref. Alors, je veux profiter de chaque minute.

Mark appela le *butler*.

— Merci de préparer *nos* bagages.

*

« Quand on ne peut plus supporter New York, avait écrit John Dos Passos, on ne sait plus où aller. C'est le sommet du monde. » Donc, Mark ne savait plus où aller et, sur ce sommet-là, il avait du mal à respirer. Éprouvant la même gêne, et contraint de se rendre souvent dans la vraie capitale des États-Unis, bâtie sur un sanctuaire indien profané,

Saint-John avait acheté une propriété fortement sécurisée dans une zone calme et boisée, au sud de la ville.

Malgré l'intervention de Dick et la personnalité de Mark Vaudois, les officiers de l'immigration et les douaniers avaient tenté de faire du zèle, surtout à cause de la présence d'Apsara. Odieux par nature, ils détestaient les étrangers et avaient tenu à examiner dans tous les sens le passeport d'Apsara qu'ils auraient volontiers renvoyée en Asie.

Les formalités accomplies, une Mercedes blindée, suivie d'un 4 × 4 qu'occupaient des gardes du corps, emmena le couple à la villa. Désormais parcourue par des taxis Nissan NV 200, la chaussée new-yorkaise n'était pas de tout repos, à cause de plaques d'égout mal ajustées et des nids-de-poule.

Apsara semblait tendue.

— Un souci ?

— J'ai appris à avoir peur. Et je perçois le danger, comme une bête traquée. Un danger tout proche.

— Tu peux préciser ?

— Malheureusement non. Avant qu'ils arrivent pour tuer mon père, je ressentais la même souffrance.

C'était ici qu'avait été organisé l'attentat contre Saint-John. Et dès que le tueur tapi dans l'ombre apprendrait la venue de son fils, ne chercherait-il pas à l'éliminer ?

En franchissant la grille d'accès surveillée en permanence par des vigiles, Apsara se détendit. Des chênes, des bosquets, des allées de gravier entre les pelouses, une roseraie et une bâtisse en pierre, de style victorien : Saint-John avait aménagé un havre de tranquillité, à proximité de la ville perpétuellement en activité. Ici, il oubliait quelques heures la compétition féroce à laquelle participait son empire.

— Tu t'installes, je reviens pour le dîner.

Comme elle ne le questionna pas, il répondit à son interrogation muette.

— J'ai rendez-vous avec Dick. Rassure-toi, toutes les précautions ont été prises. Et si j'apprends quelque chose d'essentiel, tu le sauras.

Sans doute Apsara ne percerait-elle jamais tous les secrets de son amant, tant sa cuirasse était épaisse. Cette confidence-là lui coûtait un réel effort ; elle le remercia d'une longue caresse sur la joue.

*

La ruelle était barrée pour travaux. Et les ouvriers, dont certains armés, appartenaient au service d'ordre de l'empire. Dûment annoncés, la Mercedes et le 4 × 4 se garèrent devant un petit restaurant italien. Deux gorilles gardaient la porte de l'établissement, fermé à cause d'une rénovation.

Mark craignait que le building du surveillant général chargé des Amériques ne fût pas un terrain sûr. Et la brutale angoisse d'Apsara renforçait ses appréhensions.

D'ordinaire, le surveillant général aimait trôner dans son bureau panoramique d'où il dominait quantité de toits où les New-Yorkais entretenaient des jardins potagers, pratiquaient le yoga, se faisaient bronzer ou jouaient au tennis. Dick, lui, n'avait pas le temps de s'amuser ; au cœur de la fournaise des affaires, il devait se tenir à la pointe du progrès, des innovations et des investissements. Avec un impératif qui lui servait de religion : la rentabilité. À New York, si on gagnait, personne ne vous jalousait ; mais pas de place pour les *loosers*.

Des murs blanc cassé, des tableaux consacrés à des villes d'Italie, une vingtaine de tables, des nappes à carreaux blancs et rouges, des bougies, des couverts traditionnels.

Et au milieu de la salle de restaurant, un bison en colère, les naseaux fumant.

Sa crinière blanche en folie, le colosse à la tête carrée et aux poings serrés avait visiblement envie de cogner.

— Bonjour, Dick.

— Vous me prenez pour un con, ou quoi ?

54.

— Si vous m'offriez l'apéritif, proposa Mark.

— Vous savez qui je suis ? Votre père m'accordait sa confiance, lui ! Et je le recevais dans *mon* bureau, en totale sécurité !

Mark s'assit. Et sa voix devint glaciale.

— L'avion de Saint-John a explosé en plein vol. Et c'est ici, à New York, chez vous, que son assassinat a été programmé. Résultats de votre enquête ?

Le bison se posa sur une chaise, qui émit un gémissement.

— Aucune responsabilité des services de l'aéroport.

— C'est vous qui me prenez pour un con ! Dans la famille, on déteste ça.

— J'ai une antenne sérieuse au FBI.

— Et à la CIA ?

— Aucune agence officielle n'est mêlée à la mort de votre père.

— Et… officieuse ?

— Toutes les portes sont fermées. Les États-Unis ne sont en rien responsables de cette tragédie.

— Et ça vous satisfait ?

— La théorie du complot, c'est pour les débiles !

— Classez-moi dans cette catégorie.

— Comment osez-vous imaginer que le building de l'empire puisse être piégé et mon bureau un endroit dangereux ?

— J'ose. Et si vous n'osez pas, c'est que vous avez perdu la main.

Timide, mais souriant, un serveur apporta deux verres de campari.

— *Antipasti*, lasagnes, émincé de veau aux champignons... Le menu vous convient-il ?

Mark hocha la tête. Réquisitionné et bien payé, le personnel du restaurant, propriété de Saint-John, prouverait son excellence.

— D'accord, admit Dick, on peut douter de tout. Si nécessaire, je désinfecterai mon territoire. Alors, vous croyez à un crime ?

— Pourquoi vouliez-vous me voir en urgence ?

Le colosse peinait à récupérer. Persuadé de s'imposer à un petit jeune qui n'aurait jamais la stature de Saint-John, il tombait sur un os. L'allure décontractée et séduisante trompait son monde et cachait un fauve impitoyable. Avec le vieux, il fallait jouer serré ; avec le jeune, éviter de jouer.

— Vous avez consulté le tableau des quinze firmes les plus importantes au monde d'après leur capitalisation boursière ?

— Neuf américaines, trois chinoises et trois suisses, répondit Mark. En tête, Alphabet et Apple.

— Les États-Unis n'ont jamais été aussi puissants. Ils dominent dans tous les domaines, imposent leurs diktats au monde entier, manipulent à tout-va et piétinent les réfractaires. Votre père l'avait compris.

— Qui était *vraiment* mon père ?

Surpris, le bison vida son verre, alors que le serveur apportait un superbe assortiment de hors-d'œuvre et un barolo de grande classe. Mark le goûta et approuva.

— Saint-John était un businessman fabuleux. Toujours dix ans d'avance, des paris insensés, la bonne décision en cas de pépin, la solidité du granit, la fluidité d'une source, la vitesse d'un rapace... « Je n'apprends que de mes erreurs, disait-il, pas de mes succès. » Il admettait celles des autres, à l'exception d'une seule : le mensonge. En toutes circonstances, il exigeait la vérité, quelle qu'elle soit. Sinon, dehors.

— Vous a-t-il parlé du projet Sphinx ?

Dick ouvrit des yeux ébahis.

— C'est quoi ?

— Sans importance.

— Moi, j'ai du lourd !

Salades variées, légumes grillés, caviar d'aubergine… Les *antipasti* étaient fidèles à leur réputation.

— D'abord, une petite nouvelle non dénuée d'importance : Washington garde la tutelle sur l'Icann, le régulateur mondial d'Internet, qui attribue les noms de domaine sur le Web. Ça râle de partout, mais le gouvernement américain tient la barre. Grâce à nos contacts au plus haut niveau, nous serons les premiers avertis en cas de changement, et nous nous adapterons. Votre première décision : la fabrication de drones, militaires et civils. Le marché explose, et nous avons un rôle majeur à jouer. Et j'ajoute la production du logiciel de plusieurs types de missiles qui équipent non seulement les avions de combat de l'US Air Force, mais ceux de plusieurs pays étrangers… Les Américains peuvent ainsi contrôler leur actualisation et s'assurer que les armements vendus à des ennemis comme à des amis ne se retourneront pas contre eux.

Mark acquiesça, Dick fut soulagé. Son nouveau patron n'était pas antimilitariste et ne croyait pas à la paix mondiale.

— Deuxième gros investissement, poursuivit-il, l'énergie. On est bien placés dans le pétrole, le gaz et les renouvelables, mais votre père aimait avoir un coup d'avance. En l'occurrence, le National Ignition Facility, à Livermore, en Californie, une installation qui a déjà coûté plus de six milliards de dollars. Le but, c'est la fusion nucléaire à l'aide de faisceaux laser pour reproduire le fonctionnement du soleil. Si ça marche, bingo ! Je devrai écraser quelques pieds pour qu'on soit associés au projet, mais le jeu en vaut la chandelle.

— Allez-y. Et maintenant, parlez-moi du vrai sujet.

55.

Après avoir dévoré les hors-d'œuvre, le surveillant général s'attaqua à d'authentiques lasagnes, goûteuses à souhait. Habitué à la malbouffe sur le pouce, il appréciait ce déjeuner italien, même s'il devait affronter un prédateur, dont il découvrait la férocité. Tenter de l'enfumer serait une erreur fatale.

— Comme vous, votre père tranchait dans le vif, et parfois à l'aveuglette. Son instinct l'a rarement trompé.

— Et vous voulez réparer l'une de ses erreurs.

— C'est exagéré, je…

— Pas de simagrées. Mon père a refusé un projet qui vous paraissait excellent et vous le remettez sur le tapis. *Mon* tapis.

— Affirmatif.

Dick vida un verre de barolo, sacrément puissant. Ça lui éclaircirait les idées.

— L'Union européenne a lancé le Human Brain Project, avec l'intention de percer les mystères du cerveau. Bien entendu, les Américains tiennent à leur pogne un certain nombre de scientifiques et développent leur propre programme de recherches, dont les fonds privés, notamment ceux d'Alphabet, ne sont pas absents. Magouilles et coups fourrés en perspective. Et je n'exclus pas quelques cadavres en chemin, tant les débouchés semblent hallucinants.

— *Semblent*, souligna Mark.

— C'est pourquoi votre père, à mon grand étonnement, a refusé d'engager l'empire sur ce chemin-là. À mon avis, il a eu tort. Mais nous avons une seconde chance : on nous sollicite à nouveau. Pour moi, c'est l'urgence absolue. Le dossier est solide, s'en exclure serait regrettable.

— Puisque l'on s'est adressé à vous, ce sont donc les Américains qui ont pris l'initiative.

— Ni les Américains, ni les Européens, mais une firme indienne de Bombay. Avant de vendre leurs trouvailles aux États-Unis, ils aimeraient un matelas de sécurité. En s'associant à nous, ils auraient l'assurance de ne pas être complètement plumés. Condition non négociable, je l'ai déjà annoncée : transfert de technologie, et que nos labos entrent dans la danse. On rattrapera notre retard, et même les Américains seront obligés de collaborer avec l'empire. J'ai de la doc, mais elle ne révèle qu'une infime partie de l'iceberg.

— Avez-vous répondu à ma place, Dick ?

Le surveillant général faillit s'étrangler ; le vin italien le sauva.

— Non, monsieur. Et soyez assuré que je ne prendrai jamais ce genre d'initiative.

— La bonne attitude pour marcher d'un bon pied. Arrangez-moi un rendez-vous à Bombay.

*

Dieter Cloud avait déjeuné avec un sénateur dans un restaurant huppé de New York. Un imbécile prétentieux, mais présentant deux qualités non négligeables : facile à acheter et leader d'un groupe de pression. Un simple pion sur l'échiquier, certes, mais Cloud n'en négligeait aucun. Tous les fils de la toile d'araignée devaient être solides.

Journée froide et pluvieuse. Doté d'une santé de fer et insensible à la pollution, il se moquait de la météo et ne redoutait pas le réchauffement climatique.

Son chauffeur l'attendait.

Un appel sur sa ligne d'urgence, non piratable. Il écouta, ne parla pas, puis indiqua sa destination.

La limousine traversa la Seconde Avenue à hauteur de la 127e Rue, emprunta la sortie de Marginal Road et pénétra dans un dock. Une jetée, et Galin Market nettoyant le pont d'un bateau. Cloud monta à bord, ils s'enfermèrent dans la cabine.

— Une nouvelle intéressante, monsieur : Mark Vaudois est à New York.

— Source ?

— Un douanier. J'ai eu le temps d'organiser une filature. Avec sa conquête du moment, une Orientale bien fichue, il s'est rendu au manoir familial d'où il est ressorti pour aller déjeuner avec Dick dans un petit restau italien. Ruelle barrée, entrée interdite et gorilles en faction. Le nouveau maître de l'empire veut un maximum de sécurité. Mais tout le monde commet une erreur, et nous sommes sur notre terrain de prédilection. Si vous souhaitez un accident…

— Pas dans l'immédiat, mais vous ne le lâchez pas et me tenez informé en permanence. Selon mes prévisions, il ne tardera pas à quitter New York.

*

Depuis des heures, Apsara observait les jeux d'un écureuil. Peu farouche, il la contourna avant de grimper à un érable.

Mark lui manquait déjà.

Amoureuse… Quelle folie ! Ne plus vivre pour soi, dépendre d'un mâle incontrôlable, croire bêtement au bonheur… Quand se réveillerait-elle ? Ce monde n'était que compétition, mensonge et tuerie. Le temps dévastait tout, pas un sentiment ne lui résistait. Pourquoi s'engager dans une impasse ?

Ce fut Mark qui courut vers elle.

Il la serra dans ses bras, et ils s'embrassèrent comme deux ados fous d'amour.

— Désolé, on ne visite pas New York.

— Tu as une piste ?

— Peut-être. Direction Bombay.

56.

Informaticien et assistant parlementaire au cœur du marais politique, aux ressources inépuisables, Baltimore Schumak était très excité à l'idée de rencontrer son nouvel amant. D'après ce qu'il avait pu voir sur Internet, ce magnifique étalon lui procurerait une belle nuit de plaisir. Une fois par mois, Schumak s'offrait cette distraction ; il oubliait son âge, ses rides et sa faiblesse cardiaque.

Lieu de rendez-vous : un hôtel spécialisé de Soho. Le fameux quartier chaud de Londres s'était modernisé, mais il subsistait quelques coins crapuleux à l'ancienne, un vintage du sexe qui séduisait Baltimore.

Le taulier lui remit la clé en échange de la somme prévue. Un escalier grinçant à la moquette usée, un palier orné de photos d'éphèbes nus, la porte 166 d'un établissement ne comportant que vingt chambres… Délicieux.

Schumak entra en catimini, tel un cambrioleur. Son correspondant l'attendait-il sur le lit ou sous la douche ?

Une poigne de fer l'agrippa au col de sa chemise et l'envoya valdinguer à l'autre bout de la pièce, où il heurta un fauteuil miteux.

— On va s'éclater, pépère, mais à ma manière, annonça Bruce.

— Vous ! Mais… mais…

— Te répète pas, ça m'énerve. Internet, c'était moi. Enfin, je veux dire un acteur pour t'accrocher. J'avais l'impression que tu ne souhaitais pas me revoir et ça me faisait de la peine.

Après un bref mais revigorant séjour en Islande, Bruce se sentait d'attaque. De longues balades au pied des volcans et des glaciers, en compagnie de Primula, de Junior et des chiens, lui avaient redonné une pêche d'enfer. Et puis ses fouilles avaient confirmé qu'il ne pataugeait pas en plein rêve : la confrérie des neuf Supérieurs inconnus, cette ONG d'alchimistes au service de l'humanité, avait laissé des traces tout au long des siècles. Thèses, essais et articles les mentionnaient, citant des personnages plus ou moins connus, tels saint Thomas d'Aquin, Dante, Paracelse, Mozart et même quelques chefs d'État. Et une idée fixait leur programme : entretenir l'âme du monde, sans laquelle l'existence humaine n'avait aucun sens.

Schumak avait le dos en miettes. Et pas question de résister au monstre qui le dévisageait d'un œil mauvais.

— C'est marrant, j'ai la sensation que tu es un petit cachottier. À son copain Bruce, on devrait tout dire. Par exemple, qui est Sphinx ?

— Je... Je ne sais pas !

— Tu me fais beaucoup de peine Baltimore. D'habitude, j'inspire confiance. Et toi, tu m'obliges à devenir brutal !

— Attendez, attendez ! Ça, je ne sais vraiment pas, mais... Mais j'ai peut-être une petite chose.

— Vide ton sac, tu seras plus léger.

L'Écossais ne précisa pas qu'il avait coincé ce cloporte à cause de Junior. En plein déjeuner, le gamin avait prononcé le mot « Baltimore » à trois reprises, avec une drôle de voix. Puis il était revenu à la normale. Encore sa foutue voyance, dont son père avait tenu compte. Baltimore Schumak, *via* le retraité sir Charles, ne l'avait-il pas envoyé au casse-pipe ? Une conversation s'imposait.

— Ensuite, vous me laisserez partir ?

— Ça dépend de ta petite chose.

— Je ne suis que le rouage d'une grande machine, un rouage sans importance, et...

— Ta psychanalyse me les brise. Aboule.

La langue pâteuse, Schumak s'exprima à mi-voix.

— L'empire Vaudois, ce n'est pas rien. D'une façon ou d'une autre, il est impliqué dans des options stratégiques, et Saint-John avait des comportements de chef d'État. Forcément, on l'observait en permanence.

Schumak s'épongea le front avec un mouchoir.

— Tu crois que je vais me contenter de ça ?

— Attendez, j'explique ! Les analyses extérieures ne suffisaient pas. Il fallait aussi observer... de l'intérieur.

Là, ça devenait intéressant. Un espion, voire un traître, mais à quel niveau ?

Bruce croisa les bras.

— On est sur la bonne voie. Ne me déçois pas.

— Une femme. On m'a demandé de l'accueillir à Londres et d'arranger une rencontre « par hasard » avec Mark Vaudois. Une Indienne, très belle et très attirante. Il est tombé dans le panneau, ils se sont mis ensemble, et elle a même été engagée. Une surdouée en informatique, bardée de diplômes. J'ai été correctement payé, et mon rôle était terminé.

— Un détail : qui t'a commandé cette manip ?

— Un anonyme appartenant aux services. Je ne l'avais jamais vu et je ne le reverrai pas.

Irina, la pseudo-maîtresse de Mark, qui l'avait plaqué le jour de la mort de son père, aurait travaillé pour le MI 5... Pas impossible, mais pourquoi cette rupture brutale, sinon parce qu'elle était mêlée à l'assassinat de Saint-John et craignait d'être démasquée ? Et les barbouzes britanniques étaient-elles ses véritables employeurs ? Cette mélasse méritait d'être filtrée. En tout cas, Junior n'avait pas raconté n'importe quoi.

— Tu as ouvert tout ton petit cœur, mon grand ?

— Oui, oui !

— Je l'espère pour toi. Sinon, je me fâcherai.

D'expérience, Bruce savait que cette larve ne mentait pas ; il n'y avait plus rien à en tirer.

— Je peux… Je peux solliciter une faveur ? susurra Schumak.

— Je suis dans un bon jour.

— Moi, je n'ai commis aucun délit et je n'ai ennuyé personne… Si vous ne citez pas mon nom dans votre article, ce serait cool.

— Moi, j'aime le fun. Casse-toi.

Malgré ses bleus, Schumak détala style médaille d'or du sprint aux Jeux olympiques.

Bruce pêcha une bière potable dans le minibar et coda un message à l'intention de Mark.

La réponse lui parvint une heure plus tard :

Bombay. Cerveau. Rapplique.

57.

Proche de Florence, mais à l'abri des nuisances de la modernité, le petit palais de Sirius Xérion aurait eu besoin de sérieuses réfections. Mais le vieil alchimiste de quatre-vingts ans, grand et frêle, avait d'autres préoccupations.

La lettre de son frère japonais, Hiroki Kazuo, avait été un coup de poignard. Pas expédiée à son nom, mais à une poste restante où Xérion disposait d'un pseudonyme. À l'époque de l'informatique, le courrier était devenu le dernier vecteur à peu près sûr pour échanger des informations confidentielles. De plus, les quelques lignes étaient rédigées avec des signes kabbalistiques composant le langage des neuf Supérieurs inconnus, dispersés à travers le monde.

Les Neuf... Ce n'était plus qu'un rêve en train de se fracasser. Certain d'être assassiné dans les prochaines heures, Hiroki Kazuo apprenait à son frère italien la disparition du Chinois Zhang Dao, suivant celles de Mansour l'Afghan, du Syrien Khaled et de Saint-John. Sirius Xérion comprenait pourquoi le Cambodgien Sambor n'avait pas répondu à son dernier message, concernant la préparation du Grand Œuvre, selon une méthode nouvelle. Lui aussi avait été éliminé ; une terrifiante broyeuse avait entrepris d'anéantir la plus ancienne et la plus secrète des confréries.

Le Florentin relut plusieurs fois les nobles adieux de son frère. Aucun des Supérieurs inconnus ne redoutait la mort, connaissant les lois de la transmutation de l'âme, dûment préparés à l'épreuve suprême ; mais l'anéantissement de la confrérie leur semblait pire qu'une guerre atomique. Sans elle, une autre humanité – si on pouvait encore l'appeler ainsi – n'aurait d'autres règles que la violence, la cupidité et la tyrannie, en usant de moyens technologiques se développant à l'infini.

Sur le bureau de Sirius Xérion, deux ouvrages rares, parus en 1614 et 1615 : *Réforme générale du monde entier* et *Fama Fraternitatis Rosae Crucis*, exposant pour le grand public la mission d'un Supérieur inconnu, Christian Rosenkreuz, autrement dit Rose-Croix, initié aux mystères de l'ancienne Égypte, et décédé à l'âge de cent six ans en 1484. Le but matériel de la confrérie qu'il dirigeait : soigner gratuitement les malades, grâce aux remèdes issus de l'alchimie. Son but spirituel : faire vivre l'âme du monde, en maintenant l'échange continu de flux invisibles entre toutes les formes d'existence, planètes, minéraux, végétaux, animaux, humains… Ainsi perdurait une harmonie aujourd'hui mise en péril. La toile était celle d'une gigantesque araignée qui piégeait les esprits, et le seul flux en vigueur serait celui de l'Internet mondial.

Le Florentin n'avait donc plus que deux compagnons, et son premier devoir consistait à les prévenir du désastre, en leur recommandant de se mettre à l'abri. Mais n'était-ce pas utopique ? Avoir réussi à supprimer un dirigeant de l'envergure de Saint-John supposait une logistique aussi puissante qu'effrayante. Non identifié, et sans doute non identifiable, l'ennemi ne doutait pas de sa victoire, et les survivants de la petite confrérie n'avaient pas la capacité de lui résister.

Sirius Xérion se rasa et tailla soigneusement les poils de sa courte barbe blanche ; il avait toujours été coquet, aimant les parfums à l'ancienne et les vêtements classiques et indémodables. Amateur de cuisine italienne, il fréquentait les meilleures tables de Florence, où il était considéré comme un restaurateur de tableaux de première force. Les spécialistes espéraient qu'il rédigerait enfin un livre sur l'œuvre de Fra Angelico qu'il connaissait mieux que personne.

Xérion n'en aurait pas le temps. Priorité : répondre aux exigences de Sphinx, la fabrication permanente de la pierre philosophale, matériau universel sublimé par l'Esprit. Les scientifiques prenaient au sérieux le phénomène de la transmutation et, pour en percer le secret, construisaient d'immenses laboratoires financés par des États souhaitant une exploitation industrielle et de gigantesques bénéfices. Et cette démarche-là faussait les recherches à la base. Les résultats obtenus ne toucheraient que la superficie de la « pierre des sages » sans atteindre son cœur.

En fonction depuis le XVIe siècle, le laboratoire de Sirius Xérion mêlait outillage ancien et moderne. Une bonne centaine de flacons contenaient des remèdes issus de l'« œuvre au rouge » que l'alchimiste ferait parvenir à des instituts capables d'en percevoir l'importance ; mais seraient-ils autorisés à les utiliser ?

Si l'adversaire lui en accordait le loisir, Sirius Xérion décrirait, dans un opuscule accompagné de photographies, une méthode simplifiée permettant d'aboutir au Grand Œuvre ; à supposer qu'il y parvienne, une bouteille jetée à la mer.

Malgré une excellente condition physique, le vieil homme se sentait las de ce monde et ne voyait pas comment empêcher la disparition des Supérieurs inconnus, qui n'avaient jamais été soumis à une attaque d'une telle envergure.

Sa plus grande souffrance : ne pas revoir une dernière fois ses compagnons de route, lors d'une réunion plénière. Nulle fête ne se comparait à celle-là.

Sirius Xérion se remit au travail, évitant toute précipitation, comme s'il avait des siècles devant lui. Lao-tseu n'affirmait-il pas : « L'homme pressé prend son temps » ?

58.

Dès sa sortie du Chhatrapati Shivaji International Airport de Bombay, Bruce fut agressé par une chaleur poisseuse. Il ne pouvait pas piffer ce bled gigantesque en bord de mer, mais au manque d'eau chronique. Encore heureux qu'on ne soit pas au moment de la mousson et qu'il n'y ait pas de cyclone annoncé.

Pour avoir mené une enquête sans fin sur la corruption endémique des politicards locaux, Bruce connaissait un peu le coin et avait pris ses précautions : outre son sac à dos contenant sa petite pharmacie, une flasque de whisky à téter tous les quarts d'heure afin de lutter contre la déshydratation et les microbes.

Le long de la route menant de l'aéroport au centre de la mégapole de quinze millions d'habitants, interdit aux passants de faire leurs besoins à la vue des touristes. Comme le règlement n'était pas toujours respecté, les autochtones avaient dressé des morceaux de tôle ondulée dissimulant quiconque se soulageait. Et ces barricades étaient couvertes de peintures plus ou moins débiles qui valaient bien celles des grands génies contemporains vendues à prix d'or.

Grande cité commerçante, dotée d'un port naturel profond et bien abrité, Bombay était surtout, aux yeux de Bruce, une fourmilière infernale. Des zigotos sortaient de partout, à toute heure, comme si le robinet produisant des humains ne pouvait plus être coupé. Ils galopaient, s'engouffraient en grappes dans des autobus qui n'auraient pas dû rouler, traversaient sans se soucier des flics impuissants, en turban et en uniforme jaune et bleu. Motos, bicyclettes, voitures, piétons et bestiaux s'entremêlaient dans un cirque ponctué d'accidents dévastateurs. Les morts étaient vite remplacés, et la circulation augmentait.

De très riches, de très pauvres, dix pour cent de la population qui dormait dehors, des hordes de mendiants de moins de dix ans, des malades crevant sur un trottoir, des taudis, des immeubles modernes, des buildings à l'américaine, et Bollywood, la fabrique de films tant prisés des masses populaires.

Le meilleur, c'était que Bombay avait conquis le titre envié de capitale du rire, grâce aux nombreux clubs locaux qui se consacraient à cette saine activité. Les intouchables ne se marraient pas encore tous les jours, et les victimes des attentats islamistes de novembre 2008, dévastant palaces, hôpitaux, commissariats et la gare centrale, n'étaient pas mortes de rire.

À Bombay, comme dans la majeure partie du sous-continent indien, la violence régnait en maîtresse absolue. Et l'enfer religieux n'arrangeait rien : hindous, musulmans, chrétiens, sikhs, bouddhistes, parsis… Tous se détestaient, et pas cordialement. Mais l'État restait laïque, à l'écart des bagarres et des massacres intercommunautaires, sauf quand ils devenaient trop voyants.

Bruce fut chanceux : un vrai taxi, avec des pneus, un volant et des freins. Et le chauffeur bourrait raisonnablement. Bien entendu, il tenta de vendre à son client une partie de son fonds de commerce, allant d'une image pieuse à une fillette de douze ans encore vierge. Et l'Écossais refusa aussi de visiter le quartier des *dhôbis*, où des milliers d'esclaves ne cessaient de laver le linge souillé en chantant les airs les plus désespérés.

S'extirpant intact des embouteillages, le véhicule grimpa jusqu'au quartier résidentiel de Malabar Hill, lequel avait bien changé depuis la fin de l'occupation britannique. Aux vastes bâtisses coloniales des industriels avaient succédé des gratte-ciel remplis d'appartements luxueux qu'occupaient les nouveaux riches, fiers d'avoir une vue sur le boulevard de Marine Drive formant, la nuit, le Queen's Necklace, le collier de la reine, illuminé de mille feux.

L'empire avait conservé un hôtel particulier pour ses hôtes de marque de passage à Bombay, une sorte de pièce montée bordée de tourelles et de balcons. Disneyland pour VIP, avec des halls interminables, des salles à manger où l'on se perdait, des chambres où l'on pouvait faire son jogging et des salles de bains qu'auraient appréciées des éléphants.

Bruce détonnait un peu dans le décor, surtout avec sa chemise à carreaux, son jean et son sac à dos. Mais le maître d'hôtel, un sikh enturbanné, barbu et armé, ne manifesta aucune émotion déplacée, lorsque l'Écossais atteignit le sommet du perron.

— Le Sahib désire ?

— Voir mon pote Mark, le proprio.

— Un instant, je vous prie. Je préviens M. Vaudois.

— Grouille, je crève de faim.

Vu les espaces à parcourir, Bruce eut envie d'utiliser sa montre connectée pour prévenir Mark de son arrivée, avec seulement trois heures de retard.

Mais sa relative patience fut récompensée.

En sari multicolore, Apsara apparut. Et elle lui coupa la chique. Belle à ce point-là, c'était impardonnable.

59.

— Tu en craches, poupée ! La couleur locale, ça te réussit. Bon, on se félicitera plus tard. Il est là ?

— Je vous conduis.

Vu la longueur des couloirs, on aurait pu installer un tramway. Celui-là aboutissait à la salle à manger de Ganesh, le dieu éléphant symbolisant la prospérité et devenu l'idole des gays. Une cinquantaine de statues le représentaient debout, en marche, assis, la trompe en l'air. Chaque année, à Bombay, on célébrait sa fête en jetant dans la mer des millions de statuettes en argile. Dommage collatéral : la pollution. Afin d'éviter ce gâchis, un industriel avait eu l'idée de les remplir de matériaux écologiques, des farines animales interdites dans des pays pointilleux, mais de nouveau autorisées en Europe.

Mark posa sur une table en marbre le dossier qu'il consultait.

— Bon voyage ?

— On mange quoi ?

— Crevettes de Back Bay et langoustines désinfectées, crabe au curry. Et du bordeaux potable.

— Tu n'as rien de consistant ?

— Je t'ajouterai du poulet aux cinq épices.

Un ballet de serveurs apporta des entrées à l'indienne que Bruce observa d'un œil suspicieux ; tout ça ne valait pas un bon saucisson, et il se félicitait de ne pas avoir oublié ses médicaments d'urgence.

— Savais-tu que Narendra Modi, le président de ce beau pays si fier de son indépendance, a entamé un flirt poussé avec les petits génies de la Silicon Valley ? Bientôt un milliard et demi d'habitants, 25 millions de jeunes déboulant chaque année sur le marché du travail, et seulement le 142e rang dans le classement concernant la facilité à traiter des affaires. Des richissimes, des spécialistes de la high-tech, mais des millions d'affamés. Un colosse aux pieds d'argile, qui n'est ouvert qu'en apparence. Saint-John a éprouvé les pires difficultés à y implanter l'empire, mais il a perçu la mentalité locale, et s'y est adapté.

— Et ça ne t'étonne pas qu'une belle Indienne t'ait couru après ?

Apsara demeura impassible, Mark fut irrité.

— Tu as déniché quoi, Bruce ?

— J'ai un peu travaillé l'une de mes sources, à Londres. Ton Irina ne voulait pas seulement coucher avec toi.

— Ce qui ne s'est pas produit.

Apsara fixa Mark, s'assurant qu'il disait la vérité.

— Elle ne s'est pas contentée de t'utiliser comme faire-valoir, continua Bruce, et remplissait une mission : espionner l'un des centres stratégiques de ton empire. La cocotte a traîné partout, et ses compétences scientifiques lui ont permis de fouiner. Quand elle a récolté ce qu'elle cherchait, elle t'a plaqué.

— Pour qui travaillait-elle ?

— Soit pour le gouvernement indien, soit pour Alphabet dont elle est aujourd'hui un brillant élément, soit pour les deux. Et tu verras que cette vipère grenouille dans l'histoire des manipulations du cerveau. J'ai vaguement gratté, mais je suis persuadé que les types qui tiennent les commandes de cette manip sont les assassins des Supérieurs inconnus.

— Je suis ici pour conforter ton intuition. Un rendez-vous devrait nous éclairer et, peut-être, nous fournir la bonne piste.

— Dans ce foutoir, tu manques de protection ! La non-violence de Gandhi, c'est pour les innocents nés de la dernière mousson.

— *A priori*, je ne risque rien au centre des affaires de Bombay. Building Ganesha, vingtième étage, 15 heures.

— Tu rencontres qui ?

— Un ingénieur indien, informé de tous les projets destinés à faire de son pays une puissance mondiale. Et celui qui nous intéresse a été pondu par la division Cadran, un secteur oriental de l'empire consacré aux drones.

— Moi, je ranime mes contacts à Bombay, notamment au centre de recherche atomique Bhabha, sur le site de Trombay, où a été préparée la première explosion nucléaire, en 1974, qui a contaminé le désert du Rajasthan. Au centre, un type m'adore, car j'ai oublié de le citer dans mon article sur la corruption des élites indiennes. Forcément, ça crée des liens.

Le poisson ne tenait pas au corps et le poulet avait un goût de revenez-y.

— Cette Indienne, questionna Apsara, tu y tenais beaucoup ?

— Elle m'intriguait. De la classe, intelligente, ambitieuse.

— Et pas froid aux yeux. Entre ses mains, tu n'as été qu'un jouet.

— N'exagère pas !

— Oh là, oh là ! s'exclama Bruce en attaquant des cheveux d'ange, on s'engueule pas pour des rogatons ! L'Irina, c'était un genre vache sacrée, complètement intouchable. Ici, on plaisante pas avec ces bestiaux-là. Alors, relax, cool *and* fun.

60.

Pendant que Bruce s'accordait une sieste, Apsara et Mark firent l'amour. Un amour jaloux, presque violent. L'un et l'autre avaient décidé qu'ils ne se pardonneraient rien. Tant pis s'ils se consumaient dans un feu dévorant.

La douceur de la peau d'Apsara rendait Mark fou de désir ; il aurait pu la caresser pendant des heures, mais elle savait l'interrompre pour le guider en elle.

Non, ils ne se perdraient pas.

Le rendez-vous.

Quand elle se vêtit d'un sari, Mark eut conscience d'être un privilégié. À certains instants, la perfection était de ce monde.

*

Du haut du perron, Apsara regarda Mark monter dans une Mercedes, avec deux gardes du corps. Sa démarche serait-elle couronnée de succès, une clé majeure se trouvait-elle en Inde ?

Un éclat de lumière obligea la jeune femme à baisser les yeux ; intriguée, elle repéra l'endroit d'où il provenait, un massif de bougainvilliers.

Muni d'une paire de puissantes jumelles, un Occidental déguerpissait.

Le bruit d'une moto.

Dévalant les marches, Apsara se jeta sur l'un des nombreux engins garés au pied du palais, un trois-roues Honda à moteur hybride. Quatre cylindres à plat, deux moteurs électriques. Sportif et facile à piloter.

— Mais qu'est-ce qu'elle fout ! grogna Bruce, qui avait observé toute la scène.

Seule solution : lui filer le train et l'empêcher de commettre une grosse bévue.

Déjà affolé par l'irruption de la Cambodgienne à qui il avait désigné un engin prêt à rouler, le gardien du parking fut complètement dépassé par l'apparition de Bruce, menaçant et pressé. Il lui recommanda un autre trois-roues, tout aussi facile à manier, et l'Écossais démarra en trombe.

Dans la circulation démente de Bombay, il avait neuf chances sur dix de perdre Apsara.

Mais pourquoi avait-elle pris la fuite ?

*

Chemise blanche à manches courtes, pantalon de toile bleue, lunettes de soleil, Galin Market ressemblait à un touriste s'amusant à découvrir la mégapole à moto, ce que ne recommandait aucune agence de voyages digne de ce nom.

Il roulait lentement, non pour éviter véhicules en folie ou piétons inconscients, mais afin de ne pas semer la fille qui le suivait. L'opération Mark Vaudois venait de débuter, et Market se chargeait de sa très jolie maîtresse asiatique.

À l'intérieur du palais de Malabar Hill, elle était plus ou moins en sécurité ; et l'exécuteur ne voulait pas provoquer d'esclandre. Quand il s'agissait de protéger les riches, la police indienne se montrait parfois active.

Tout en s'assurant que Mark partait bien pour son rendez-vous, Galin Market avait attiré l'attention d'Apsara en commettant ce qu'elle croyait être une erreur. Mais il n'en commettait jamais. Comme prévu, elle avait eu la certitude qu'il épiait le couple et, avec l'imprudence de la jeunesse, avait décidé de le suivre et de découvrir son identité.

Qui était-elle et que savait-elle ? Un interrogatoire correctement mené fournirait des réponses à ces questions. Et s'il s'agissait de la fille de Sambor, le Supérieur inconnu exécuté à Angkor, elles seraient peut-être intéressantes.

*

Apsara avait de la chance : le grand type à l'allure d'adolescent n'avait pas repéré sa présence et ne tentait pas de la semer. Prudent, il se frayait péniblement un chemin. À bonne distance, la jeune femme avait failli le perdre deux fois.

Une certitude la boostait : ce fouineur était mêlé, de près ou de loin, à l'assassinat de son père et à celui de Saint-John. Sinon, pourquoi aurait-il épié le palais de Bombay ?

Un pas essentiel : découvrir son repaire. Ensuite, avertir Mark. Ce fil-là les mènerait au centre du labyrinthe.

Le grand type s'arrêta à Churchgate Station, la gare des trains de banlieue. Il confia sa moto à un pouilleux, en échange d'un billet, et se dirigea vers les quais.

N'ayant pas d'argent, Apsara abandonna son trois-roues qui ne resterait pas longtemps en stationnement interdit.

Vu la densité de la foule, la filature ne s'annonçait pas facile ; au moins, aucun risque d'être repérée. À bout de souffle, bourrés de voyageurs jusqu'à la gueule, les trains locaux ne répondaient pas aux critères de sécurité internationaux et aux normes écologiques. Ramassant un vieux ticket qui lui servirait d'alibi en cas de contrôle, la jeune femme monta dans le même wagon que le grand type, toujours aussi décontracté.

Prochaine épreuve : s'extirper de la masse et descendre à sa suite.

La compagnie des chemins de fer indiens, Indian Railways, bénéficiait d'un ministère pour elle toute seule ; avec ses huit mille gares et plus de huit milliards de billets émis chaque année, son patron était une sorte de chef d'État. Et grâce aux bons soins d'une des têtes pensantes d'Alphabet, l'Indo-Américain Sundar Pichai, les principales gares de la plus grande démocratie du monde seraient bientôt connectées à Internet. Pour le reste, le confort, la sécurité et la ponctualité, la connexion serait plus lente.

Le long des voies conduisant en banlieue, l'horreur. Des *slums*, bidonvilles indigènes, régulièrement ravagés par la mousson et reconstitués à l'aide de tôles rouillées, de cartons, de journaux et de chiffons ; on récupérait tout et n'importe quoi, on brûlait des déchets d'où se dégageaient fumées et odeurs innommables, on survivait sans eau courante.

La situation se gâta lorsqu'une main tâta les fesses d'Apsara. En Inde, les viols de femme avaient fait grand bruit ces dernières années, mais l'épidémie continuait à se répandre. Et les transports en commun méritaient souvent leur nom.

Alors qu'elle essayait d'échapper à l'immonde, le train stoppa brutalement. Projetée vers une autre grappe humaine, Apsara aperçut au passage le grand type ouvrir la porte à grand-peine.

Il descendit et s'éloigna, nonchalant.

À coups de coude, la Cambodgienne percuta des ventres et réussit à gagner le quai au moment où la chenille métallique s'ébranlait.

Quasiment une banlieue chic. Des tours en béton, couleur jaune sale, toutes semblables ; entre elles, des terrains vagues, parsemés de trous d'eau croupie. Mais chaque bloc avait un numéro, tracé à la peinture.

Apsara touchait au but. À l'évidence, le grand type disposait ici d'un repaire. Il longea le bloc 28, n'accordant aucune attention à des éclopés dormant le long des murs et à des meutes de gosses, les uns amorphes, les autres déchaînés.

Quelques avides lookaient Apsara, un peu trop belle pour le quartier, et les femelles lui auraient volontiers arraché son sari. Il ne fallait pas s'embourber dans le coin.

Par bonheur, le grand type était arrivé à destination. Il s'engouffra dans le bloc 27, dont la porte avait disparu depuis longtemps.

Si elle repérait l'étage, ce serait parfait.

Le hall était une poubelle. Sur les détritus, un cadavre de chat. Quelqu'un montait l'escalier, et son rythme changeait lorsqu'il atteignait un palier. Puis il reprenait son ascension. Deuxième étage, troisième… Des coups frappés à une porte, des salutations, et le silence.

La jeune femme en savait assez. Maintenant, informer Mark.

En se retournant, elle se heurta au grand type qui lui agrippa les poignets.

— Vous êtes trop curieuse, mademoiselle Sambor. L'exécution de votre père ne vous a pas servi de leçon ?

61.

L'ancienne zone du fort, celui des colonisateurs anglais, était devenue le centre des affaires de Bombay. On y trouvait la Reserve Bank of India, la banque centrale du pays bâtie sur le modèle de la Banque d'Angleterre à Londres, de nombreux établissements financiers, la nouvelle douane, la Bourse du coton, les sièges de compagnies d'assurances, et une multitude de magasins et de restaurants. Des gratte-ciel surmontant la mer d'Oman affichaient la richesse de ce *business district*, reléguant à l'état de curiosités les vieux immeubles victoriens, dont le style variait du gothique à l'arabe.

Avant ce rendez-vous si important, Mark avait réglé le problème de son usine de drones répondant au slogan *Make in India*, essentiel aux yeux des politiciens, désireux de marquer le monde moderne de leur empreinte et, surtout, de ramasser un maximum de capitaux, dont une partie avait tendance à remplir les poches de leurs pantalons blancs bouffants. En raison des investissements annoncés, Mark était considéré comme une *persona très grata* et un grand ami de l'Inde.

La tour récente, ultramoderne, à laquelle se rendait Mark, était placée sous une réelle haute sécurité non seulement à cause de la crainte d'attentats islamistes semblables à ceux qui avaient semé la terreur à Bombay, mais aussi en raison des travaux sensibles effectués dans les bureaux et les laboratoires de cette bâtisse. Quelques-uns des meilleurs informaticiens indiens y poursuivaient des recherches sur l'intelligence artificielle, développaient des logiciels capables de prédire des crises économiques ou politiques, creusaient les fondements mathématiques des biotechnologies et profilaient les prochains drones. Un portique de détection détectant vraiment armes et explosifs, puis une charmante personne en tailleur de grand couturier.

— Nous sommes heureux de vous accueillir, monsieur Vaudois ; notre ingénieur en chef vous attend. Son bureau est au dernier étage, la vue est superbe.

La charmante personne ne se vantait pas. Par les baies vitrées, soigneusement blindées, on apercevait un porte-avions de la marine indienne. Un excellent champagne trônait sur une table basse en marbre vert, et l'équipement informatique de ce vaste espace sans papier était digne de la Silicon Valley.

En vedette, une batterie de smartphones, jouant le rôle d'assistants numériques, en toutes circonstances. Par exemple, régler la température de votre bain alors que vous êtes empêtré dans un embouteillage, vous demander de faire le plein avant de manquer d'essence, choisir le bon restaurant en fonction de vos goûts, vous inciter à décrocher avant le *burnout*. Et ce n'était qu'un début.

L'ingénieur apparut.

Une sacrée surprise.

— Déçu, Mark ?

— Toi...

— J'ai tellement changé ?

Les yeux noirs d'Irina Vindarajan étaient à la fois moqueurs et carnassiers. Vêtue d'une longue robe rouge, sa chevelure parfumée tombant en cascade sur ses épaules nues, elle avait le charme d'un vautour s'apprêtant à dévorer sa proie.

— C'est toi, l'ingénieur en chef ?

— Ça te dérange ? Les Indiennes ne sont pas que des bêtes à plaisir. Certaines ont même un cerveau.

Elle déboucha la bouteille de champagne, remplit deux flûtes et en offrit une à son hôte.

— J'apprécie cette potion en début d'après-midi. Elle éclaircit l'esprit, et tu en as besoin.

Tournant le dos, largement dénudé, elle contempla le port.

— Satisfaite de ta mission d'espionnage à Londres ?

— J'adore apprendre.

— Au cours de tes investigations, aurais-tu appris qui a fait exploser l'avion de mon père ?

Furieuse, elle se retourna.

— Tu n'as rien compris, imbécile !

— Explique-moi.

— Ma mission consistait à sauver Saint-John, après son erreur fatale.

— Laquelle ?

— Refuser d'investir dans le programme d'amélioration du cerveau humain. L'avenir de l'humanité est pourtant tout tracé, Mark, et il tient en quatre lettres : NBIC. N pour « nanotechnologies », B pour « biotechnologies », I pour « informatique », C pour « cognitivisme », à savoir l'intelligence artificielle. Grâce aux NBIC, il est déjà possible de modifier partiellement le génome ; demain, on ne se contentera pas de soigner les humains, on les augmentera, au sens de la « réalité augmentée » du numérique. Saint-John refusait cette réalité inéluctable, parce qu'il appartenait à la confrérie des Supérieurs inconnus. Un groupuscule, certes, mais jugé dangereux.

— Jugé par qui ? Ton employeur, Alphabet ?

— Alphabet n'est qu'un élément d'une machine mondiale fabriquée par les États-Unis, et que d'autres souhaiteraient s'approprier. Le gouvernement indien, par exemple ; ce pays compte un nombre remarquable de jeunes scientifiques engagés dans les NBIC, et les Occidentaux tentent de les débaucher. Moi, je les rassemble, notamment ici, à Bombay. Mes supérieurs connaissaient l'indépendance d'esprit de Saint-John et souhaitaient ardemment associer son empire au développement de l'Inde, sans se soumettre en permanence aux diktats américains. C'est pourquoi j'ai été chargée de te séduire pour mieux approcher ton père, comprendre le fonctionnement de votre centre de recherche européen et faire évoluer la situation. L'assassinat de Saint-John a bouleversé mes plans.

— Et tu t'es enfuie comme une voleuse.

— J'ai agi sur ordre, nous devions faire le point après cette tragédie. Et puis…

Elle regarda le port.

— Et puis ?

— Personne ne te croyait capable de succéder à Saint-John. Le poids serait trop lourd sur tes épaules, tes surveillants généraux se tireraient dans les pattes, et ton empire se disloquerait. Les vautours n'auraient qu'à ramasser les morceaux. Mais les premiers échos ne vont pas dans ce sens. Tu as dompté les fauves et tes premières directives n'affaiblissent pas l'empire, au contraire. Félicitations, Mark. À ta santé !

Il but une gorgée de champagne. Comment séparer la vérité du mensonge et savoir si ce cobra était sincère ?

— Et maintenant, Irina, on joue à quoi ?

— On repart de zéro et on progresse dans la bonne direction.

62.

La belle Indienne ouvrit un placard métallique et en sortit des objets qu'elle disposa sur le sol : trois récipients en terre cuite contenant de l'eau, de la cendre et une poudre minérale rouge, neuf pétales de rose, un godet rempli de paillettes d'or et une bougie qu'elle alluma.

— Il existe une étincelle divine cachée en toutes choses, affirma-t-elle, et certains êtres, par leur science et leur sacrifice, parviennent à la faire jaillir afin de repousser les ténèbres. C'est le cas des Supérieurs inconnus, et c'est pourquoi il faut les sauver. Contemple ce modeste rituel, Mark ; sous sa simplicité, il dissimule tous les éléments de la Création que nos technologies les plus pointues peinent à décrypter. Les Neuf connaissaient, dès l'Antiquité, le secret de la transmutation, et ils n'ont cessé de le transmettre. Cet or en est le produit, et cette poudre rouge une déclencheuse des mutations de n'importe quelle matière. C'est ainsi que les Supérieurs inconnus apprennent à pénétrer au cœur du vivant. Perdre leur mode d'emploi serait un désastre.

— Et grâce à lui, l'Inde aurait un coup d'avance.

— Les Américains sont des brutes qui ont anéanti l'une des plus belles cultures de la planète et continuent à se comporter en cow-boys, dont le dieu unique s'appelle Business. Seule l'Inde, nourrie par des millénaires de rites et de traditions, saura allier humanité et progrès. Consens-tu à l'aider et... à m'aider ?

Le regard d'Irina, à la fois suppliant et conquérant, aurait séduit un ascète endurci. Et son parfum, à base de lotus, envoûtait sa proie.

Opérant une manœuvre de diversion, Mark se resservit du champagne et contempla les substances révélées par l'Indienne.

— As-tu dévalisé un laboratoire alchimique ?

— Avant de partir pour les États-Unis, Saint-John m'a offert ce petit trésor.

— Tu veux dire que toi et mon père...

— Non, nous n'étions pas amants. Il avait simplement compris que les Supérieurs inconnus couraient un grand danger et souhaitait ma collaboration. Je n'imaginais pas qu'il disparaîtrait de manière aussi brutale. En m'attribuant ces objets, il excitait ma curiosité, et j'aurais eu mille questions à lui poser. Aujourd'hui, ces reliques te reviennent de droit.

— Un cadeau ne se reprend pas. Qu'attends-tu exactement de moi, Irina ?

— Sais-tu qui a tué ton père ?

— Je le saurai.

— Je peux t'aider. L'Inde, elle aussi, a envie de savoir.

— À condition de reconsidérer le refus de Saint-John et d'investir dans ses projets privilégiés.

— Saint-John s'est parfois trompé et a su changer de direction. À présent, tu es aux commandes ; à toi de décider, en songeant aux meilleures solutions pour favoriser l'essor de l'empire. Et la vraie urgence, afin de préserver l'idéal de ton père, consiste à sauver les Supérieurs inconnus encore indemnes.

Mark fixa l'Indienne.

— Comment as-tu appris leur existence ?

— De minuscules imprudences informatiques ont permis d'analyser les déplacements de Saint-John ; et certaines amitiés ont paru étranges à mes supérieurs, notamment celles d'archéologues, comme l'Afghan Massoud Mansour ou le

Syrien Khaled, tous deux exécutés avec une rare sauvagerie. J'ai osé en parler à ton père, et j'ai senti que je le touchais en plein cœur. Le don des reliques alchimiques, sans aucun commentaire, acheva de m'éclairer. La tradition des Supérieurs inconnus n'est pas considérée, en Inde, comme une légende enfantine. Et les remontées informatiques ciblées m'ont appris la mort brutale de deux autres archéologues, le Chinois Zhang Dao et le Japonais Hiroki Kazuo. Si nous n'intervenons pas, les Supérieurs inconnus seront réellement réduits à l'état de légende.

« Elle n'est pas informée de la mort de Sambor », pensa Mark. Un simple guide n'avait pas fait l'objet d'une rubrique nécrologique. Et ce détail plaidait en faveur de la sincérité d'Irina.

S'emparant du godet rempli de paillettes d'or, elle les exposa à la lumière.

— Mark, es-tu le Supérieur inconnu qui a succédé à Saint-John ?

— Si tel était le cas, crois-tu que je l'avouerais ?

Dépitée, elle s'assombrit.

— Alors, tu n'as aucune confiance en moi... Dommage. Ensemble, nous avions une chance. Une belle chance.

— Mon père voulait me parler. Il n'en a pas eu le temps. Et je ne laisserai rien tomber.

Un grand sourire illumina Irina.

— Tu acceptes... qu'on s'embrasse ?

La chaleur d'un corps parfumé, un abandon trop bien calculé...

Le baiser ne fut que de cinéma.

Elle s'écarta, espérant davantage.

— Je regrette mon comportement, à Londres ; je t'ai dragué afin de mener ma mission à bien, mais je ne t'ai pas oublié. Aujourd'hui, nous voilà dans le même bateau. Que tu sois vexé et rancunier, normal ; mais les enjeux sont trop importants pour bouder dans ton coin. Et je ne parviens pas à admettre que Saint-John ne t'ait rien enseigné.

— Pas à pas, il m'a formé à la direction de l'empire, sans que je m'en aperçoive.

— Et rien sur les Supérieurs inconnus, leur mission et leur savoir ?

— Rien.

— Ne connais-tu pas l'identité des survivants ?

— Je n'en ai pas la moindre idée.

— Pas même celle de Sphinx ?

— S'il ne s'agissait pas de mon père, elle reste à découvrir.

Irina fit la moue.

— En Inde, beaucoup croient encore à la réincarnation ; mais les sages aspirent à sortir du cycle des naissances et des morts afin de se fondre dans l'unité primordiale, une plénitude sans malheur, l'ultime changement où le changement ne se produit plus. Pour toi, si tu as été un homme juste, le moment d'y accéder est peut-être venu.

Mark perdit pied.

— Qu'est-ce que ça signifie ?

— Puisque tu ne sais rien, tu ne m'es pas utile. Et comme tu risques d'être un obstacle comparable à Saint-John, voire pire, mieux vaut t'éliminer.

Un vertige.

Les baies vitrées commencèrent à tournoyer. Contraint de s'affaler dans un fauteuil métallique, Mark n'avait plus la force de se tenir debout.

— Le champagne, expliqua Irina ; nos chimistes sont excellents, tu t'endormiras comme un bébé. Seule incertitude : seras-tu suffisamment un cadavre pour ne pas sentir les becs des vautours, quand on te déposera dans une tour de silence, non loin de ton palais de Bombay ? Je t'ai détesté dès la première seconde où je t'ai rencontré. Fils d'empereur, riche, si bien éduqué, un avenir tout tracé, séduisant, sûr de ses dons… Une belle statue que je suis heureuse de briser en mille morceaux. Si tu avais été d'une quelconque valeur, j'aurais avalé ma haine le temps nécessaire. Vu ton ignorance, nul besoin de différer ta disparition. Ce n'est pas un grand exploit. Je n'aurais écrasé qu'un insecte.

Se redresser, lutter… Impossible. La drogue paralysait Mark. La silhouette d'Irina se brouilla, alors qu'elle lui ôtait sa montre.

Deux hommes en blouse blanche s'approchèrent du condamné.

63.

Apsara avait tenté de s'enfuir, puis de se défendre, mais la poigne et le couteau de Galin Market l'avaient réduite à l'impuissance. Il l'obligea à entrer dans un appartement pouilleux du troisième étage de la tour, où résidaient deux brutes chargées d'exécuter les basses besognes.

À la vue de cette superbe femelle, leur regard s'alluma.

— Ce sont des violents, précisa Market, mais disciplinés. Ils obéiront strictement à mes ordres, sous peine d'être virés et de perdre un beau salaire.

À côté des bidonvilles, ici, c'était le luxe. Des fenêtres, des murs verdâtres, des tapis qui n'avaient jamais subi le passage d'un aspirateur, une table basse, des coussins défoncés, des toilettes qui auraient mérité un nettoyage au Kärcher et une kitchenette dont la saleté coupait l'appétit.

— Tu es du genre rebelle, petite, et tu ne répondras pas spontanément à mes questions.

— Essaye toujours.

Apsara se terra au fond de la pièce, le plus loin possible des deux Indiens, assis en tailleur, qui ne la quittaient pas des yeux.

— Puisque tu couches avec l'héritier de l'empire Vaudois, tu dois en savoir long. Au lit, tu lui extirpes sûrement des confidences.

— J'ai mieux à faire que de bavarder.

— Il t'a parlé de Sphinx ?

Elle demeura muette.

— Notre coopération commence mal. Je veux savoir tout ce qu'il t'a raconté et sur quelle piste vous êtes.

— C'est toi qui as fait tuer mon père par la police cambodgienne ?

— Chacun son boulot, gamine. Tu causes ou tu la fermes ?

— Je ne comprends rien à tes questions.

— Mes deux camarades vont t'attendrir et te rafraîchir la mémoire. Comme ils ont bien bossé, ces derniers temps, je leur laisse jusqu'à minuit pour s'amuser avec toi. Quand je reviendrai, tu parleras.

— J'ignore qui est Sphinx, et Mark n'a aucune piste.

— C'est marrant, je ne te crois pas. À tout à l'heure.

Galin Market quitta l'appartement.

Les deux types se déplièrent lentement. Âgés d'une trentaine d'années, mal rasés, le front bas et l'air buté, ils ôtèrent leurs chemises douteuses.

Apsara tenta de s'incruster dans le mur. Des cafards détalèrent sous ses pieds.

Les deux types baissèrent leurs jeans, qu'aucune machine à laver n'aurait réussi à décrasser.

Quand le plus laid posa sa patte sur l'épaule d'Apsara, elle hurla.

*

Mark flottait dans le brouillard. Pas de souffrance, mais impossible de bouger. Souvenirs, pensées confuses et peur se mélangeaient, avec l'impression de ne pas être vraiment mort, sans espérer revivre.

Le fourgon transportant le cadavre de Mark, recouvert d'un linge blanc, s'était arrêté à l'orée de la pente menant à l'une des tours du silence où les parsis, environ quatre-vingt mille à Bombay, déposaient les dépouilles des membres de leur communauté. Adeptes du prophète Zoroastre, ils avaient l'interdiction de polluer la terre, l'eau et le feu. Impossible, donc, d'enterrer et d'incinérer. Aussi utilisaient-ils des *dakhmas*, les « réceptacles des morts », à savoir sept espaces circulaires, les tours du silence, bâties au sommet de Malabar Hill.

Aux vautours de dévorer la chair morte. Et les ossements étaient jetés dans une fosse centrale, cernée de sable et de charbon de bois destinés à filtrer l'eau de pluie.

En raison de l'expansion de Bombay, ce dispositif écologique posait un problème. D'abord, les habitants des buildings modernes proches des tours du silence n'appréciaient ni les odeurs ni la tendance de certains vautours à lâcher sur leurs balcons des déchets innommables ; ensuite, le nombre de charognards avait beaucoup baissé, et la petite troupe restante ne suffisait plus à faire disparaître rapidement la totalité des cadavres. Les amoureux de la nature préconisaient l'élevage de jeunes oiseaux à l'appétit d'ogre, mais les parsis préféraient une technologie plus moderne, quoique discutable théologiquement, des panneaux solaires fonctionnant comme des grille-viande et atténuant les inconvénients d'une décomposition trop lente.

Vu l'augmentation du prix des terrains dans cette zone boisée et la voracité des promoteurs immobiliers, certains parsis songeaient à s'enrichir en oubliant leurs vieilles coutumes et en vendant leurs amphithéâtres de béton d'une trentaine de mètres de diamètre.

Pour Mark, ce serait trop tard.

Les deux porteurs déposèrent leur fardeau sur une plaque de marbre et s'empressèrent de quitter les lieux. Par chance, le soleil brillait et deux vautours tournoyaient dans le ciel.

64.

Disparus de la surface du globe, les taureaux sauvages, face auxquels leurs descendants actuels faisaient pâle figure, possédaient une particularité : malgré leur masse, savoir se déplacer sans bruit et se lancer à l'assaut avec une vivacité inattendue qui surprenait l'adversaire. Et tel était aussi le cas de certains éléphants en rogne, capables de se mouvoir silencieusement entre les porcelaines avant de dévaster le magasin.

Dans son approche de l'objectif, Bruce tenait à la fois du taureau et de l'éléphant. Dix fois, il avait cru perdre Apsara ; dix fois, il l'avait retrouvée. Le voyage en train : un calvaire, au milieu d'une foule vaguement hostile, mais abrutie. Descendre, un exploit de rugbyman défonçant la mêlée adverse.

Le cloaque de la banlieue, des cubes de béton à mourir d'ennui, des gosses rigolards, sales et agressifs, Apsara qui s'engouffrait dans un immeuble et n'en ressortait pas.

Terrain sûrement miné.

Bruce n'attendit pas longtemps avant de voir surgir un grand type, un Occidental, dont il grava les traits dans sa mémoire.

Pas de guetteur à proximité.

Il franchit le seuil de l'immeuble, traversa une poubelle et entendit des hurlements de femme.

L'Écossais grimpa l'escalier quatre à quatre, défonça la porte de l'appartement d'où provenaient les cris et visualisa la scène en un instant : deux maigrichons à poil s'apprêtaient à violer Apsara, à laquelle ils avaient arraché son sari.

Les mal-nourris ne faisaient pas le poids. Les poings serrés, Bruce fracassa le crâne du premier et, d'un coup de pied, ravagea le système génital du second.

Tassée sur elle-même, Apsara tremblait de tous ses membres.

— Faut se tirer d'ici, et vite.

Bruce lui tendit son vêtement déchiré. Pas mal bousillées, les deux ordures finiraient quand même par alerter leurs copains ou ameuter le quartier.

Apsara eut une réaction surprenante. En un instant, elle changea d'attitude. Recouvrant sa fierté et son élégance naturelle, la Cambodgienne se redressa et se vêtit de manière à peu près décente avec les vestiges du sari.

Bruce redoutait l'intervention d'une autre équipe de salopards, mais aucun pépin jusqu'à la gare où ils montèrent dans le premier train à destination de Bombay centre.

Apsara n'avait qu'une envie : se laver pendant des heures. Elle but une longue rasade de whisky au goulot de la flasque que lui offrit Bruce.

*

Une sensation de chaleur intense, puis de brûlure.

Incapable de bouger, Mark cramait dans l'une des tours du silence des parsis, sous l'œil patient d'un couple de vautours bien nourris. Ils attendraient que cette viande-là fût à point.

Plongé dans un four, il se remémorait son entretien avec Irina. Comme à Londres, elle l'avait mené en bateau. Ne travaillait-elle que pour le gouvernement indien ou servait-elle d'autres employeurs ? En tout cas, elle tentait de repérer les derniers Supérieurs inconnus et avait forcément joué un rôle majeur dans l'assassinat de Saint-John.

Mark progressait, mais il allait mourir, et l'Indienne, impunie et libre de ses mouvements, continuerait à sévir. Crever ainsi le mettait en rage, mais ça ne suffisait pas à vaincre la paralysie. Et la souffrance commençait à devenir intolérable. Même s'il avait pu crier, personne ne serait venu à son secours.

Un seul espoir : que les effets de la drogue se dissipent, au moins partiellement, avant qu'il ne soit rôti et cesse de respirer. Il se souvint d'un alpiniste mal équipé qui avait survécu toute une nuit dans l'Himalaya en songeant à ses proches et en façonnant des projets, mais lui, il avait froid…

Mark refusa de mourir.

Brûlé au pire des degrés, il repousserait ce foutu linceul et s'extirperait de cet enfer. Il fallait juste s'envoler comme un oiseau, même si c'était un vautour.

Et ça marcha.

Mark fut soulevé, l'atroce chaleur diminua, la puanteur des corps pourrissants se dissipa.

Les porteurs galopaient. Un fourgon, qui démarra en trombe. Enfin, on ôta le drap.

Malgré une vision encore chancelante, Mark reconnut son sauveur : tête carrée, nez cassé, cheveux coupés en brosse. George, l'agent action anglais.

— T'as de la veine mon pote ; je peux pas te blairer, mais on m'a ordonné de te coller au cul. Et pour moi, les ordres, c'est sacré. Il paraît que t'es un mec précieux. T'avoir empêché de griller me vaudra une bonne prime, mais t'as pas l'air frais. Direction l'hôpital. Rassure-toi, on te surveillera.

65.

La montre connectée de Mark continuait à émettre, depuis le building où il avait rendez-vous. Comme il ne rentrait pas à son palais et que la nuit tombait, Bruce laissa Apsara tremper dans son bain parfumé et se rendit sur place.

Avant qu'il ne s'engouffre dans la bâtisse, une tronche connue l'aborda. Un des commandos qui l'avaient libéré en Syrie.

— Ton patron n'est plus ici.

— Vous l'avez embarqué ?

— Je t'emmène à la clinique où il récupère.

— Dans quel état ?

— Je ne suis pas toubib. En route.

Bien que détestés, les Anglais avaient gardé quelques bastions à Bombay, notamment une clinique privée, dotée d'excellents équipements.

Pour atteindre la chambre de Mark, il fallut montrer patte blanche ; au moins, il était en sécurité.

Voir son pote bardé de tuyaux et entouré de machines qui contrôlaient ses fonctions vitales déstabilisa Bruce. Par bonheur, il avait quand même l'air vivant.

— Il se retapera, promit un médecin indien formé à Londres ; nous avons identifié le narcotique. À mon avis, pas de séquelles. Vu sa résistance au poison et son excellent bilan de santé, il sera debout avant la fin de la semaine.

— Je peux lui causer ?

— Quelques minutes. Ensuite, je lui administre un sédatif, et il dormira vingt-quatre heures.

L'Écossais s'approcha du lit, le regard de Mark se tourna vers lui.

— Alors, enfoiré, t'as joué à quoi ?

— Irina Vindarajan… Elle m'a piégé. Intercepte-la.

— Je fonce. Toi, gros dodo.

— Apsara…

— Magne-toi de sortir d'ici, elle s'impatiente.

Réconforté, Bruce repartait sur le sentier de la guerre lorsqu'il se heurta à George.

— Enfin une confidence intéressante !

— Tu écoutais, empaffé !

— Nous sommes des professionnels, mon gars. Cette Irina n'est pas une inconnue ; ce serait pas la fille qui a tamponné Vaudois à Londres et s'est exhibée à son bras ?

— Affirmatif.

— Et maintenant, elle a donné l'ordre de le faire griller dans une tour du silence ! Sacrée scène de ménage. Elle crèche où, cette rôtisseuse ?

— Comme si tu le savais pas ! Dans le building où Mark avait rendez-vous et que tu as placé sous surveillance.

— Embêtant, ça… Elle ne figure pas sur la liste du personnel. Un faux nom, ça implique des complicités. On va tâcher de dénouer quelques fils. En attendant, tu te calmes et tu vides une bouteille. Évite de ravager Bombay, ça m'irriterait. Si ma conscience m'y autorise, je te téléphone et on déjeune.

Grognon, Bruce rentra au palais. Les Britishs avaient l'affaire en main et lui, un coup de retard. Irina s'était évaporée, pour le moment aucun moyen de la retrouver.

*

Apsara récupérait.

Nouveau sari violet, chevelure parfumée, léger maquillage, visage reposé et lumineux, pieds nus d'une rare finesse.

— Mark ?

Bruce s'affala dans un fauteuil.

— En un seul morceau, phase convalescence, avec toubib et gardes du corps, à l'abri des microbes.

— Il est… grièvement blessé ?

— Juste un tantinet empoisonné, mais il sera bientôt d'attaque.

— Qui ?

— La tueuse locale qui l'avait dragué à Londres : Irina Vindarajan, informaticienne de haut vol.

— Où est-elle ?

— Dans la nature. Et ici, c'est vaste ! Une équipe de curieux s'en occupe, nous aurons des nouvelles.

— Je vais voir Mark.

— Il pionce jusqu'à demain soir. Et on devrait l'imiter. Moi, j'en ai plein les pattes ! Ça te vexerait de faire la barmaid, juste un instant ? Triple bourbon, le meilleur désinfectant.

— J'ai oublié de te remercier. Voici l'occasion de le faire.

Vanné, Bruce se sentait au fond d'une impasse. Et cette fois, même en fonçant tête baissée dans le mur, pas sûr qu'il le démolirait. En décidant d'éliminer Mark, le camp d'en face avait sifflé la fin des gentillesses. Le prochain territoire à explorer, si son pote et lui s'obstinaient bêtement, serait un champ de mines.

66.

Deux promeneurs dans Central Park, emmitouflés à cause d'une température fraîche et d'un vent glacial. La météo annonçait une tempête de neige qui paralyserait New York.

— Vous avez foiré, attaqua Dieter Cloud.

— Un impondérable, monsieur, répondit Galin Market, crispé.

— Vous êtes payé cher, très cher, pour les éviter et atteindre les objectifs fixés.

— Je vous assure que moi et mon équipe avons joué de malchance. Toutes les précautions avaient pourtant été prises.

— La preuve que non.

Market se sentait sur un siège éjectable, et sans parachute. Mais il fallait bien monter au rapport et ne pas dorer la pilule que son patron peinait à avaler.

— Je suis persuadé qu'Apsara ne sait rien. Quand elle a compris qu'elle allait être violée par deux bestiaux, elle est restée muette.

— Belle force de caractère.

— Dans ces circonstances-là, une femme craque.

— Pas la fille d'un Supérieur inconnu.

— Je vous assure que…

— Vos impressions ne m'intéressent pas, seuls comptent les faits. Et Mark Vaudois est indemne, lui aussi.

— Travail correct, mais le MI 6 rôdait dans le coin. La cible a été hospitalisée dans un établissement où sont soignés les agents britanniques.

— Et vous ne les avez pas repérés. Vous baissez, Market.

Le grand brun n'était plus du tout décontracté. Il avait sans doute conduit sa dernière mission et ne goûterait pas à une paisible retraite campagnarde.

— Mark Vaudois est sorti de la clinique et se repose dans son palais de Bombay, en compagnie de sa maîtresse et de son copain journaliste. Service de sécurité privé et contrôle discret des Britishs. Monter une nouvelle opération là-bas serait imprudent.

— Et votre Indienne ?

— Certaine d'avoir exécuté les ordres à la lettre, elle a quitté le pays aussitôt après avoir drogué Vaudois. Et son rapport est formel : il n'est pas un Supérieur inconnu et n'a pas la moindre idée de l'endroit où se cachent les survivants de la confrérie. Grâce à notre action ciblée, Saint-John n'a pas eu le temps de parler à son fils. Conformément aux instructions, Irina a donc éliminé cet inutile.

— *Tenté* de l'éliminer, rectifia Cloud.

— Lui, la Cambodgienne et Bruce sont en plein brouillard. Et maintenant, ils crèvent de trouille, hors jeu et inefficaces.

— Joli optimisme.

— Réalisme, monsieur. Ils ont compris qu'ils risquaient leur peau et n'étaient pas de taille. J'ai foiré, d'accord, mais l'avertissement les clouera sur place. Et si vous souhaitez poursuivre le processus d'élimination, je ne foirerai pas une seconde fois.

— J'y réfléchirai. Continuez à surveiller le trio.

Les deux hommes se séparèrent.

Se passer d'un pro aussi qualifié que Market semblait délicat, et il n'avait pas si mal défendu sa cause. Ses arguments ne manquaient pas de poids, et ce teigneux, en cas de nécessité, aurait envie de prendre sa revanche.

À moins que Mark, richissime fils de famille, ne décide de jeter l'éponge. Puisqu'il n'était pas relié aux derniers Supérieurs inconnus, pourquoi s'obstinerait-il sur un chemin sans issue, où il n'y avait que de mauvais coups à prendre ?

Que voulait l'héritier de l'empire, sinon l'identité de l'assassin de son père ? Dieter Cloud pouvait la lui fournir. Rassasié, ce jeune loup s'endormirait.

*

À l'arrière de l'ambulance, Mark occupait un siège confortable. Les bras bougeaient bien, les jambes coinçaient encore.

— Tu as réussi tes examens, annonça Bruce ; même ton cerveau est intact. Faut dire que vu son vide, tu ne risquais pas grand-chose. Heureusement que je suis là pour penser. Ta gamine t'attend en trépignant. Faut dire aussi que les Cambodgiennes, c'est pas de la tarte. La mienne n'est pas supportable, et la tienne vaut pas mieux.

Mark remuait les doigts. Par moments, c'était chouette de vivre.

— As-tu déniché Irina ?

— Route barrée. Notre copain George s'en occupe. Si elle a trois grammes d'intelligence, elle s'est cassée.

L'ambulance se gara au pied du perron du palais. Apsara accourut.

— Je me lève, décida Mark.

— Y a pas urgence, objecta Bruce.

— Tu me vois en petit vieux devant elle ?

En s'appuyant sur l'épaule de l'Écossais, Mark parvint à se tenir debout. Et la Cambodgienne lui sauta au cou, genre baiser de Rodin.

— Tu as mal ?

— Des courbatures.

— Un massage les effacera. Tu as les joues creusées, un bon repas s'impose.

Bruce tendit l'oreille.

— Langoustes, terrine de poisson, poulet au curry, croustillants de légumes…

Mark caressa doucement le front d'Apsara.

— Tu sais, j'ai cru que j'étais cuit.

67.

Apsara raconta en détail l'horreur qu'elle avait vécue. Une main sale sur ses seins, un sexe tentant de la forcer. Et puis l'irruption de Bruce, ouragan inattendu.

— Sans lui, ils m'auraient massacrée, assura-t-elle à Mark.

— Ne me déguise pas en ange gardien, protesta l'Écossais.

— Tu m'as sauvé la vie. Je n'aurais pas survécu à cette souillure.

Gêné, il remplit les verres d'un whisky correct.

— En tout cas, toi et moi, on a vu ce grand type brun !

Apsara montra à Mark un dessin que Bruce jugea fidèle.

— Nous tenons deux fils : Irina et ce bonhomme. En tirant dessus, on aboutira forcément quelque part.

Un domestique annonça la visite d'un étranger, impoli et pressé, un certain George.

Sur l'ordre de Mark, on le laissa monter jusqu'au salon kitsch, mêlant sculptures en stuc de divinités hindoues et tableaux représentant des monuments britanniques.

L'agent du MI 6 sifflota.

— Un peu chargé, mais ça manque pas de gueule.

— T'as pas l'intention de nous faire un cours d'histoire de l'art ? s'inquiéta Bruce.

— On va pas avoir le temps de s'offrir un gueuleton. Moi, je rentre à Londres. Et vous aussi.

— Et si ça ne nous chante pas ?

— Irina Vindarajan est partie pour les États-Unis, révéla George ; pas question d'embêter nos amis américains. Smith désire s'entretenir en privé avec Mark Vaudois. Une info sur la mort de son père. J'en sais pas plus, et ça ne me regarde pas. *Bye-bye.*

— Un instant, intervint Mark ; vous connaissez ce type ?

George examina le dessin.

— Jamais vu.

— Regardez mieux, insista Apsara ; un grand brun, l'allure adolescente et décontractée.

— Non, connais pas. Bon voyage.

Nerveux, l'agent du MI 6 décampa.

— Il ment, jugea la jeune femme.

— Pas besoin d'être voyant pour en être sûr, confirma Bruce ; si le grand type appartient à son service, on est mal.

— Improbable, objecta Mark ; en ce cas, il ne m'aurait pas arraché à la tour du silence. Je parie sur un concurrent.

— Un Ricain, par exemple ?

— Pas impossible.

— Il faut identifier cette trombine. On la peaufine et on la communique à tous nos réseaux.

— N'oublions pas cette Indienne qui voulait supprimer Mark, avança Apsara d'une voix aussi froide que posée. Elle aussi obéit à un donneur d'ordres, le véritable assassin de mon père et de Saint-John. Si j'ai la chance de mettre la main sur Irina Vindarajan, je ne pratiquerai pas le pardon des offenses.

— On rentre à Londres, décida Mark ; là-bas, je me retaperai et on lancera nos recherches avec un maximum de puissance. Et je suis curieux d'entendre Smith. Tu acceptes de résider à la maison, Bruce ?

— Tu sais, moi et les hôtels particuliers, surtout anglais…

— J'ai une chambre d'ami assez confortable. Elle méritera bien son nom.

— OK, OK… Il faut que j'appelle Primula.

Apsara caressa les cheveux de Mark.

— J'ai envie de te poser des questions d'amoureuse idiote : as-tu couché avec Irina, as-tu pensé à moi quand tu croyais mourir, pourrais-tu vivre sans moi ? Mais ton armure est trop épaisse. Elle te rend sourd, et c'est sans doute mieux ainsi.

Mark ferma les yeux.

— Irina est une fille superbe, intelligente, et capable de séduire n'importe qui, moi compris. Elle m'a traîné par le bout du nez et m'a chloroformé pour mener à bien sa mission. Sur l'échelle de la niaiserie, j'ai atteint le sommet. Mais elle ne m'a pas autorisé à coucher avec elle. L'amour, c'est pas son truc. Tromper, humilier, triompher du mâle en rut à l'œil stupide, c'est plus jouissif. Et elle a bien joui. Sa seule faute, c'est de ne pas m'avoir tué ; mon père me recommandait de ne pas me vanter de mes succès et de tirer profit de mes erreurs.

— Moi, je n'ai plus que toi. Et cette tigresse a voulu te dévorer. Les mangeuses d'hommes, on les supprime. Au Cambodge, pendant les périodes difficiles, j'ai appris à chasser.

Elle posa la tête sur l'épaule de Mark.

— J'ai refusé de mourir, Apsara, et n'ai songé qu'à l'impossible : devenir un oiseau et m'envoler, hors de l'enfer. Je n'ai pas eu de dernière pensée, car le voyage n'était pas terminé. La vie avait plus de force que le renoncement. Et cette vie-là, ce qu'il en reste, je ne la mènerai pas sans toi.

Apsara déboutonna la chemise blanche de Mark. Il n'avait pas encore besoin d'un appareil auditif, et l'armure commençait à se fendre.

68.

Tout le personnel de l'hôtel particulier avait été heureux d'accueillir Mark, encore plus Apsara, et nettement moins Bruce, dont l'allure ne correspondait pas exactement aux critères de la gentry britannique. Sa femme de chambre prévoyait des moments difficiles.

Mark convoqua Millard, le surveillant général de l'empire pour l'Europe, et lui ordonna de déployer toute sa puissance d'investigation afin de retrouver la trace d'Irina Vindarajan et celle du grand type brun dont le portrait avait été affiné par ordinateur. Lors d'une vidéoconférence sécurisée, le fils de Saint-John avait donné la même consigne à l'Asiatique Takushi et à l'Américain Dick.

Calé au fond d'un fauteuil en cuir vert à haut dossier, les pieds sur une table basse en granit d'Assouan, une bouteille de vrai whisky écossais à proximité, Bruce joignit ses nombreux indicateurs, du plus fiable au plus tocard.

Pendant une bonne partie du voyage, il avait fait un constat : tous les Supérieurs inconnus étaient liés à des monuments anciens. Les uns archéologues officiels, les autres reconnus comme les meilleurs spécialistes d'un site dont ils s'occupaient en permanence. Saint-John, exception à la règle ? Pas vraiment, puisque pendant son tour d'Europe de tailleur de pierre, il avait fréquenté cathédrales et abbayes.

En conséquence, les trois survivants, dont sans doute le Supérieur de la confrérie se cachant sous le nom de Sphinx, répondaient à ce critère.

Avant de se rendre au rendez-vous fixé par Smith, Mark ouvrit à Apsara la porte du bureau de son père.

Un sanctuaire.

— C'est ici qu'il se ressourçait. C'est donc ici qu'il a laissé des clés. Saint-John était trop lucide pour négliger les multiples dangers qui le menaçaient. Quand il les a jugés trop graves, il a décidé de me parler *vraiment*. Un peu tard... Auparavant, il ne m'estimait pas assez mûr. Les circonstances ont précipité sa décision. Néanmoins, il a balisé le parcours. Des livres, des brochures, des dossiers, des photos, une documentation à l'ancienne... Peut-être des personnalités et des noms qui reviennent. Tu veux bien commencer l'exploration ?

— Moi ? Mais...

— Vivre ensemble, c'est s'offrir une totale confiance, non ?

Le regard de la Cambodgienne s'enflamma. Le privilège que lui accordait son amant avait la violence d'une bourrasque. Un honneur et une épreuve.

*

La tradition des clubs anglais, discrets, confortables et réservés aux hommes, n'était pas un vain mot. On y fumait des cigares, on y consultait la presse en toute tranquillité, on y déjeunait de façon convenable et, surtout, on y rencontrait amis et ennemis à l'abri des médias. Nouer ou dénouer des complots, se transmettre des informations ultraconfidentielles, tantôt exactes, tantôt truquées, telle était la spécialité du club de Mayfair, fief des services secrets, où Andrew Smith avait convié Mark.

Son fin collier de barbe parfaitement taillé, l'air bonhomme, le haut gradé du MI 5 avait choisi un salon de style victorien. Porto vintage et canapés au concombre.

— Heureux de vous revoir en bonne santé, monsieur Vaudois ; votre séjour en Inde a été un peu chahuté.

— La chaleur y est parfois insupportable. Je suppose que je dois vous remercier ?

— Le mérite de votre survie revient à notre ami George, un remarquable spécialiste des opérations extérieures.

— Avec votre accord ?

— Chacun son domaine ; félicitons-nous qu'il ne vous ait pas lâché d'une semelle. L'énergie solaire n'est pas sans risque.

— Il va continuer ?

— Je ne dirige pas le MI 6. Néanmoins, j'ai entendu dire que la mission de George était terminée.

La réputation du porto avait souffert de bouteilles médiocres causant de sévères migraines ; celui du club valait le détour.

— Le cas d'Irina Vindarajan ne l'intéresse pas ?

— C'est une citoyenne américaine qui n'a commis aucun délit.

— À part m'administrer un narcotique et me faire griller dans une tour du silence !

— Impossible à prouver.

— Et le grand type brun qui a envoyé ma compagne à la boucherie, un citoyen américain, lui aussi ?

— Je ne vois pas de qui vous parlez.

Smith était friand de canapés au concombre, Mark ne les digérait pas.

— Et cette fameuse nouvelle concernant mon père ?

— Son assassin a été identifié.

Même de bonne tenue, le porto semblait un peu léger.

— La version officielle ne changera pas, indiqua Smith : accident. À vous, je dois la vérité, en exigeant votre parole que vous ne la dévoilerez à personne. J'insiste : à personne. Si cette condition n'est pas remplie, je me tais. Votre décision ?

— Vous avez ma parole.

Comment un roublard de la taille de Smith pouvait-il se contenter d'un engagement aussi primitif ? Dans son métier, ce genre de promesse équivalait à une blague de potache. Mark en conclut qu'il voulait transmettre son message à n'importe quel prix.

— Parmi les organisations terroristes internationales, expliqua Smith, il y en a une dont on parle peu et qui monte en puissance : le collectif antimondialiste et anticapitaliste. Il envoie des hordes d'excités sur le théâtre des grandes réunions internationales, et les gouvernements les tolèrent. Mais le mouvement comprend une section très violente, qui a décidé de frapper un grand coup, style Brigades rouges, en éliminant de manière brutale et spectaculaire un certain nombre de patrons d'envergure mondiale. Et votre père était le premier de la liste. L'enquête du FBI a permis d'identifier leurs complices à l'aéroport de New York et de localiser la cellule action. Une intervention musclée a été décidée, et ça s'est mal passé. Vous connaissez nos collègues américains, ils ont parfois un côté inspecteur Harry et détestent qu'on leur tire dessus. Ils ont donné l'assaut et n'ont pas eu le temps de philosopher. Pas de survivants chez les terroristes, qui se sont défendus comme des déments. Les coupables de la mort tragique de votre père ont été abattus et ne feront pas d'autres victimes. Les autorités américaines ne souhaitent donner aucune publicité à cette affaire, et j'ai votre parole que vous les imiterez.

Mark hocha la tête.

— Nous nous sommes emballés à propos de ces Supérieurs inconnus, déplora Smith. La fausse piste idéale. À supposer qu'ils aient existé, aucun rapport avec la disparition de votre père. De mon point de vue, affaire classée.

69.

Bruce avait légèrement modifié la chambre d'ami. D'abord, ôter les tableaux anciens qui lui fichaient le moral en l'air ; ensuite, changer les meubles de place en entassant dans un coin ceux qui lui déplaisaient ou ne servaient à rien ; enfin, mettre le lit dans le bon axe énergétique.

Quand Mark entra, il avait une tête d'enterrement.

— T'as l'air en pétard ! Un ennui avec nos barbouzes ?

Mark shoota dans un pouf qu'il expédia à l'autre bout de la vaste pièce.

— T'es encore un bon buteur ! Expire à fond et explique.

— Smith m'a servi une fable pour débiles ! Mon père assassiné par un groupe de gauchistes déjantés, planqués à New York.

— Et tous éliminés par des agents spéciaux du FBI, bien entendu.

— Bien entendu ! Affaire classée, les Supérieurs inconnus n'existent plus, et la vie redevient un long fleuve tranquille.

— Message à décrypter : les services britanniques ont reçu l'ordre de laisser tomber et nous conseillent d'en faire autant.

Mark tapa du poing sur un superbe bureau en chêne.

— Ça, je peux le savoir, et tout de suite ! Notre meilleur contact au Foreign Office crachera la vérité.

— Pendant que les ordinateurs moulinent, indiqua Bruce, je vais rendre visite à une crapule. Si quelqu'un peut identifier notre grand brun, c'est lui.

— Risqué ?

— Oh non ! Il est rangé des voitures. Mais je devrai peut-être le bousculer un peu.

Pendant que Bruce enfourchait la moto mise à sa disposition par le *butler*, Mark appela le numéro personnel d'un haut fonctionnaire pour annoncer sa visite. Le bonhomme avait survécu à plusieurs gouvernements et ne pouvait rien refuser à Saint-John. Rendez-vous fut pris devant un pub de Fleet Street, naguère la rue de la presse. La révolution informatique avait dispersé les sièges des grands journaux.

Avant cette entrevue, Mark passa par le bureau de son père. Vêtue d'une blouse orange translucide et d'un pantalon noir, pieds nus, les cheveux dénoués, Apsara feuilletait un gros volume relié consacré à la sculpture grecque et prenait des notes.

Concentrée, elle n'avait pas remarqué sa présence. S'il commençait à l'embrasser dans le cou, il serait en retard. Et son père lui avait appris la ponctualité. Sans bruit, il se retira.

*

Mark et son hôte marchèrent d'un pas tranquille. Ciel ouvert, pas de vent, température fraîche. Deux Londoniens parmi des milliers d'autres. Le pilier du Foreign Office portait un costume gris de bonne coupe, Mark une tenue sportive. Le spécialiste des affaires étrangères avait une voix sourde et s'exprimait avec lenteur, pesant chaque mot. La plupart des dossiers sensibles passaient entre ses mains, et son avis était écouté.

— Vous prenez donc la succession de votre père.

— Exact.

— Pleinement ?

— Pleinement.

— Bon courage. L'empire est une gigantesque machine qu'il n'est pas facile de contrôler. Votre père était une sorte de génie.

— Et les fils dilapident généralement leur héritage.

— En effet.

— Je tâcherai d'être une exception, genre Alexandre le Grand ou Wolfgang Amadeus Mozart.

— Vous ne manquez pas d'air.

— Mozart non plus.

Il fallait plusieurs siècles de diplomatie pour rester serein face à ce bélier qui rappela au notable l'une des redoutables colères de Saint-John, mécontent de ses services. Son fils ne s'annonçait pas plus commode ; à manier avec précaution.

— Comment puis-je vous être utile ?

— Vous avez reçu le rapport final sur l'assassinat de mon père.

— L'accident d'avion, rectifia le haut fonctionnaire.

— Je parle du *dernier* rapport, émis conjointement par le MI 5 et le MI 6, au nom d'une émouvante entente cordiale. Émouvante et rarissime.

— À circonstances exceptionnelles, attitude exceptionnelle.

— Et vous croyez à la fable des méchants anticapitalistes, capables de faire sauter un jet privé ?

— Pourquoi ne croirais-je pas aux conclusions de spécialistes sérieux et compétents ? Hélas, notre monde est de plus en plus violent !

— Nous démarrons d'un mauvais pied. Aujourd'hui, tout m'irrite. Moi aussi, je pourrais devenir violent et renverser quelques tables.

— Ne vous énervez pas, je suis décidé à maintenir avec l'empire les relations les plus cordiales.

Vu le salaire occulte que touchait le haut fonctionnaire depuis des années, Mark comprenait ses bons sentiments.

— Alors, la vérité.

— La thèse de l'accident sera confirmée et des détails techniques fournis aux médias. Nos amis américains, qui ont eu l'obligeance de nous révéler le complot contre votre père et d'en éliminer discrètement les auteurs, exigent en contrepartie un parfait silence. Il y aura forcément quelques rumeurs, mais les milieux altermondialistes démentiront, et les autorités également. La réputation de New York ne sera pas entachée, et nous éviterons des convulsions politiques.

— Derrière cette façade, les services continueront à se remuer.

— Absolument pas.

Étonné, Mark s'immobilisa.

— Vous vous moquez de moi ?

— En aucune façon.

— Vous voulez dire que, sur ordre des Américains, les services britanniques sont dessaisis du dossier Saint-John et de tout ce qui en découle ?

— Manière brutale de décrire une réalité complexe. La reine Victoria ne règne plus sur la planète, l'Europe est une mauvaise blague, et nous sommes obligés de nous conformer aux desiderata de la première puissance mondiale. Ne parlons-nous pas la même langue ?

— Tout s'est donc joué à New York.

— Tout se joue à New York.

— Et le MI 5 persistera à se préoccuper de ma petite personne ?

— Non, monsieur Vaudois. Ni de la vôtre, ni de celle de Bruce. Et le MI 6 pas davantage. À Bombay, vous avez eu beaucoup de chance et vous étiez protégés. Maintenant, vous ne l'êtes plus. Acceptez un fait : cette affaire est close, il n'y a plus de secret à percer ni de recherches à entreprendre. Que Bruce s'attaque à un autre sujet ; et vous, dirigez votre empire en ne vous souciant que de profits et d'investissements. La tranquillité n'est-elle pas un bien inestimable ?

70.

Laquée à mort, empestant le parfum d'une vedette de football qui faisait hurler les chiens, les ongles peints en noir et les lèvres en violet, la secrétaire de l'agence de mannequins regarda Bruce d'un œil effaré.

— Vous vous trompez d'adresse ! Ici on recrute des hommes élancés, jeunes et…

— T'as raison, cocotte, j'ai pas l'intention de défiler. Je viens juste voir mon vieux copain Karlo.

— Désolée, vous devez prendre rendez-vous.

— Ça m'ennuierait de bousculer ta permanente et de repeindre ta façade. Pour une fois que je suis de bonne humeur, ne me cherche pas. Annonce Bruce, tout de suite.

Négociation terminée et résultat positif.

— T'es bien installé, constata Bruce en découvrant le bureau fonctionnel du patron de l'agence, aux murs ornés de photos de filles et de garçons plus ou moins anorexiques et portant des fringues à crever de rire.

— Et dire qu'on appelle ça des créateurs…

Karlo était un petit moustachu, sec et nerveux.

— Qu'est-ce que tu fous chez moi, Bruce ?

— Visite de politesse.

— Tu vas pas baver sur la mode ?

— Si tu coopères, je retiens mes missiles.

— Coopérer, ça veut dire quoi ?

Bruce posa sur le bureau métallique la trombine du grand type brun.

— Comment il s'appelle ?

— Pourquoi je le saurais ?

— Parce que ta reconversion n'a pas effacé le passé. Ce qui m'intéresse, c'est ton vrai album photos.

— J'ai changé de vie, Bruce. La location de mercenaires au plus offrant, c'est fini.

L'Écossais s'empara d'un cigare cubain, mordilla un bout et l'alluma.

— Une bouffée d'humanisme m'envahit, et je fais semblant de te croire. Pourtant, j'avais le sentiment que tu n'avais pas cessé de gérer une bande d'affreux.

— Tu te trompes.

— C'est qui, ce grand brun ?

— Connais pas.

Bruce s'assit et tira une longue bouffée.

— C'est bête, j'avais la fibre pacifique. Et toi, tu déclenches les hostilités.

Soit l'Écossais dévastait l'agence et réduisait son propriétaire à un petit tas d'os brisés, soit il publiait une enquête documentée sur les dessous de son activité. Dans un cas comme dans l'autre, de gros dégâts.

— Admettons que j'aie une idée, une vague idée. Combien elle vaudrait ?

— Plusieurs mois d'hôpital en moins.

— Une bonne info, c'est pas gratuit !

— Avec tous les malheurs du monde, on baigne dans la bienfaisance. Les stars en dégoulinent, et tu es une star, non ? En plus, entre vieux amis, pas question d'argent.

Karlo comprit qu'il y avait du lourd. Après tout, il n'était pas payé pour sauver l'âme sanglante des mercenaires.

— J'ai peut-être aperçu ce gars-là.

— Quand la mémoire revient, on se sent soulagé.

— Je le connais pas, je l'ai juste aperçu.

— Tu l'as engagé quand ?

— Il y a tellement longtemps…

— Tu souffres pas d'Alzheimer.
— Une dizaine d'années.
— Destination ?
— Afrique.
— Genre coup d'État ?
— Un super pro. Méticuleux, efficace, prudent. Nettoyage garanti.
— Une vraie perle… Pourquoi tu t'en es séparé ?
— Il a trouvé un emploi fixe.
— Chez qui ?
— Pas la moindre idée. Ce style de curiosité, c'est dangereux.
— Son nom ?
— *Ses* noms. Dans le métier, on n'a pas qu'un passeport.
— Il existe deux sortes de gens : ceux qui savent et ceux qui apprennent. Moi je suis ici pour apprendre.
— John Wrayne, Ken Travolti, Adam Cloonar.
— Nationalité ?
— Australienne, vénézuelienne, allemande.
— T'es un super comique, Karlo, mais on se marre pas toute la journée, ça fatigue les zygomatiques et ça creuse les rides. Une horreur, quand on patauge dans la mode.
Karlo se recueillit et croisa les doigts.
— Si je cause, tu me fous la paix ?
— Comme le Conseil de sécurité de l'ONU.
— Pourquoi tu traques ce zigoto ?
— Affaire de famille. Chez les Écossais, c'est sacré.
— Je ne serai pas mêlé à vos retrouvailles ?
— Tu n'es même pas un cousin au dernier degré.
— Je te préviens, ce gars-là n'est pas un gentil. Tu risques gros.
— Je suis déjà gros.
— Tu te heurtes à un des plus beaux pedigrees du métier. Un chef d'État, plusieurs politicards, des hommes d'affaires, des contrats sur tous les continents, et pas une arrestation.
— Son nom ?

— Jeune, il s'appelait Galin Market. Aujourd'hui, je l'ignore.

— Et tu ne sais vraiment pas où il crèche ?

— J'aime autant l'ignorer.

La voix tremblante de Karlo prouvait sa sincérité.

— Pas mauvais, ton cigare. Ta secrétaire, en revanche, has been. Donne dans la classe, ça valorisera ton commerce.

71.

Le *butler* accueillit Bruce avec déférence.

— Monsieur désire-t-il un apéritif ?

— Où est Mark ?

— M. Vaudois entretient son physique à la salle de gymnastique.

Déchaîné, Mark fracassait un punching-ball pendant qu'Apsara crawlait dans la piscine à trente degrés. Comme elle avait oublié de mettre un maillot, Bruce lui tourna le dos.

Après sa carrière rugbystique, l'Écossais avait adopté la méthode de longue vie de Winston Churchill : whisky, champagne et surtout pas de sport.

Aussi se dirigea-t-il vers le bar, tandis que Mark continuait à cogner et qu'Apsara, sortant de l'eau, enfilait un peignoir.

— Pause, décréta Bruce ; ne t'abîme pas les mains.

En nage, le boxeur souffla.

— Toi, tu es en rogne.

— Tout le monde nous lâche, Bruce. Le gouvernement, les services secrets… Ou on renonce, ou on sera désintégrés. Plus de protection rapprochée.

— Renoncer à quoi ?

— À ton article, par exemple.

— Depuis que je travaille pour ton news, j'ai encaissé des dizaines de menaces. Et je n'ai jamais reculé, d'autant plus que j'ai des biscuits.

Mark le fixa, Bruce remplit trois verres.

— Le grand type qui voulait bousiller Apsara s'appelle Galin Market. Un super pro, très dangereux.

— Localisé ?

— Non.

— Employeur ?

— Inconnu.

— Pas l'ombre d'une piste ?

— On trouvera.

— Même s'il faut remonter aux Américains ? L'assassinat de Saint-John n'a pas été préparé à New York par hasard, et ce Market est certainement lié à l'opération.

Mark tripota son verre.

— C'était déjà chaud, ça devient brûlant. Moi, je veux venger mon père et je ne m'arrêterai pas en chemin.

— Pareil pour moi, décida Apsara.

— Vous me prenez pour qui ? s'indigna Bruce. Mon article, ce sera pas de l'eau tiède. Si c'est une réunion au sommet, tu as l'unanimité.

— Avant de trinquer, trois secondes de réflexion. On n'est pas dans le virtuel. Les cadavres ne se relèveront pas.

— Quand on a échappé à la rôtisserie de Bombay, on a un peps d'enfer. Ce qu'a vécu la gamine à Bombay l'a immunisée contre la peur. Et moi, j'ai du cuir à la place de la peau.

— Tu ne crois pas qu'on s'engage dans n'importe quoi ?

— Si, mais on n'est pas n'importe qui. Tu veux savoir, elle veut savoir, et moi aussi. Et ce genre d'emplette, ça coûte cher.

Quelques instants à se dévisager.

Puis ils levèrent leur verre et trinquèrent.

*

Dans la salle de vidéoconférence apparurent les visages des trois surveillants généraux de l'empire. Mark avait pris le temps d'étudier de multiples dossiers. Ses réponses furent brèves et précises, ne soulevant aucune protestation. Seuls le niveau des investissements en Asie du Sud-Est et le comportement de la place financière de Singapour furent l'objet d'un débat houleux. Mark trancha.

— Le cas Irina Vindarajan, messieurs ?

Les trois surveillants généraux débitèrent le même curriculum : naissance à Bombay, brillantes études, informaticienne de haut niveau, formée par Google, célibataire, nombreuses missions à l'étranger, ambitions justifiées, superbe carrière en perspective. Mais plus aucune trace de la belle Indienne depuis une semaine. Quant au portrait du type brun, néant.

Mark coupa la liaison avec Millard et Takushi, et ne conserva que Dick.

Pas besoin d'être diplômé en psychologie pour s'apercevoir que cette procédure n'amusait pas le surveillant général pour les Amériques.

— Il va falloir vous remuer, préconisa Mark.

— Qu'est-ce qui cloche ?

— L'assassinat de mon père a été planifié à New York, et des complices se trouvaient à l'aéroport.

— Des preuves ?

— Mon flair.

— Sauf votre respect, c'est un peu léger !

— Le type du portrait-robot s'appelle Galin Market. Un mercenaire qui a probablement organisé l'attentat. Je suis persuadé qu'il se planque à New York.

— Toujours le flair ?

— Toujours. Et ça vaut aussi pour Irina Vindarajan.

— Et revoilà la théorie du complot !

— Vous êtes en première ligne, Dick. Ouvrez l'œil et fouinez.

72.

Bruce trépignait.

— On va pas se tourner les pouces ici !

— Pas question de se précipiter à New York, décida Mark. Terrain piégé. Laissons Dick le déminer ; ensuite, on verra. L'urgence, c'est de repérer les trois Supérieurs inconnus rescapés.

— On est en plein brouillard !

— Apsara travaille d'arrache-pied.

— Pour quel résultat ?

— Demandons-le-lui.

Ayant entrepris une fouille systématique du bureau de Saint-John, Apsara remettait chaque livre et chaque document à la bonne place. Et sa capacité de concentration ne se démentait pas au fil des heures.

— Alors, gamine ?

— J'ai bientôt terminé.

— Et ça donne quoi ?

— Un intérêt pour tous les sites archéologiques de la planète, et les mêmes références que chez Hiroki Kazuo, déjà constatées dans la bibliothèque principale.

— Rien de plus ?

— Malheureusement non.

— Pas une note manuscrite, pas une préférence marquée pour tel ou tel site ?

— Pas la moindre. Mais il nous reste une carte à jouer, une carte que nous avons bêtement négligée.

— Eh bien, cause !

— Saint-John voyageait beaucoup, et certains de ses déplacements n'étaient pas strictement professionnels, puisqu'il rendait visite aux Supérieurs inconnus. Des réunions plénières et des entretiens en tête à tête. Si nous analysons la totalité des voyages de Saint-John, nous repérerons sans doute des destinations bizarres, sans rapport avec la gestion de l'empire.

— En ce cas, il les aura fait disparaître de son planning et on sera marron !

— Mon père ne se déplaçait qu'en jet. Rapidité, confort et sécurité. Le secrétariat nous fournira la liste de ses voyages officiels et, s'il y en a eu d'autres, quelqu'un les connaît.

— Qui ça ?

— Joss, le responsable de notre aéroport privé.

Bruce se tourna vers Apsara.

— Faut admettre que tu assures.

*

Trente ans de voyages, depuis que Saint-John avait fondé l'empire. D'après les documents rapidement fournis par les services informatiques, des destinations privilégiées, sans surprise : New York et Tokyo, où résidaient deux des trois surveillants généraux. Ensuite, plusieurs grandes villes des États-Unis abritant des laboratoires et des usines de l'empire, toutes les capitales européennes, asiatiques et africaines, sans oublier l'Australie, Moscou, Saint-Pétersbourg et même une escapade au pôle Nord où se livrait une féroce bataille pour l'exploitation de richesses cachées.

Dans la Rolls qui emmenait le trio à l'aéroport, Mark fit le point sur ce répertoire officiel.

— De Tokyo, mon père a pu se rendre aisément à Kyoto pour y rencontrer son frère Hiroki Kazuo en toute discrétion. Idem de Damas à Palmyre, naguère en paix, afin d'y voir

Khaled. À Pékin, s'entretenir avec Zhang Dao, archéologue officiel, ne posait pas de problème insurmontable. Et visiter Angkor après une réunion de travail à Phnom Penh pas davantage.

— Apsara aurait vu Saint-John, objecta Bruce.

— Parfois, mon père disparaissait deux ou trois jours, et me demandait de ne pas m'inquiéter.

— On a même des voyages à Kaboul, nota Mark, en vue de la reconstruction de l'Afghanistan, à laquelle l'empire souhaitait participer. En revanche, après la destruction des bouddhas et l'assassinat de Massoud Mansour, liaison interrompue.

Bruce était dépité.

— OK, Saint-John a pu contacter les six Supérieurs inconnus éliminés, mais ça ne nous procure aucune piste concernant les trois survivants !

— Un peu de patience. Joss va nous donner *l'autre* listing.

*

Ses cheveux avaient blanchi, ses rides s'étaient creusées, mais la passion de Joss demeurait intacte : bichonner ses avions. Dix coups de gueule par jour pour qu'ils soient impeccables et prêts à partir dès que le patron en aurait besoin.

L'arrivée de Mark, de Bruce et d'une fille sublime le dopa. Ça repartait.

— Rien à signaler ?

— Tout est clean, boss.

— Pas de curieux à l'horizon ?

— Je vous l'aurais gardé au chaud.

— On va dans ton QG.

Le bureau de Joss ressemblait à un grenier où seul le propriétaire, doté d'une mémoire d'éléphant, parvenait à se reconnaître. Entre la paperasse, les photos de zincs et d'aviateurs, les planisphères, les altimètres périmés et une accumulation de babioles liées à l'aérien sous toutes ses formes, pas facile de se frayer un chemin.

Bruce s'assit sur un bidon d'essence utilisé par Lindbergh, Apsara contempla des modèles réduits de bombardiers, Mark percuta.

— Mon père s'est envolé pour des destinations que toi seul connaissais.

— Ben...

— Et il t'a ordonné de ne pas les communiquer au secrétariat de l'empire.

— Votre père, c'était le grand chef. Alors...

— Tu as conservé un listing.

— J'aime l'ordre.

À voir le bazar, on en aurait douté, mais Joss en possédait les clés.

— On partage ton trésor ?

— Ça vous servira à quoi ?

— À découvrir l'assassin de mon père.

— Si c'est pour une bonne œuvre...

Joss fouilla dans une sacoche d'un pilote de la RAF. Une cinquantaine de feuillets écrits de sa main. Dates et destinations.

— J'aimerais autant que ça ne sorte pas d'ici. Les souvenirs, j'y tiens.

Le trio se mit à l'ouvrage.

Parmi ces vols spéciaux, destinés aux Supérieurs inconnus, du Tokyo, du Damas, du Kaboul, du Pékin, du Phnom Penh, prouvant que Saint-John avait prévu des séjours spécifiques avec ses frères, en dehors de ses activités commerciales.

Et le nom d'une ville où l'empire n'avait aucune implantation industrielle ni technologique : Florence.

73.

Qui savait que l'or des tableaux de Fra Angelico était de nature alchimique ? À ses milliers de visiteurs, Florence offrait un trésor dont ils n'appréciaient que la qualité esthétique, sans se douter de la science qu'il dévoilait sans la trahir. Lorsqu'on lui demandait une restauration, Sirius Xérion fabriquait l'or nécessaire dans son laboratoire et le facturait un prix dérisoire aux autorités administratives, ravies de cette collaboration efficace et peu coûteuse, à l'époque d'une pénurie culturelle croissante.

Quand le Supérieur inconnu florentin aurait disparu, des chimistes s'occuperaient de Fra Angelico comme du reste de la planète. Pourtant, en travaillant à la perpétuation de cette œuvre de lumière, pas toujours très catholique malgré les apparences, le vieux Supérieur inconnu oubliait les vicissitudes de son existence, désormais en péril. Six de ses frères exterminés, un qu'il avait tenté d'alerter, et la transmission probablement impossible. Le monde avait changé, au point de supprimer tout ce qui importunait son fanatisme, son matérialisme et sa technologie. Les Supérieurs inconnus étaient le dernier obstacle au tsunami, et ne pesaient pas lourd face à la vague géante. Pendant cinq millénaires, ils avaient traversé d'innombrables épreuves, manquant de s'éteindre à plusieurs reprises.

Point n'était besoin d'espérer pour entreprendre ni de réussir pour persévérer, et Sirius Xérion ne se plaignait pas de son sort.

Son seul souci, à présent, consistait à mener à terme le Grand Œuvre entamé, selon une voie simplifiée et inhabituelle, tout en respectant les préceptes enseignés par les alchimistes de l'Ancienne Égypte : « Ce qui est en bas est comme ce qui est en haut, ce qui est au commencement est comme ce qui est à la fin, pour accomplir le miracle d'une seule œuvre. Le Soleil en est le père, la Lune en est la Mère, le Vent l'a porté dans son ventre, la Terre est sa nourrice. »

D'abord, séparer le subtil de l'épais, dissocier les corps minéraux et végétaux pour isoler leur feu propre, en les desséchant grâce au sel alchimique. C'était ainsi que procédaient les anciens Égyptiens lors de la momification, afin de transformer une dépouille périssable en corps de lumière. Et ce sel était à la fois un feu qui ne brûlait pas et une eau qui ne mouillait pas.

Sirius Xérion songea aux innombrables scientifiques, dotés de moyens considérables et de technologies sans cesse plus performantes, à la recherche du secret de la matière et de la transmutation, alors qu'un homme seul pouvait les accomplir au sein d'un modeste laboratoire. Les Supérieurs inconnus avaient toujours estimé qu'il fallait étendre leurs bienfaits à l'humanité sans les dévoiler ; et la manière dont elle utilisait le « progrès », outil mis au service de la barbarie, de la violence et de la destruction, leur donnait raison.

L'alchimiste utilisa la minière des sages, symboliquement composée d'un corps de soufre, d'une âme de mercure et d'un esprit-de-sel. En dissolvant le fixe grâce au volatil, il obtint une substance granuleuse d'une belle couleur verte, celle d'Osiris renaissant hors de la mort. Feu inné dans la nature, il devint la matière première se corporifiant dans la lumière.

Animant la rosée végétale et l'huile minérale, Sirius Xérion obtint un élixir à base d'or potable, que les Anciens appelaient Quinte-essence ou Médecine universelle. Il avait permis aux Supérieurs inconnus de vaincre de nombreuses maladies, en traitant non leurs conséquences, mais leurs causes, principalement le système cellulaire. En possession de ce produit, Samuel Hahnemann, disciple de Paracelse, avait su tirer des conclusions majeures pour refonder l'homéopathie.

Cette « pierre liquide » n'était qu'une étape. Assurant la paix entre l'esprit et le corps, l'alchimiste l'épura et la sublima, répétant les opérations décrites sur les bas-reliefs des temples d'Abydos, de Dendérah et de Philae, en Haute-Égypte. Il parvint au *coagula*, la réunion des matières formant la pierre philosophale, diaphane, rouge et cristalline. De manière à la multiplier, donc à lui conférer sa pleine efficacité, il la broya et la réduisit en poudre. Cette fameuse poudre qui avait circulé dans une bonne partie du monde pendant des siècles et permis aux Supérieurs inconnus d'effectuer des transmutations pour fournir de l'or à des États menacés de destruction, des subsides à des êtres luttant contre le Mal et, surtout, de maintenir l'harmonie vitale face aux incessantes menaces d'extension du royaume de la mort[1].

La dernière fois qu'il avait vu Saint-John, ce dernier s'était interrogé : « Passerons-nous encore longtemps sous les radars ? » Impitoyable, la réponse n'avait pas tardé.

Sirius Xérion se recueillit devant le Grand Œuvre, cette pierre présente et cachée au sein de nombreux édifices sacrés bâtis à la surface du globe, afin de relier l'humain à l'invisible et à la source de vie d'où tout provenait. Et ce lien-là serait bientôt rompu.

1. Sur l'importance de la tradition alchimique, voir *Alchimie*, textes traduits et présentés par Bernard Gorceix, Fayard, 1980 ; Claire Kappler et Suzanne Thiolier-Méjean (éditeurs), *Alchimies Orient-Occident*, L'Harmattan, 2006 ; Jack Lindsay, *Les Origines de l'alchimie dans l'Égypte gréco-romaine*, Le Rocher, 1986 ; Alexandre Roob, *Le Musée hermétique. Alchimie et mystique*, Taschen, 1997 ; J. van Lennep, *Art et alchimie*, Meddens, 1966.

SPHINX

L'alchimiste referma la porte de son laboratoire. Alors qu'il s'habillait en vue d'une promenade, son téléphone sonna.

Une urgence au couvent San Marco. Le conservateur croyait avoir remarqué une légère dégradation sur l'une des fresques de Fra Angelico et réclamait l'avis de l'expert.

74.

Dieter Cloud n'était pas mécontent. Les convulsions du monde, des attentats terroristes aux élections bidouillées en passant par les turbulences boursières, ne ralentissaient pas la progression du projet majeur dont il était l'un des principaux acteurs. Ces aléas n'empêchaient pas les nouveaux maîtres du monde d'avancer à pas de géant pour développer les *big data*, l'Internet des humains et des objets, l'intelligence artificielle, la robotique, les biotechnologies, les nanotechnologies et la « réalité augmentée » de l'espèce humaine, promise à un bel avenir. À travers ces multiples techniques, l'essentiel restait cependant le contrôle et l'amélioration du cerveau. En provenance de plusieurs centres de recherche, américains, asiatiques et européens, les dernières nouvelles étaient réjouissantes. Demain, la programmation des masses, déjà bien entamée, serait une science exacte.

À l'initiative de Cloud, un point délicat, la sécurisation des transmissions entre ses agents, venait d'être résolu. Désormais ils auraient une puce soit ingérée, soit implantée sous la peau, la KAL, *Kill All Passwords* : « Tuez tous les mots de passe. » Connexion permanente avec le centre des opérations, et impossibilité pour un perturbateur d'entrer dans le système. L'homme devenait une machine, régulée par un biomarqueur qui l'empêcherait de dévier. À l'échelle du grand public, une révolution qui serait plébiscitée : selon Hannes Sjoblad, scientifique de la Singularity University de Suède, indissociable des États-Unis, cette puce insérée dans le corps humain évitera papiers d'identité et innombrables cartes. Grâce à elle, on paiera ses achats automatiquement, la lumière d'une pièce se déclenchera lorsque l'on passera le seuil, la qualité du sang sera analysée en permanence.

Priorité : mettre la main sur le marché des biopuces, environ douze milliards de dollars dès 2018. Une misère avant le pactole. Et puisque cette technologie se vouait à la protection de la santé, tous les organismes internationaux y étaient favorables. Ultime obstacle technique : la durée de vie de la batterie interne. Problème résolu : cent ans garantis. Excellente nouvelle : la firme américaine Apprecia Pharmaceuticals Co avait reçu l'autorisation des autorités sanitaires de faire avaler aux malades des pilules imprimées en 3D, qui caractériseraient leurs besoins individuels. De superbes informations en perspective.

Il neigeait, mais les joggers continuaient à fouler les allées de Central Park.

Bonnet de laine, anorak, bottes fourrées, Galin Market se porta à la hauteur de Dieter Cloud, engoncé dans son manteau de cachemire.

— Du nouveau, monsieur. J'ai peur que Mark Vaudois n'ait pas compris le message.

— Il bouge ?

— Lui, sa maîtresse et Bruce sont partis pour Florence.

— Certitude ?

— J'ai acheté un employé de l'aéroport privé. Florence n'a rien d'un centre économique exigeant la visite du nouveau patron de l'empire.

Cloud hocha la tête.

— Vos consignes, monsieur ?

— On intercepte.

— Définitivement ?

— Définitivement.

— Quand j'aurai éliminé la cible florentine, je m'occupe des autres ?

Dieter Cloud prit le temps de la réflexion. Mark Vaudois était plus redoutable que prévu. Il connaissait les trois derniers Supérieurs inconnus. D'abord, supprimer le Florentin ; ensuite, il aviserait.

— Après ton échec, montre-moi de quoi tu es capable.

*

Irina Vindarajan était méconnaissable. Cheveux coupés court, teinture blond vénitien, maquillage modifiant son visage et son regard. Dans un confortable appartement de Brooklyn, elle piaffait d'impatience et calmait ses nerfs en lançant des attaques informatiques contre l'empire Vaudois, contraint de trouver des parades.

L'apparition de Market la soulagea. Enfin, elle allait être fixée sur son sort !

Irina détestait ce type, à l'allure faussement adolescente et décontractée. Lui aussi avait changé sa physionomie. À présent, avec des cheveux gris, une petite moustache, des lunettes classiques et un costume bleu sombre, il ressemblait à un banquier de la City, style ancienne mode. Honorabilité garantie.

— Tu as tout raté, à Bombay.

— Merci de l'information ! s'insurgea Irina. Mais qui m'a fourni la dose de narcotique ? Et pourquoi n'as-tu pas repéré les Britishs ? Moi, j'ai fait correctement mon boulot !

— Tu oublies un détail : ton chef, c'est moi.

— Et ton chef à toi, il t'a félicité ?

Market ne cédait jamais à la colère, une tare dans son métier. Là, c'était limite.

— Maintenant, gracieuse, tu es à la rue. Et le choix est simple : ou je te liquide ou je te donne une dernière chance.

Malgré son ton doucereux, Irina savait que ce tueur ne plaisantait pas. Elle n'était pas en position de force.

— Je veux la peau de Mark Vaudois.

— Pour le moment, tu te contentes d'obéir à mes ordres.

Au moins, elle était sauvée. Comme toujours, elle s'adapterait.

— On part pour Florence. Sur place, je te désignerai ta cible. Et pas de droit à l'erreur.

— Il n'y en aura pas.

— À poil.

— Pardon ?

— J'ai les nerfs un peu tendus, en ce moment, et j'ai envie de me distraire avec ce qui me tombe sous la main.

— Dégage !

— Révolte inutile, gracieuse. Je suis ton patron, rappelle-toi. Ne m'oblige pas à te licencier.

Rageuse, Irina arracha ses vêtements. Nue, elle fixa le violeur qui se déshabilla lentement, soucieux du pli de son pantalon.

— J'ai des goûts un peu pervers, révéla-t-il, et j'ai l'intuition que ça va te plaire.

75.

Avant de s'envoler pour Florence en compagnie de Bruce et d'Apsara, Mark avait honoré plusieurs rendez-vous figurant sur l'agenda de son père, complet pour une bonne année. Il avait délégué un certain nombre de corvées aux trois surveillants généraux, mais certains banquiers et industriels tenaient à rencontrer l'héritier de l'empire et à s'assurer que la maison serait bien tenue. Grâce à des dossiers préparés au millimètre, Mark avait prouvé ses compétences ; entretiens musclés, décisions nettes et rapides, investissements ciblés.

À peine installé dans un confortable fauteuil de cuir blanc doté d'un système de massage, il dénoua sa cravate et accepta la flûte de champagne que lui offrait une sublime Apsara, vêtue d'un délicat tailleur de lin blanc. Bruce, lui, préférait un whisky écossais.

Le jet décolla en souplesse.

— À Florence, annonça Mark, on se répartira le travail. Il faut dénicher un super spécialiste, un érudit reconnu officiellement ou non, quelqu'un qui pratique à fond la tradition artistique florentine. J'ai une liste de conservateurs et d'autorités à consulter.

— Et si notre Supérieur inconnu est l'un de ces zigs ? s'inquiéta Bruce.

— Faisons jouer notre flair.

Appel urgent et codé.

Le visage de Takushi apparut sur l'écran de la montre de Mark.

— Je vous signale un détail bizarre. Selon les instructions de votre père, je dois verser aujourd'hui une somme respectable au Vatican.

— En quel honneur ?

— Votre père était membre du club des amis de la bibliothèque Vaticane. Et les fonds ont un but précis : restaurer l'armoire 135. Je les libère ?

— Allez-y. Un nom de correspondant ?

— Le père Pietro.

— Prenez rendez-vous, demain 8 heures.

Le visage du Japonais s'inclina et disparut.

— Petit détour par Rome, décréta Mark ; ce curé m'intéresse...

— Marrant, ce 135, observa Bruce ; 1 + 3 + 5 = 9. Neuf, comme les Supérieurs inconnus. Et si c'en était un ?

— Au Vatican, tout est possible.

— Un à Rome, un autre à Florence... Ils se connaissent forcément !

Mark bouillonnait, le jet parvenait à son altitude de croisière.

— J'ai une petite douleur à l'épaule, je vais m'allonger ; ça t'ennuierait de me masser, Apsara ?

Elle sourit et, d'un pas léger, se dirigea vers la chambre.

— Prenez votre temps, recommanda Bruce ; moi, je mange.

*

Tout en s'arrachant les cheveux à cause du changement de plan de vol, Joss avait organisé une sécurité maximale à l'aéroport de Rome. L'hôtel particulier des Vaudois, près de la villa Borghèse, était à l'écart de la pollution, de la circulation et du bruit. Saint-John, qui venait s'y reposer deux ou trois week-ends par an, avait aménagé une galerie d'antiques où figurait... un sphinx !

— Pendant que tu confesses ton curé, décida Bruce, on l'examine sous toutes ses coutures et, s'il le faut, on le démonte. C'est peut-être un coffre-fort.

La présence d'Apsara rassura le personnel de la vieille demeure, peu habitué à l'irruption d'Écossais géants, habillés à la diable.

La Cambodgienne régla les détails de leur séjour, qui s'annonçait bref, notamment la composition du prochain repas, en fonction de l'appétit de Bruce. Spécialiste des lasagnes à la crème fraîche et des escalopines de veau au citron, le cuisinier se réjouit de démontrer ses talents.

*

Le commandant de la garde suisse en personne reçut Mark et le soumit à un interrogatoire poli avant de le conduire au bureau du père Pietro, une petite pièce assez obscure, proche de la Biblioteca apostolica vaticana, fondée en 1475 par le pape Sixte IV. Elle abritait environ 1 200 000 volumes, dont 10 000 incunables, à savoir des ouvrages imprimés avant 1500. Si les salles de lecture étaient immenses, peu de privilégiés recevaient l'autorisation de consulter les trésors comprenant des ouvrages émanant de toutes les cultures et toutes les religions, rédigés en copte, en arménien, en grec, en persan, en éthiopien, en syriaque, en chinois et en beaucoup d'autres langues. Quant aux archives secrètes, où se trouvaient des Évangiles aussi détonants que celui de Thomas ou des révélations sur les véritables secrets des Templiers, elles demeuraient à l'abri de tout regard, comme si elles devaient ne jamais apparaître. Et la science des Supérieurs inconnus figurait en bonne place.

Âgé d'au moins quatre-vingts ans, le père Pietro semblait fatigué. Cheveux blancs, rides profondes creusant un visage tout en longueur, mains couvertes de taches brunes, vêtu d'un pull et d'un pantalon noirs, il examinait à la loupe un manuscrit enluminé du XVe siècle.

— Pardonnez-moi de ne pas me lever, je souffre des jambes et ne suis bien qu'en position assise. Heureux de vous connaître, monsieur Vaudois ; j'ai rencontré une fois votre père, un homme courtois et l'un de nos plus généreux donateurs, à travers l'association japonaise des amis de notre précieuse bibliothèque.

La voix ne tremblait pas, et l'œil ressemblait à celui d'un crocodile à l'immobilité trompeuse. Dans ce petit espace encombré de livres et de dossiers, Mark devait jouer serré.

— J'ai l'intention de marcher dans les traces de mon père.

— Dieu et nos inestimables archives vous en sauront gré. Contrairement à de pénibles rumeurs, le Vatican manque d'argent pour préserver les fragiles merveilles de cette bibliothèque unique au monde. Et les moyens modernes coûtent cher.

— Mon père tenait beaucoup aux volumes de l'armoire 135, et je suis prêt à doubler les dons afin qu'ils soient conservés de la meilleure manière possible.

Un long, très long silence s'ensuivit.

— L'Église est une ancienne institution, rappela le père Pietro en dévisageant son interlocuteur ; elle fut confrontée à quantité d'idéologies plus ou moins dangereuses et à des mouvements spirituels plus ou moins en désaccord avec sa doctrine.

— Les Supérieurs inconnus, par exemple ?

La voix du religieux devint tranchante.

— En dépit de votre générosité, le contenu de cette armoire ne vous appartient pas et reste notre propriété. Comme il s'agit de manuscrits antiques, les consulter exige une autorisation écrite de la main du pape. Actuellement, Sa Sainteté est en voyage.

— De quoi traitent ces manuscrits ?

— D'une pratique souvent condamnée, l'alchimie. Certains comparant la transmutation à la résurrection du Christ, mes prédécesseurs ont jugé bon de ne pas les détruire, d'autant qu'ils sont écrits dans une langue incompréhensible.

— Mon père les a-t-il consultés ?

— Il m'a indiqué qu'il en connaissait la teneur et que ces témoignages d'un passé révolu étaient ici en sécurité.

— Et personne n'est autorisé à les étudier.

— Personne.

L'impasse. À l'évidence, le père Pietro n'était pas un Supérieur inconnu, et sa position à l'égard de la confrérie demeurait ambiguë.

— Merci, mon père, de m'avoir accordé cet entretien. Veillez bien sur l'armoire 135.

— Un instant.

En proie à un vif débat intérieur, le religieux hésitait sur la conduite à suivre.

Mark retint son souffle.

— Ce monde est cruel, mais il existe des êtres bons. Quels que fussent ses engagements, votre père en était un. Il mérite que vous honoriez sa mémoire.

Tout ça pour ça... Le teint cireux, le père Pietro fut pris d'une quinte de toux.

— Le Seigneur ne tardera pas à me rappeler à lui, et je quitterai sans regrets cette vallée de larmes. À part moi, la seule personne qui a été autorisée à voir ces manuscrits est un restaurateur dont j'ai sollicité l'expertise. Il les a jugés en bon état et a fixé un protocole de conservation et de travaux à effectuer dans les prochaines années.

Le déclic.

Mark en était sûr : ce spécialiste, le Supérieur inconnu qu'il recherchait ! Mais si le père Pietro en restait là, il ne serait guère avancé.

— Malgré sa modestie, Sirius Xérion est le meilleur spécialiste de l'œuvre de Fra Angelico, si délicate à restaurer. Et Florence est son paradis.

76.

Bruce s'épongea le front. Le sphinx en calcaire n'était qu'un bloc de pierre taillée, qui ne préservait aucun secret. Méticuleux, l'Écossais avait malmené les autres sculptures, déesses grecques et bustes d'empereurs romains, sans aboutir au moindre résultat.

— On décolle, annonça Mark.

— Tu as quelque chose ?

— Le curé s'est confessé.

— Bon Dieu ! Notre bonhomme est bien à Florence ?

— Affirmatif.

Avertie par une hurlante de Bruce genre Tarzan, Apsara ne perdit pas de temps à se poudrer. Le seul à râler fut le cuisinier, dont le repas était prêt. Attentif à la détresse humaine, Bruce obtint un délai de grâce pour que soient transportés jusqu'à la voiture couverts, serviettes, cloches en argent contenant lasagnes et escalopines, sans oublier trois bouteilles d'un excellent montepulciano d'abruzzo. De quoi se sustenter sur le chemin de l'aéroport.

Mark appela Joss qui s'occupa en toute hâte du voyage et des mesures de sécurité, tant à l'atterrissage qu'au décollage. Un saut de puce entre Rome et Florence, mais tout aussi dangereux qu'un long vol.

*

Encore plus scrupuleux qu'à l'ordinaire, Galin Market, disposant d'un budget limité, avait mis en place un dispositif de surveillance qui lui signalerait l'arrivée de Mark Vaudois, Bruce et Apsara, à coup sûr par jet privé. La gare n'avait pas été négligée. S'ils utilisaient une voiture, ils seraient difficiles à repérer ; resteraient-ils ensemble ou se sépareraient-ils ? Ces incertitudes l'irritaient.

Un appel.

— Ils débarquent.

— Les trois ?

— Les trois.

— On prend en chasse. Toutes les équipes sur le coup, relais fréquents. Si vous êtes repérés ou si vous les perdez, je m'occuperai personnellement des nuls.

Mark ne se déplaçait pas pour rien. Il allait forcément conduire à la cible.

*

À Florence, l'empire possédait des galeries d'art et un hôtel de luxe d'où Mark lança plusieurs appels afin de débusquer un conservateur de musée au travail. Sa patience fut récompensée, et les lasagnes en cours de digestion grâce à une vodka bien frappée, il se rendit à un bâtiment administratif au cœur de la vieille ville où sommeillaient des fonctionnaires chargés de veiller sur le patrimoine culturel de la cité.

Un sexagénaire élégant reçut Mark dans un bureau peuplé de tableaux anciens et ressemblant à une salle de musée.

— Pardon de vous importuner, mais j'ai besoin de contacter un restaurateur de première force.

— Pour quel genre d'œuvre ?

— Un contemporain de Fra Angelico.

— Ah... Une tâche ardue. Je peux vous fournir une liste de spécialistes.

— J'aimerais le meilleur. Peu importe son prix.

— En ce cas, Sirius Xérion devrait vous convenir.
— Où le contacter ?
— À San Marco, le couvent de Fra Angelico transformé en musée.

*

— On tient le bon bout ! s'exclama Bruce.
— Et si le terrain était piégé ? suggéra Apsara.
— Probable, admit Mark. En ce cas, mieux vaudrait que tu restes à l'hôtel.

Le regard qu'elle lui lança le dissuada d'insister. Bruce se garda d'intervenir. La jeune femme n'avait pas absorbé des milliers de kilomètres pour jouer les potiches.

— Je t'équipe comme Bruce et moi : une montre connectée qui nous permet d'être en liaison permanente. Ce modèle-là n'est pas dans le commerce. Oublie son esthétique et cache-le sous une manche.

Mark lui apprit à s'en servir. La Cambodgienne répéta les opérations sans se tromper.

— Toi et moi, on sera de parfaits touristes visitant San Marco. Bruce surveillera l'extérieur et nous alertera en cas de danger. Soit nous avons la chance de tomber sur Sirius Xérion en plein travail, soit nous obtiendrons son adresse.

*

Aménagé en 1437 par Michel-Ange, le couvent de San Marco n'abritait pas moins d'une centaine d'œuvres de Fra Angelico, « le Frère angélique », de son vrai nom Guido di Pietro. Maître spirituel d'une petite communauté de dominicains, il avait créé un atelier d'art où ses disciples apprenaient à dessiner et à peindre. L'enluminure des manuscrits, produits par la bibliothèque, y était portée à la perfection. Cloître, salle du chapitre, réfectoire, hospice, cellules individuelles des moines : toutes les parties de ce couvent si particulier étaient peintes. Thèmes religieux, certes, mais souvent traités d'une façon surprenante, telle *La Dérision du Christ* où il apparaissait les yeux bandés, comme un adepte des anciens mystères, avant de recevoir l'initiation à la lumière.

Et puis cet or, brillant dans de nombreux tableaux et fresques, cet or alchimique dont Sirius Xérion connaissait l'origine et qu'il admirait à chacune de ses visites.

Répondant à l'appel du conservateur, il avait monté une fois de plus le grand escalier menant à un palier, que quelques marches séparaient des cellules.

Le conservateur l'attendait devant la fresque de *L'Annonciation*, montrant un ange qui s'inclinait devant Marie. À gauche de la scène, une palissade occultait le jardin fermé des alchimistes où s'épanouissait le Grand Œuvre. À la Mère par excellence, la matière première qu'exprimait notamment la rosée virginale, l'envoyé du Maître suprême annonçait la prochaine naissance du nouvel or.

— L'extrémité supérieure de l'auréole de la Vierge m'inquiète, déclara le conservateur ; ne la trouvez-vous pas un peu ternie ?

La récente restauration avait rendu tout son éclat à cette œuvre majeure ; disque d'or placé sous la tête des bienheureux en Égypte ancienne, le nimbe était la plus belle preuve de la transmutation.

Sirius Xérion l'examina attentivement.

— Rien de grave. Je m'en occupe dès demain.

Les échos d'une conversation, au bas de l'escalier.

Un homme demandait à un gardien où il pouvait trouver soit Sirius Xérion, soit le conservateur. Le préposé lui indiqua qu'ils venaient de monter vers les cellules.

— À bientôt, murmura l'alchimiste en s'empressant de descendre l'escalier.

Tête baissée, il croisa Mark et Apsara, persuadé qu'il échappait de justesse à un couple de tueurs.

77.

Mark s'adressa à l'homme en costume bleu qui contemplait la fresque de *L'Annonciation*.

— Vous êtes le conservateur ?

— En effet.

— Je cherche Sirius Xérion. Urgent et important.

— Il était ici pour un problème technique et vient de partir.

Apsara alerta aussitôt Bruce, qui arpentait le cloître en scrutant les visiteurs, et s'élança à la poursuite du fuyard.

— Vous connaissez son adresse ?

— Mais qui êtes-vous ?

— Un ami.

Le conservateur se renfrogna.

— Votre démarche est plutôt… singulière. Excusez-moi, j'ai un rendez-vous.

— Je m'appelle Mark Vaudois. Sirius Xérion est en danger de mort. Je dois l'intercepter avant ceux qui le pourchassent.

— Lui, menacé ? Un vieux bonhomme tranquille qui ne se préoccupe que d'art florentin !

— C'est pourtant la vérité. Et si vous ne me donnez pas son adresse, vous serez complice d'un assassinat.

Le conservateur fut ébranlé.

— Vaudois… Vous appartenez à la famille d'un de nos plus généreux mécènes ?

— Je suis son fils.

L'argument porta. Sans les Vaudois, le conservateur aurait dû licencier plusieurs employés. Et le jeune homme n'avait pas l'air d'un plaisantin.

— Sirius Xérion habite une vieille bicoque pas facile à trouver.

Mark enregistra les indications.

*

Ni Bruce ni Apsara ne maîtrisaient la topographie de San Marco ; courant dans tous les sens, ils tentaient de repérer un vieil homme en fuite qu'ils n'avaient jamais vu. Et lui savait comment s'échapper.

Lorsqu'ils se rejoignirent, la Cambodgienne et l'Écossais jurèrent de dépit.

À la porte du couvent, Mark.

— On l'a raté, constata Bruce, furibond.

— J'ai son adresse. On fonce.

*

Sirius Xérion reprit son souffle. Lui qui ne redoutait pas la mort était passé à deux doigts d'une exécution que son instinct de survie avait repoussée. Malgré sa courte avance sur ses poursuivants, la connaissance des lieux lui avait permis de les semer.

Impossible de retourner chez lui. Sans doute d'autres tueurs l'y attendaient-ils. L'alchimiste songea au Grand Œuvre récemment terminé et visible dans son laboratoire. Un profane ne saurait qu'en faire.

Après avoir marché une bonne demi-heure, Sirius Xérion pénétra dans un bar et commanda une bière afin d'étancher sa soif. Il s'attendait à l'irruption d'hommes armés auxquels il n'aurait pas la force de s'opposer.

Les minutes passèrent.

— La journée n'est pas trop moche, dit le serveur ; une autre bière ?

— Volontiers.

Xérion pensa à ses frères disparus et aux deux survivants. Son seul avenir, quitter l'Italie et trouver refuge auprès d'eux, s'ils étaient encore indemnes. Pour le Maître des Supérieurs inconnus, aucun doute. Les médias du monde entier auraient évoqué pendant des heures, voire des journées, sa disparition. En revanche, son serviteur le plus proche avait peut-être été identifié ; et sans lui, Sirius Xérion n'avait aucune chance de survivre.

À son âge, il hésitait. Rester à Florence et disparaître, ou partir pour un pays lointain ?

Autant tenter l'aventure.

Il sortit du bar et se mit en quête d'un taxi. Par chance, il y en avait un en maraude.

Au volant, une jolie femme. Une Orientale aux cheveux courts, vêtue d'un corsage mauve et d'un jean.

— Je vous conduis où ?

— À la gare.

De Florence, Sirius Xérion partirait pour Milan. Et il prendrait un avion à destination de son refuge.

— Avez-vous un chemin préféré, monsieur ?

— Non, non... À votre guise.

— Pas de bagages ?

— Non.

— Un court voyage ?

— C'est ça.

— Si vous préférez, je vous emmène. Avec les grèves et les retards, la voiture est parfois plus rapide. Il suffit de convenir d'un tarif.

— Désolé, je préfère le train.

Elle roulait prudemment.

— Vous allez où, exactement ?

Sirius Xérion se sentit mal à l'aise. Cette femme à la voix sucrée était bien curieuse.

— À Rome.

— Quelle jolie ville ! Il y a tant de monuments à visiter… Et puis le Vatican, quelle merveille ! Moi, je suis très croyante. Prier Dieu, c'est essentiel. Sans lui, que serait notre monde ? C'est quoi, votre métier ?

— Je restaure des tableaux anciens.

— Extraordinaire ! Fra Angelico, par exemple ?

— Par exemple.

Le taxi stoppa à un feu rouge.

Sirius Xérion ouvrit la portière donnant sur la chaussée. Une Vespa se faufilant entre les voitures la heurta, le rejetant en arrière ; blessé à l'épaule, il parvint néanmoins à s'extraire du véhicule.

Irina avait eu le temps de braquer son calibre.

Cette fois, pas question de se rater. La mission devait être accomplie.

Dès que la cible avait été identifiée, grâce aux filatures et aux écoutes à distance de Market, Irina était entrée en piste, conformément au plan.

Pas plus que les autres, celui-là ne parlerait. À l'Indienne de recueillir d'éventuelles confidences, mais sans sacrifier à l'impératif premier : l'élimination.

Puisque le vieillard tentait de lui glisser entre les doigts, elle tira, visant la nuque.

Toutes les balles atteignirent leur objectif. Le Supérieur inconnu s'écroula sur le capot d'une Fiat, provoquant des hurlements.

Profitant du tohu-bohu, Irina abandonna le taxi volé et se perdit dans la foule.

78.

Tendu à l'extrême, Mark frappa à la porte du petit palais délabré de Sirius Xérion. Chacun de son côté, Bruce et Apsara exploraient le jardin entretenu de manière sommaire.

Une pluie fine et glaciale, un silence épais.

Mark entra, bientôt imité par l'Écossais et la Cambodgienne. Un interrupteur leur procura une faible lumière. Du parquet fatigué, des boiseries anciennes décorées d'ornements végétaux, des moulures fissurées, des peintures à rafraîchir, une enfilade de pièces meublées de fauteuils, de commodes et de tables, la plupart recouvertes de housses.

Sirius Xérion vivait dans un cadre trop grand pour lui, et n'occupait vraiment qu'une cuisine proprette aux équipements surannés, une salle à manger au plafond peuplé d'angelots et une chambre monacale, aux murs nus.

— Ton alchimiste, observa Bruce, il roule pas sur l'or.

— Il a forcément un labo. On explore tout, de la cave au grenier.

Un panneau peint attira l'attention d'Apsara. Un jardin exotique, un couple royal près d'une fontaine, des animaux sauvages en prière… Étranges représentations. Ce panneau ne dissimulait-il pas une pièce secrète ?

Elle appuya à divers endroits, sans succès. Reprenant son observation, elle remarqua, en bas et à droite, une sorte de petit dragon rouge. En l'effleurant de l'index, elle sentit une protubérance.

La Cambodgienne l'enfonça.

Gagné !

Le panneau coulissa lentement. Derrière, antichambre, bureau et laboratoire.

Apsara appela Mark et Bruce.

— On peut rien te cacher, ma belle.

Dans l'antichambre, une penderie contenant une cinquantaine de costumes de grand prix, de belles chemises sur mesure, des cravates en soie et des chaussures raffinées. L'élégance italienne à son sommet.

— Un coquet, notre bonhomme ! Voilà à quoi il consacre ses revenus.

Des ouvrages d'alchimie et d'archéologie occupaient les rayonnages de la bibliothèque en chêne. Les mêmes références que celles de ses frères, trop nombreuses et trop variées pour remonter la piste des Supérieurs inconnus survivants. Sur la table, deux livres que Mark feuilleta, avant de découvrir le laboratoire. Des cornues anciennes, mais aussi des ustensiles modernes. Sirius Xérion utilisait un matériel abondant.

Au pied d'un four, le fameux athanor où s'opérait la transmutation, un petit cube d'or dont l'une des faces était teintée de rouge et une fiole contenant un liquide doré, ressemblant à de l'huile.

— Ce gus est opérationnel, constata Bruce, épaté ; ce serait pas la pierre philosophale et l'élixir de jouvence ?

Fascinée, Apsara se statufia. Et Mark en tremblait presque.

Le trio touchait du doigt une réalité interdite. Et Sirius Xérion possédait un autre trésor : un cahier rempli de dessins et de textes énigmatiques décrivant les étapes de la fabrication du Grand Œuvre.

Mark et Apsara songèrent à leurs pères respectifs. Eux auraient su déchiffrer ce langage, eux avaient pratiqué cet art indissociable d'une science transmise depuis des millénaires.

— On embarque, décida Bruce ; si le bonhomme ne revient pas ici, faudrait pas que des malfaisants mettent la main sur ce pactole.

S'arrachant à sa méditation, Apsara dénicha des chiffons et une mallette. Elle enveloppa soigneusement la pierre et la fiole ; avant qu'elle ne refermât le bagage, Mark y ajouta le cahier.

— On finit d'explorer.

Mince espoir : trouver un embryon de piste menant aux deux derniers Supérieurs inconnus.

Espoir déçu.

Sur le chemin de l'hôtel, des embouteillages monstres et des contrôles de police. Sur sa montre, Bruce consulta une chaîne d'infos en continu.

— Un assassinat en pleine rue à Florence. Attentat terroriste ou règlement de comptes. Identité et nombre des tueurs inconnus, témoignages contradictoires. Bilan provisoire : des blessés légers et un mort. Un vieil homme.

L'atmosphère devint sinistre.

À l'hôtel, chacun absorba un double whisky, et Mark contacta Millard pour qu'il actionne les leviers permettant de connaître les résultats obtenus par la police. Dans les médias, on se répandait en hypothèses affolantes, et Florence serait bientôt en état de siège.

Deux heures plus tard, Millard rappela. Et Mark apprit ce qu'il craignait d'apprendre. Identifiée par un gradé amateur de Fra Angelico, la victime s'appelait Sirius Xérion. Un restaurateur de peintures anciennes sans histoires, qui se trouvait au mauvais endroit au mauvais moment. Aucun renseignement fiable concernant le ou les assassins.

— C'est nous qui avons mené le tueur à sa cible, estima Apsara. Nous sommes complices de ce crime.

Exactement ce que pensaient Mark et Bruce, qui se resservit à boire.

— Une équipe entière nous file le train, affirma-t-il, et ce ne sont pas des amateurs. On leur sert de chèvres, mais ça prouve qu'ils n'en savent pas plus que nous.

— Et si on renonçait à traquer les deux survivants ? proposa Mark, atterré.

— On traque pas, on sauve !

— Tu parles de sauveteurs ! Notre dernier exploit ne te suffit pas ?

— Dis donc, toi, tu vas pas nous brouter avec une petite déprime ! L'assassin de ton père et la santé de ses potes, ça te booste plus ? Les dégâts collatéraux, on n'y peut rien. Et si on se dégonfle, les autres continueront et réussiront. À nous d'être les plus speed. Et si t'as plus de jus, pars en thalasso. Moi, je trace la route.

Une bagarre de vestiaire rugbystique étant sur le point d'éclater, Apsara arbitra.

— La partie n'est pas terminée, nous n'avons pas encore perdu. Au lieu de vous taper dessus, réfléchissons plutôt à la suite.

Cette invitation ne rehaussa pas le moral des troupes. Avec la mort de l'alchimiste florentin, le fil était de nouveau coupé.

La montée d'adrénaline activa le cerveau de Mark.

— On n'est pas les seuls responsables de la mort de Xérion. Si le père Pietro me l'a vendu, je n'ai sûrement pas été le seul bénéficiaire. Quand on veut être tranquille, on ne prend pas parti.

— Tu veux dire que ton curé a balancé l'alchimiste au camp d'en face ?

— Une franche conversation s'impose.

— Si tu as besoin d'un confesseur…

Mark bourra l'estomac de Bruce d'un coup de poing, et l'Écossais rétorqua.

79.

Les couloirs du Vatican auraient été un paradis pour les joggeurs, mais leur activité n'avait pas fait l'objet d'une bulle papale les autorisant à déambuler en training et à petites foulées. Aussi Mark et son hôte, un sexagénaire bien nourri vêtu de noir, se contentèrent-ils d'une démarche posée.

— Nous avons reçu votre demande de rendez-vous, monsieur Vaudois, et je suis ravi de vous accueillir.

— Le père Pietro ne serait-il pas disponible ?

— J'ai une bien triste nouvelle : ce saint homme a été transporté à l'hôpital où il est décédé. Son troisième infarctus de l'année.

— De votre point de vue, il repose en paix auprès du Seigneur.

— Nul n'en doute. En quoi puis-je vous être utile ?

— J'ai eu un excellent contact avec le père Pietro ; reprenez-vous ses activités ?

— Au pied levé. Un tel spécialiste ne se remplace pas aisément. On m'a indiqué que votre générosité contribuait à la survie de notre inestimable bibliothèque.

— J'aurais souhaité mieux connaître le père Pietro, tant sa personnalité m'intriguait.

— Moi également.

Mark eut le sentiment que le religieux était un tantinet perturbé dans ses horaires. Surtout, ne pas interrompre sa confession.

— Licencié en grec, en latin et en littérature contemporaine, le père Pietro a obtenu un doctorat en philosophie consacré à l'athéisme de Karl Marx. Sa thèse a séduit la curie, et il fut appelé à Rome comme réviseur théologique des discours qu'aurait à prononcer le pape. Spécialiste du dialogue avec les non-croyants, il a beaucoup voyagé dans l'ex-URSS, et rédigé un mémoire archéologique.

— Sur quel sujet ?

— Les sphinx de Saint-Pétersbourg.

— Sujet surprenant.

— Notre regretté père Pietro n'était pas un croyant ordinaire. J'espère que vous continuerez à vous préoccuper de l'avenir de la bibliothèque Vaticane.

— N'ayez pas d'inquiétude. Et célébrez une messe à la mémoire du défunt.

*

En tant que surveillant général de l'empire pour les Amériques, Dick avait tissé un réseau de contacts et d'informateurs. À plusieurs reprises, il avait réussi à extirper la fameuse aiguille de la non moins fameuse botte de foin.

Cette fois, il démarrait avec trois atouts : New York, Galin Market et Irina Vindarajan. Presque une overdose d'informations. Entre la CIA, le FBI, la NSA, quelques autres agences moins célèbres et son team d'enquêteurs privés, ce serait bien le diable s'il ne parvenait pas à repérer les bras de la pieuvre qui s'attaquait à l'empire Vaudois, donc à son job qu'il aimait par-dessus tout.

Et il ne détestait pas l'héritier. Loin d'égaler Saint-John, il n'en était pas indigne. Avec l'âge, il prendrait du poids. Puisqu'il ne pleurnichait pas sur son sort et mastiquait ses dossiers avec appétit, tout en déchiffrant l'avenir, il avait l'étoffe d'un grand patron.

Dick n'écouterait pas les sirènes de la concurrence et persisterait à servir l'empire.

— Votre rendez-vous, annonça sa secrétaire particulière, experte en discrétion et agendas cryptés.

Dick avait confié la coordination des recherches à un Latino d'une trentaine d'années. Cinq langues, Harvard, économiste, célibataire et ambitieux. Un prédateur bien habillé et dépourvu d'émotions.

Un jour, il frapperait Dick dans le dos et prendrait sa place. Aujourd'hui, il devait prouver son efficacité.

— Alors, Manuel ?

Le beau gosse s'assit et croisa les jambes. Cheveux et yeux noirs, large front, nez droit, pas de lèvres, voix posée.

— C'est pas de la tarte.

— Je ne vous ai pas promis du dessert à tous les repas.

— J'ai dû marcher sur des œufs.

— On ne va pas causer de nourriture pendant des heures. Vous me ramenez quoi ?

— Côté Irina Vindarajan, du vent. Elle a transité par New York et s'est envolée pour l'Europe.

— Rien de plus précis ?

— Malheureusement non.

Dick alerterait son collègue Millard.

— Et Galin Market ?

Manuel passa la main dans ses cheveux.

— Sujet délicat.

— Quand on désire grimper, on prend des risques.

— D'après notre meilleur informateur à la CIA, Market est un mercenaire au top des tueurs de l'ombre. Toutes les grandes agences ont utilisé ses services, avec un maximum de satisfaction. Grosse rémunération, travail soigné, ni fuites ni bavures.

— Pour qui travaille-t-il, aujourd'hui ?

— C'est la bonne question.

— As-tu la bonne réponse ?

— Personne ne souhaite se mouiller. Trop risqué. Mon seuil de compétences est dépassé, et je tiens à la vie.

Impressionné, Dick alluma un cigare. D'ordinaire, ce jeune loup n'avait peur de rien ni de personne.

— Autrement dit, tu me refiles le bébé ?

Manuel hocha la tête.

— Quelqu'un accepterait de causer ?

— J'ai un nom. À manipuler avec des pincettes, m'a-t-on prévenu, et très coûteux. Je ne suis pas de taille.

Manuel l'écrivit sur un bout de papier qu'il remit à Dick.

— Du lourd, reconnut-il. Tu as effacé toute trace de tes démarches ?

— Tout s'est déroulé en tête à tête et par oral.

— Tu as bien bossé. Prends une journée de repos.

Soulagé, Manuel se retira.

De l'extrémité de son cigare, Dick enflamma le morceau de papier et le déposa dans un cendrier où il se consuma. Si le financier dont Manuel avait écrit le nom employait un tueur de la taille de Market, la démocratie américaine risquait une explosion volcanique.

Stopper là ou tenter de donner satisfaction à Mark Vaudois en progressant à pas feutrés vers la vérité ?

80.

— Des sphinx à Saint-Pétersbourg, en Russie, marmonna Bruce ; ils doivent cailler !

— Les deux derniers Supérieurs inconnus se cachent peut-être là-bas, s'aventura Mark. Départ immédiat.

— Rien de plus précis ? s'inquiéta Apsara.

— Rien pour le moment. On avisera sur place.

Un appel urgent du surveillant général pour l'Europe. Pendant que Bruce enfilait son sac à dos et qu'Apsara bouclait une valise, Mark écouta ses doléances.

— Je vous rappelle votre dîner à l'Opéra-Bastille, demain soir.

— Annulez.

— Impossible. Vous avez rendez-vous avec les principaux patrons français. De très importants contrats à conclure.

— Remplacez-moi.

— Désolé, monsieur, c'est vous qu'ils veulent voir. Et j'ajoute que l'un d'eux m'a transmis un message confidentiel. Il désire vous parler d'un projet secret de votre père.

Mark fut ébranlé.

— OK, j'irai.

— Je m'occupe de tout pour votre arrivée et votre séjour à Paris.

— Prévoyez aussi une robe du soir et des bijoux.

« Un projet secret… » Le monde des affaires ou celui des Supérieurs inconnus ?

— Changement de programme, annonça Mark ; Apsara et moi, nous passons une soirée à Paris. Toi, Bruce, tu te rends à Saint-Pétersbourg et tu commences à fouiner. Auparavant, un petit détour par l'Islande. Pas seulement pour embrasser ta femme et ton fils, mais aussi pour mettre notre trésor en sécurité. Je ne vois pas de meilleur endroit.

Il lui tendit la mallette contenant la pierre et la fiole.

*

Dieter Cloud n'était pas mécontent de sa journée. Grâce à de judicieux placements, sa fortune venait de s'accroître de quelques millions de dollars ; une goutte à côté des investissements dans les nouvelles technologies dont la progression était foudroyante. Et ses employeurs lui avaient témoigné leur satisfaction, au regard des résultats obtenus. Cloud n'avait pas son pareil pour dégager le chemin, ôter les obstacles et supprimer les contestataires. Quand la maîtrise du cerveau humain était en jeu, pas question de tergiverser. Et ce n'étaient pas les comités d'éthique, si faciles à manipuler ou à acheter, qui s'opposeraient à ce progrès décisif.

Demeurait le reliquat de Supérieurs inconnus. Réduits à la taille des hirondelles, ces ex-dinosaures auraient dû être inoffensifs, avant leur totale disparition. Mais un individu changeait parfois la face du monde. Et sur le bureau de Cloud, la photo de l'inventeur de l'informatique lui rappelait cette réalité.

Il sentait le danger. Les survivants troublaient son sommeil, et son instinct lui dictait la nécessité de les éliminer jusqu'au dernier. Lorsqu'une espèce disparaissait, la nature se modifiait ; et celle des Supérieurs inconnus n'avait pas sa place dans le futur.

Appel codé et sécurisé de Galin Market. Une procédure d'urgence rarement utilisée.

Cloud s'isola dans sa bulle, une cage vitrée à l'abri des piratages.

— Mission accomplie, monsieur. Le trio a éclaté. L'Écossais dans une direction, probablement le retour à la maison ; le couple s'envole vers Paris. Vos instructions ?

— Ne les perdez pas.

— Aucun risque.

— Une nouvelle cible dissimulée en France. Repérage et nettoyage.

*

L'eau chaude d'une piscine naturelle, c'était bon. Avec Primula dedans, encore meilleur. Les flocons de neige se posant sur leurs cheveux ne gênaient pas leurs ébats, et Bruce se prenait encore pour un jeune homme. Comment cette sorcière s'y prenait-elle pour l'enchaîner à elle ? Question sans réponse, même pour un journaliste d'investigation, qui n'en finissait pas de découvrir le corps de sa femme.

Et ça creusait.

*

Pâté de sanglier aux airelles et omelette aux champignons, suivis de quelques pommes de terre sautées afin de ne pas souffrir d'anorexie. Et un vin espagnol titrant quatorze degrés, bénédiction des globules rouges.

Figé, Bruce Junior contemplait la mallette.

— Un trésor, déclara-t-il. Un grand trésor. Un très grand trésor.

— Tu n'as pas tort.

— C'est à toi ?

— Non, fiston. Un dépôt.

— On le garde à la maison ?

— Affirmatif.

— Personne ne le volera. Je sais où le cacher.

— Où ça ?

— Dans ma chambre, dans l'armoire aux génies. Quand il y a du danger, ils me préviennent et bloquent la porte. Les méchants ne peuvent pas entrer.

Primula donna son accord, Bruce s'inclina.

— Puisque tu repars demain, on mange et on dort. Après tes exploits, il faut ménager ton cœur.

Sagement assis, la langue pendante, Dante et Virgile apprécièrent les suppléments.

81.

Paris, la plus belle ville du monde ; les Champs-Élysées, la plus belle avenue du monde ; la gastronomie, les vins et les fromages français, les meilleurs du monde ; les plus beaux monuments et paysages du monde… Et la liste n'était pas complète. En revanche, côté rugby, pas de titre de champion du monde. On ne pouvait pas tout avoir.

Et depuis les attentats terroristes de 2015, en particulier celui du vendredi 13 novembre, la gaieté parisienne avait un peu changé. La ville que le jeune Mark avait connue et vaguement appréciée n'existait plus, il avait hâte d'en repartir.

Comme d'habitude, Millard avait organisé un parfait accueil, avec des mesures de sécurité dignes d'un chef d'État. Transfert direct de l'aéroport à l'Opéra où Mark et Apsara bénéficieraient d'une loge pour s'habiller. Au terme des obligations, retour à l'avion, direction Saint-Pétersbourg.

Il pleuvait. L'Opéra-Bastille donnait une représentation exceptionnelle de *La Traviata*, organisée par l'Arop, l'Association pour le rayonnement de l'Opéra, réservée au gratin : ministres, personnalités politiques et culturelles, vedettes désireuses de se montrer. Et surtout, les patrons du CAC 40 et les principaux industriels français qui se rencontraient lors d'un dîner très privé, où les invités étaient triés sur le volet. Pour Mark, l'entrée dans la nouvelle aristocratie hexagonale.

Le directeur de l'Arop accueillit fort aimablement le couple et le conduisit lui-même à sa loge, en lui souhaitant une excellente soirée.

Smoking grenat parfaitement taillé pour Mark, trois robes de grands couturiers pour Apsara. Elle choisit la plus discrète, d'un rouge profond, qui l'autorisait à bouger et à marcher. Un simple collier de perles et un bracelet de diamants ajoutèrent une dernière touche à sa beauté naturelle.

Ils se regardèrent, longtemps, comme s'ils se voyaient pour la dernière fois, tentant de graver dans leur mémoire un moment de bonheur.

L'heure de *La Traviata*. Pour un mozartien comme Mark, l'ennui mortel. Le ministre assis à la gauche d'Apsara n'avait d'yeux que pour son décolleté.

À l'entracte, champagne et petits-fours. Le directeur de l'Arop présenta à Mark une ribambelle de pointures qui préférèrent nettement la Cambodgienne.

Re-*Traviata*, re-déferlements vocaux et brouhaha orchestral. À 23 heures, la délivrance. Après les applaudissements, les auditeurs se levèrent.

La main droite d'Apsara serra le poignet de Mark.

— C'est lui, j'en suis sûre !

— Lui, qui ?

— Le type de Bombay. Il a changé de coiffure, porte une moustache et un smoking. Mais je le reconnaîtrais entre mille.

— Tu peux te tromper.

— C'est lui.

Le directeur aborda Mark.

— Monsieur Vaudois, vous êtes attendu. Un dîner de travail restreint. Madame m'accepte-t-elle comme chevalier servant pour notre réception de gala avec le Tout-Paris ?

— Désolée, je suis fatiguée.

Apsara s'éloigna, ne quittant pas des yeux Galin Market qui sortait de la salle au milieu de la foule huppée.

— Par ici, monsieur Vaudois.

Un ascenseur.

Septième étage. Un salon avec vue panoramique sur la tour Eiffel et le génie de la Liberté. Une table ronde et dix hommes qui pesaient très lourd dans l'économie française. Pas question de gueuleton : salade de tomates et filets d'omble chevalier. Eau minérale ou champagne. Et pas de round d'observation. Dès que Mark s'assit, tel un accusé devant un tribunal, les questions fusèrent.

Saint-John avait coutume de présider l'assemblée. Son fils n'était qu'un novice, mais il connaissait ses propres dossiers et ceux de ses interlocuteurs. Et le match de boxe tourna à son avantage. Chacun des prédateurs confirma son intention de préserver ses liens avec l'empire, voire de les renforcer.

Puisqu'on était entre gens de bonne compagnie, l'atmosphère se détendit. Les staffs autorisés à poursuivre de fructueuses collaborations, on s'autorisa à boire un authentique cognac XO avant de goûter un repos bien mérité.

Mark était en apnée.

Tout en affrontant la déferlante, il ne songeait qu'à Apsara, souhaitant qu'elle se fût trompée. En ce cas, elle avait déjà regagné la loge, et ils se retrouveraient bientôt. Mais si elle avait eu raison, quelle folie commettrait-elle ?

Galin Market n'était pas un tueur au petit pied. Rien de plus risqué qu'une filature.

Un quinquagénaire offrit un verre à Mark. Racé, un grand front dégagé, l'œil perçant, le nez droit, l'éminence grise de la chimie française refusait d'apparaître dans les médias. Impliqué dans l'automobile, l'informatique, les panneaux solaires et bien d'autres domaines, il avait porte ouverte dans plusieurs ministères.

— Vous avez été brillant et convaincant, monsieur Vaudois. Beaucoup pariaient sur votre effondrement.

— Et vous-même ?

— Je ne juge que sur pièces, comme votre père. Un personnage étonnant, qui m'accordait une certaine confiance, privilège rare à notre niveau. Si nous en parlions dans le salon d'à côté ?

82.

Apsara se félicitait d'avoir choisi une robe qui ne l'empêchait pas de se déplacer. Aérienne, elle se faufila entre des groupes d'amateurs de *La Traviata* critiquant la représentation afin de ne pas se laisser semer par un Galin Market tranquille, qui sortait sans hâte de l'Opéra-Bastille.

Mark en sécurité, Apsara avait une occasion unique de repérer un nid de frelons. Et le brouillard tombant sur la ville devenait son allié.

Market descendit les marches en souplesse. Si une voiture l'attendait, la jeune femme le perdrait. Heureusement, il s'éloigna à pied.

Et il resta seul.

Malgré le mauvais temps, un bon nombre de badauds. Indifférente au froid, la Cambodgienne garda ses distances. Marchant d'un pas égal, ne se retournant pas, Market s'engagea dans la rue du Faubourg-Saint-Antoine.

Son repaire devait donc être proche.

Régulant son souffle, Apsara longea les vitrines. Deux ou trois passants jetèrent un regard étonné à cette étrangère si élégante, qui avait oublié de mettre un manteau ou un imperméable.

Market pénétra dans une sorte d'impasse entre deux immeubles. Depuis le trottoir opposé, elle le vit pousser une porte et s'engouffrer dans un local du rez-de-chaussée, à gauche.

Sa planque.

Cet assassin à sa portée.

Apsara regretta d'avoir ôté la montre connectée qui lui aurait permis d'alerter Mark. Mais n'auraient-ils pas pris des risques inconsidérés en s'attaquant à un tueur professionnel ?

La chance servit Apsara.

Une patrouille de police. Comme disaient les autorités, le quartier devenait « sensible ».

Apsara allait signaler la présence d'un terroriste armé et dangereux. Après les attentats qui avaient semé l'horreur pas loin d'ici, ce sujet-là aussi était sensible. Prudents, les flics de quartier appelleraient des renforts, voire même des spécialistes. Et Market aurait du mal à s'en sortir.

Grave, la jeune femme marcha vers la patrouille. Elle revit le visage de son père, repensa à la banlieue de Bombay où elle avait failli être violée sur l'ordre de Market.

*

Bruce localisé chez lui, en Islande, Galin Market avait mis l'essentiel de son équipe sur le dos de Mark. Grâce à des relais savamment organisés, ils le ciblaient en permanence. Pendant que ses gars attendaient sa sortie de l'Opéra-Bastille où il dînait au septième étage, en compagnie des huiles du patronat français, Market avait décidé de procéder à une petite vérification : savoir si les services britanniques avaient effectivement lâché l'affaire et si personne ne le filochait.

Aussi avait-il adopté l'attitude du badaud moyen, pas pressé et ne se retournant jamais.

En cas d'importun à ses trousses, pas de souci. Placée en couverture, Irina l'éliminerait. Équipée d'une arme de poing provenant d'un quartier sensible, lui aussi, elle l'abandonnerait sur place, et les enquêteurs galoperaient sur la piste terroriste.

Irina avait vite repéré la Cambodgienne, qui tentait de se fondre parmi les passants. Market la conduisait dans un piège, une planque provisoire d'où elle ne ressortirait pas vivante.

Mais Apsara ne mordit pas à l'hameçon. Au lieu de s'engager dans l'impasse, elle rebroussa chemin et se dirigea vers trois policiers qui battaient le pavé.

Danger imminent.

Cette traînée leur raconterait n'importe quoi pour coincer Market. Et ça pouvait mal tourner.

Le visage masqué par un foulard, Irina Vindarajan s'approcha. À bonne distance, elle visa le dos d'Apsara et tira.

*

— Nous sommes tous très occupés, et je n'irai donc pas par quatre chemins, mon cher Mark ; votre père connaissait mon amour de la Russie, plutôt mal vu chez nos dirigeants, et souhaitait m'associer à un drôle de projet, en raison de mes excellentes relations avec les autorités locales. J'ai supposé que l'information vous intéresserait. Et peut-être reprendrez-vous le flambeau.

— De quoi s'agit-il ?

— De la chambre d'ambre.

Mark en avait vaguement entendu parler.

— L'un des trésors de Saint-Pétersbourg ?

— Un trésor disparu, volé par les nazis. Les touristes n'admirent qu'une reconstitution. Selon votre père, ce chef-d'œuvre ne comportait pas que de l'ambre, mais aussi une sorte d'or qu'il qualifiait d'alchimique. Et il avait l'intention de retrouver cette chambre.

— Ne serait-ce pas un tantinet… délirant ?

— Saint-John ne délirait jamais. Il avait besoin d'informations que seul un érudit résidant à Saint-Pétersbourg lui fournirait. Et ce bonhomme, je le connais. Toujours concerné ?

Mark bouillonnait. À l'évidence, l'un des deux derniers Supérieurs inconnus. Il essaya de garder un air détaché.

— L'entreprise ne me passionne pas, mais il est important d'honorer la mémoire de mon père. D'accord pour discuter avec votre ami et, sans doute, dissiper ce rêve.

L'industriel parut gêné.

— Probable, en effet. Ce n'est pas à vous que j'apprendrai l'importance d'un bon renseignement. Or, Saint-John était dur en affaires, très dur. Malheureusement, mon groupe avait des relations trop distendues avec l'empire, ces derniers temps. Millard, le surveillant général Europe, bloque deux ou trois contrats auxquels je tiens. Ne serait-il pas opportun de célébrer nos nouvelles relations en les débloquant ? Ni vous ni moi n'y perdrons, je vous en donne ma parole.

— Je m'en occupe.

— Mon ami russe se nomme Vladimir Rouchkine. Comme dans le passé, il a eu quelques ennuis avec la police, pas d'adresse fixe. Je vais vous expliquer comment le joindre.

83.

À 23 h 30, festivités et entretiens particuliers terminés, l'Opéra-Bastille déserté. La plupart des grands patrons se levaient tôt et avaient des agendas surchargés.

Dans la loge, pas d'Apsara. Comme elle avait abandonné sa montre connectée, pas moyen de la contacter.

Mark descendit au garage, où sa voiture était surveillée. Le chauffeur n'avait pas revu la Cambodgienne. Et ce qu'il apprit à Mark lui glaça le sang.

— Un attentat terroriste à proximité. La police boucle le quartier.

— Des victimes ?

— Des policiers et des civils. On parle d'une femme, mais le bilan n'est pas encore établi.

Se rendre sur place… Inutile. On lui barrerait le passage. Mark alerta Millard et lui demanda d'obtenir des renseignements fiables.

Pendant plus d'une heure, il tourna comme un ours en cage. Enfin, Millard rappela.

— Deux policiers grièvement blessés et une femme. Une… Une Asiatique.

— Où a-t-elle été transportée ?

— À l'hôpital le plus proche, Saint-Antoine.

— Prévenez le directeur de mon arrivée.

Contre l'avis de ses gardes du corps, Mark s'élança à pied vers l'hôpital qu'il atteignit en une dizaine de minutes.

Aux urgences, une animation inhabituelle. Un policier l'interpella.

— Mark Vaudois. Le directeur m'attend.

Vérification faite, Mark fut autorisé à monter au bureau qu'occupait un fonctionnaire grisonnant, pénétré de son importance.

— Je veux voir la femme blessée.

— Impossible, elle est en salle d'opération.

— Vous souhaitez l'identifier ou non ?

— Bon… d'accord.

À travers la vitre du bloc, malgré les tuyaux et le masque, aucun doute possible.

— Le pronostic vital est engagé. Voilà, bien évidemment, ce sera compliqué…

Une belle synthèse de toutes les expressions ressassées en France à longueur de journée.

— Si vous avez identifié formellement la personne, je vous envoie un inspecteur.

— Je ne bouge pas d'ici.

L'esprit de Mark flottait entre deux eaux. Ces murs ternes lui paraissaient irréels, des fantômes s'agitaient, le soleil ne se lèverait plus. Il n'y aurait pas de vie sans Apsara.

— C'est vous, le témoin ?

Mark leva les yeux vers un râblé d'une quarantaine d'années. Entre l'inspecteur et lui, l'antipathie fut totale et immédiate.

— Vous vous appelez comment ?

— Mark Vaudois.

— Et la victime ?

— Apsara.

— Nationalité ?

— Britannique.

— Vous êtes mariés ?

— Non.

— Et vous étiez où, au moment des faits ?

— Quels faits ?

— Juste une fusillade, et deux collègues qui ont morflé. Alors, t'étais où, entre 22 et 23 heures ?

— Au septième étage de l'Opéra-Bastille, avec de grands patrons français.

— Et moi, je m'appelle Napoléon. Et pendant la fusillade, t'as vu quoi ?

— Rien. Je n'y étais pas.

— Je t'embarque.

— Dégage.

— Pardon ?

— Je reste auprès de ma compagne.

— Tu sais à qui tu t'adresses ?

— À un imbécile.

— Injure à un représentant de la force publique… En ce moment, ça coûte cher. Tu te lèves et tu me suis gentiment.

Mark demeura aussi immobile qu'un bloc de granit.

— Une forte tête… Ça me plaît. On va te gâter.

L'arrivée du haut fonctionnaire en relation avec Millard empêcha un choc frontal. Il attira l'inspecteur à l'écart et, sans élever la voix, lui remit les idées en place.

— C'est arrangé, monsieur Vaudois. D'après les premiers rapports, une femme a tiré sur la malheureuse et les policiers auxquels elle s'adressait. La criminelle s'est enfuie. Selon toute probabilité, une action terroriste contre les forces de l'ordre. Excusez mon collègue ; en raison des circonstances, on est tous un peu à cran. J'espère que la victime s'en sortira. Notre enquête sera vivement menée, soyez-en sûr.

Une femme… Irina ? Elle ne le lâcherait donc jamais ! Tuer Apsara, quelle jouissance ! Mark oublia cette démone, se concentrant sur la Cambodgienne aux prises avec la mort. L'amour, une aide dérisoire ? Il n'avait pas d'autre remède. Être auprès d'elle, lui faire sentir qu'elle ne luttait pas seule.

Les heures passèrent.

Si l'inertie était une force, Mark en avait découvert le secret. Quand le chirurgien et son équipe sortirent de la salle d'opération, il ne réagit pas.

— Votre femme ?

Mark hocha la tête. Le chirurgien avait la tête de l'acteur américain Robert Mitchum.

— J'ai opéré des blessés de guerre pendant cinq ans. En rentrant à Paris, je n'imaginais pas me retrouver à Bagdad ou à Damas.

— Elle… Elle survivra ?

— Je n'en sais rien. Les trois balles ont causé des dégâts considérables, c'est un miracle qu'elle ne soit pas morte. Aucune certitude avant une semaine.

84.

Mark retourna à son jet d'où il pouvait communiquer avec Bruce en toute sécurité. Réveillé à 5 heures, l'Écossais ne râla pas, puisque c'était son pote.

— Je laisse tomber, Bruce. Trop de casse.

— Explique.

— Apsara.

— Tu veux pas dire…

— Trois balles dans le dos. Pas sûr qu'elle s'en sortira. Je reste avec elle et j'arrête les frais. Sinon, on y passera tous.

Encore embrumé, l'Écossais peinait à trier émotions et pensées.

— C'est du brutal et tu en prends plein la poire, mais tu n'es pas du genre à bloquer dans la montée !

— Il faut connaître ses limites.

« Il est amoureux comme un ado, et ça le fout en l'air », estima Bruce.

— C'était quoi, l'info à propos de ton père ?

— Une piste menant à un Supérieur inconnu.

— Dans quel bled ?

— Saint-Pétersbourg.

— Tiens donc ! Et ça te paraît sérieux ?

— Très.

— Tu as des modalités de contact ?

— J'ai.

— Bichonne ta chérie, c'est logique, et surveille les toubibs. Moi, je laisse pas tomber. Tu me refiles tes tuyaux et je pars chez les Russes.

— Non, Bruce. Je ne veux pas te perdre, toi aussi. Mon père, Apsara, tu ne crois pas que ça suffit ?

— Tu vas pas jouer le patron licenciant son employé ? C'est *mon* reportage, et j'irai jusqu'au bout. Et si tu refuses de me communiquer tes biscuits, je les dénicherai moi-même sur place.

Vaincu par un plaquage cathédrale, théoriquement interdit sur un terrain de rugby normal, Mark céda.

*

— Tu repars, papa ?

— Un petit tour pas loin. Saint-Pétersbourg.

— L'amie de Mark, elle est très malade ?

— Ça va pas fort.

— Il faudrait lui donner un peu du trésor.

Pendant que Bruce achevait de se préparer, le gamin disparut. Le colosse relata les derniers événements à Primula, sans les enjoliver.

Porteur d'un petit flacon contenant un liquide doré, Bruce Junior réapparut.

— Voilà quelques gouttes du trésor, pour Apsara.

— Tu fais un détour par Paris, ordonna Primula à son mari. Inutile de discuter.

*

Mark avait une sale tête.

— On en est où ? demanda l'Écossais.

— Stationnaire et très grave. Bruce…

— Chiale un coup, ça te fera pas de mal.

Ils se donnèrent l'accolade. Et l'héritier de l'empire pleura.

— Bruce Junior pense qu'Apsara doit absorber ça. Un zeste de liqueur alchimique. Ce gamin est insupportable, mais va savoir…

Mark accepta l'offrande. La jeune femme serait sans doute morte avant d'en bénéficier.

— J'ai appelé le meilleur chirurgien de guerre anglais. Il débarque avec deux assistants. Si je pouvais au moins la ramener à la maison…

— La patience, c'est pas ton truc. Si mon voyant de gamin a rempli cette fiole, c'est qu'Apsara la boira. Cette fripouille ne se trompe jamais. Tu piges ? Alors, serre le manche, mange, dors et rase-toi. Le côté pouilleux et déprimé, c'est pas ton truc non plus.

Comme une lueur d'espoir.

— Fais gaffe, Bruce.

— J'avais besoin d'une cure de vodka. Ça permet de mieux apprécier le whisky. Maintiens le cap, bonhomme, y a que ça qui fait vivre. On règle nos montres ?

Mark s'exécuta, comme si rien ne s'était passé.

Saint-John le tarauda.

Son visage, paisible et déterminé. La mort n'existait pas. Ou plutôt, c'était l'invention ravageuse d'une vie ratée. Un jour, quand les humains auraient fini de polluer l'atmosphère, la mort mourrait. Saint-John protégeait Apsara.

Elle n'avait pas décroché son bon de sortie. Son père, Sambor, la rattraperait en plein vol. Trop tôt, beaucoup trop tôt pour quitter le champ de bataille.

En moins de trois minutes, des appels de Millard et Takushi. Décisions urgentes. Mark se doucha et se rasa. Puis, sur le chemin de l'hôpital, il continua à diriger l'empire.

85.

Vu le froid régnant à Saint-Pétersbourg, on ne carburait pas à l'eau minérale. La vodka, elle, ne gelait pas. Coulant encore un chouïa, la Neva irriguait la ville fondée au XVIIIe siècle par Pierre le Grand pour célébrer l'indépendance d'une région, libérée de l'occupation des Suédois. Le tsar avait exigé un paradis peuplé de monuments dignes des grandes capitales, et confié la tâche à un architecte français, Leblond, admirateur de Versailles ; à sa mort, un Suisse, Domenico Trezzini, avait repris le flambeau afin de mener à terme vingt ans de travaux et de créer un festival d'architecture.

Mais Bruce n'était pas là pour musarder. Après avoir utilisé un vol régulier et réservé un hôtel correct, il se comportait néanmoins en simple touriste, fasciné par la Nevski Prospekt, les Champs-Élysées locaux, et les quais de la Neva.

Deux catégories de morpions à repérer : la police russe et, beaucoup plus redoutable, l'équipe de Galin Market. L'Écossais espérait avoir brouillé les pistes, mais des professionnels savaient passer inaperçus. Et s'il les menait au Supérieur inconnu planqué à Saint-Pétersbourg, la cata.

Un œil dans le dos, Bruce sacrifia une bonne matinée au parcours classique, se joignant à divers groupes de Japonais, d'Italiens et de Britanniques, avant de s'offrir une choucroute copieuse et des pintes de bière belge au café Noikiel, un établissement rustique aux solides tables de bois. Atmosphère bon enfant et chaleur revigorante.

Le tuyau majeur : un nom, Vladimir Rouchkine, qui sentait le pseudo, et pas d'adresse. Point de contact : un sphinx kitsch du pont égyptien, conçu comme pont suspendu, qui s'était effondré en 1905 et avait été reconstruit dans les années 1950. Il enjambait la Fontanka, prenant sa source à proximité de l'embouchure de la Neva, et traversant une partie de Saint-Pétersbourg, parfois appelée « la cité des mille ponts ».

Bruce devait glisser un minuscule morceau de papier entre les pattes du sphinx. Message bref, à la main : *Clean*. Ensuite, s'éloigner hors de la vue de la bestiole et revenir une demi-heure plus tard.

L'Écossais fut ponctuel et retira le document. Une mention en anglais : *Quai de l'Université. Sphinx du débarcadère.*

Bruce déchira le papier et jeta les morceaux dans la première poubelle. Malgré le vent froid, un bon paquet d'autochtones et de touristes. Bien protégé par sa parka et coiffé d'un bonnet de fourrure, il hâta le pas et ne repéra pas de curieux dans son sillage.

Provenant officiellement de Thèbes, la capitale du Nouvel Empire égyptien, deux sphinx surveillaient la descente vers la Neva, en face de l'Académie des beaux-arts, fondée par Catherine II. Portant la double couronne, le visage souriant et serein, ils trônaient sur un gros bloc, le regard perdu dans le lointain.

À l'angle d'un des socles, l'extrémité d'un bristol. Bruce le dégagea et lut un nouveau texte : *chapelle Sainte-Catherine.* Après avoir vérifié qu'il n'existait pas d'autre message, il se dirigea vers ce haut lieu de mémoire, aménagé à l'intérieur de la cathédrale Saints-Pierre-et-Paul, le plus haut édifice de la ville, après la tour de la télévision. Surmontée d'un angle volant, la flèche dorée culminait à 123 mètres. Et cet édifice était particulièrement cher au cœur des habitants, car il abritait non seulement la sépulture de Pierre le Grand, premier empereur de Russie, mais aussi les restes du tsar Nicolas II et des membres de sa famille, exécutés à Ekaterinbourg, et inhumés de manière solennelle en 1998 dans la chapelle Sainte-Catherine. De nombreux pèlerins s'y recueillaient.

Des stèles commémoratives, des plantes vertes, un lustre diffusant une lumière douce. Pas une atmosphère funèbre, plutôt celle d'un salon privé.

Une fillette toucha la main de Bruce.

— Tu aimes les sphinx ? interrogea-t-elle en anglais.

— J'en ai vu trois, aujourd'hui.

— Tu cherches quelqu'un ?

— Vladimir.

— Il t'attend, demain à 11 heures, dans la chambre d'ambre, au palais Catherine.

La fillette s'éclipsa aussi vite qu'elle était apparue.

En sortant de la cathédrale, l'Écossais ressentit une douleur à l'estomac. Ni la choucroute russe, ni la bière belge, mais une réaction de bête traquée.

Les salopards ne l'avaient pas lâché. Il y en avait là un, ou une, parmi les croyants en prière. La grosse bonne femme, le barbu, l'émacié, la blondinette, le vieillard… N'importe lequel pouvait être l'un des agents de Galin Market.

Bruce rentra à son hôtel, obsédé par une idée : comment semer les cafards ?

86.

La nouvelle était si réjouissante que Dieter Cloud s'accorda une faveur rare : un verre de vin cuit espagnol. En raison d'une stricte hygiène de vie, indispensable pour accomplir ses longues journées de travail, il ne s'autorisait que très rarement ce genre d'excentricité.

Un groupe de biotechnologie chinois, Boyalife, ouvrait la plus grande usine de clonage du monde à Tianjin, dans le nord-est du pays : production d'un million de bovins par an, puis de chevaux de course et de chiens policiers. Ce genre de firme innovatrice permettrait de vaincre la faim dans le monde et favoriserait l'expansion de l'humanité, sans oublier de participer au projet majeur, le contrôle du cerveau humain.

Le moment du rapport de Market, dans la bulle sécurisée. Le visage du tueur apparut sur l'écran.

— Mark Vaudois est cloué à Paris, au chevet de sa maîtresse. Plusieurs praticiens s'en occupent. État stationnaire, peu de chances de survie.

— Pourra-t-elle décrire l'assassin ?

— Non, monsieur. Et les témoignages recueillis sont aussi flous que contradictoires. Bien entendu, mon agent a été immédiatement exfiltré.

— Et Bruce ?

— Il a tenté de nous filer entre les doigts, mais nous ne l'avons pas perdu. Destination Saint-Pétersbourg. Il utilise des sphinx comme boîtes aux lettres. De telles précautions prouvent qu'il ne tardera pas à rencontrer quelqu'un d'important et de méfiant. Vos instructions ?

Cloud saliva. Le huitième Supérieur inconnu à portée de main…

— Élimination.

— Le journaliste aussi ?

— Uniquement s'il s'interpose et vous gêne.

Bruce pourrait peut-être les conduire au neuvième et dernier, probablement la tête pensante, qui se croyait à l'abri. Mais si l'Écossais jouait le chevalier, tant pis pour lui.

De retour à son bureau, Dieter Cloud reçut une étrange information. Quelqu'un fouinait autour de l'homme d'affaires qui chapeautait la société employant Galin Market.

Un grain de sable.

Ne pratiquant jamais la politique de l'autruche, Cloud traita immédiatement le problème. Savoir était essentiel.

Quelques heures plus tard, il sut. Le grain de sable avait la forme d'un détective privé de haut vol. Son employeur : Dick, le surveillant général de l'empire Vaudois pour les Amériques.

Risque de séisme.

Ne pas intervenir eût été suicidaire. Face à un adversaire de cette taille, pas de réaction improvisée. Il fallait frapper fort et juste, et cela exigeait une préparation minutieuse.

*

Bruce dîna dans un restaurant typique, à l'atmosphère chaleureuse. Des parquets, un poêle en céramique, des tableaux naïfs consacrés à la campagne et aux paysans russes, des galettes de pommes de terre à la crème fraîche, des saucisses et de la salade. Une vraie vodka assura la digestion.

Ils étaient là, tout près.

Bruce avait l'habitude. Lors de chacune de ses enquêtes dérangeantes, des malfaisants lui collaient aux fesses. C'est pourquoi il prévoyait toujours un plan B et un plan C, avec l'aide de Mark. En Russie, l'empire ne manquait pas de contacts.

Du bon vieux téléphone fixe du restaurant, l'Écossais lança le plan B. Conversation très brève : *Sept heures, lingerie.* Si c'était intercepté et compris, Bruce s'en apercevrait très vite. En cas de succès, champ libre pour rencontrer enfin un Supérieur inconnu vivant et l'embarquer.

À l'hôtel, Bruce régla sa note.

— Satisfait de votre séjour ? demanda l'employé de la réception.

— Superbe ville ! J'y reste encore quelques jours. Mon ami Piotr Palievitch, un expert en œuvres d'art, m'a invité chez lui, rue Kolokolnaya.

Si le gus était un informateur, pas de problème. La rue existait, mais pas Piotr Palievitch. Les zigotos perdraient du temps à repérer un ectoplasme.

Dans sa chambre, Bruce se rinça le gosier au whisky. Ça lui redonna du goût après la vodka.

Il réussit à joindre Mark.

Apsara ne remontait pas la pente. Les chirurgiens anglais et français s'étaient engueulés, Mark avait dû arbitrer en insistant sur le sort de la patiente. Et il ne leur avait pas promis des friandises s'ils continuaient à se comporter comme des coqs de combat. Impossible, malheureusement, de transporter Apsara à Londres et de lui administrer la potion alchimique remise par Bruce Junior.

Bruce résuma son exploration en une phrase : « Saint-Pétersbourg est un bled plein de charme. » Autrement dit, selon leur code, il passait à l'action, avec un petit espoir de succès.

Une douche brûlante, un récurage général, et au lit. L'Écossais devait récupérer avant une journée qui s'annonçait torride, même s'il neigeait.

Il songea à Primula et à son gosse impossible qui avait comme doudous préférés la pierre philosophale et l'élixir de jouvence, sans oublier ses visions. Le mélange d'un Écossais et d'une Cambodgienne produisait un curieux résultat.

87.

Annoncer une heure, c'était en retirer deux. Sept signifiait donc cinq. Levé à 4 heures, Bruce, depuis la fenêtre de sa chambre, observa la rue. Dans une voiture, deux types fumant une cigarette. L'Écossais assista à la relève.

Parka, bonnet, sac à dos. Il n'utilisa pas l'ascenseur et descendit l'escalier jusqu'à la lingerie, laquelle donnait sur une petite artère peu fréquentée.

Étonnée, une employée âgée regarda passer Bruce.

Un froid vif. Et une Mercedes noire, la clé sur le tableau de bord.

Elle démarra au quart de tour, aucun véhicule ne la suivit. Le GPS guida Bruce jusqu'à Tsarskoïe Selo, à 25 kilomètres de Saint-Pétersbourg, la première ville d'Europe qui avait bénéficié de l'électricité. Célébrité de l'endroit : le palais enchanté de Catherine II, bâti au milieu d'une forêt. Une drôle d'architecture, style Disneyland, mêlant du classique, du baroque, des fenêtres Louis XIV, des balustrades, des colonnades torturées, des coupoles en bulbe et autres fantaisies.

Bruce se gara sur le parking visiteurs et s'éloigna de son véhicule. Le jardin du Versailles russe ne manquait pas d'abris. Un massif de buis servit de poste d'observation pour repérer d'éventuels suiveurs.

Calme plat.

Tenir jusqu'à 11 heures, du pénible. Antigel indispensable, la flasque de whisky écossais. Et l'œil alerte.

À l'ouverture du palais, devenu un musée très fréquenté, Bruce se dérouilla les jambes et se comporta en parfait touriste. Salement amochée pendant la Seconde Guerre mondiale, la bâtisse avait été restaurée à grands frais et offrait une impression de fraîcheur. Trois cents mètres de long, et la fameuse « enfilade dorée » voulant dépasser la galerie des glaces de Versailles. Salons d'apparat, grande salle de bal, sculptures en bois doré, parquet marqueté, abondance de miroirs, portraits d'impératrices, tableaux des écoles italienne et flamande… De quoi saturer les mirettes.

À 11 heures pile, Bruce pénétra dans la fameuse chambre d'ambre, parfois qualifiée de huitième merveille du monde. Cinquante-deux mètres carrés de panneaux recouverts d'ambre créés en 1700 pour le roi de Prusse, Frédéric-Guillaume Ier, qui les avait offerts à Pierre le Grand. Un éblouissement de teintes orangées, émanant de jaspes sertis dans les encadrements d'ambre. Une sensation de richesse inouïe et de chaleur qui vous enrobait sans violence.

Bruce s'immobilisa devant un tableau représentant des personnages assis au milieu de ruines entourées d'arbres ; ils symbolisaient le Toucher et l'Odorat.

— Belle reconstitution, murmura une voix fluette, mais rien ne remplacera la magie de l'original. Les nazis ont volé les panneaux en 1941, et personne ne les a retrouvés.

Un petit bonhomme terne, chaudement vêtu, presque chauve et portant des lunettes à grosse monture.

— Vladimir Rouchkine ?

— Et vous, qui êtes-vous ?

— Bruce, envoyé par Mark Vaudois, le fils de Saint-John.

— Ah… J'ai appris la nouvelle de sa mort par les médias. Un homme extraordinaire.

— Vous l'avez souvent rencontré ?

— Une seule fois, ici même pour me confier une mission impossible : retrouver les panneaux de la véritable chambre d'ambre et, surtout, la « pierre ensoleillée » qui y avait été insérée.

« Un travail d'alchimiste que Saint-John désirait récupérer », pensa Bruce.

— Et pourquoi vous, Vladimir ?

Le Russe parut gêné.

— Une histoire de compétences.

Bruce renifla du malsain.

— Dans quel genre ?

— Vous savez, en 1941, on survivait comme on pouvait... Ma famille comme les autres.

— Autrement dit, elle a fricoté avec les nazis, et tu as de bons tuyaux sur les œuvres volées.

— C'est excessif, c'est...

— Saint-John ne se déplaçait pas pour des prunes. Il t'avait identifié et t'a grassement payé.

— Un homme généreux, en effet, et...

— Et tu as réussi ?

— Malheureusement non. La vraie chambre d'ambre et sa pierre solaire sont introuvables. J'ai remonté une bonne dizaine de filières jusqu'en Amérique du Sud, où se sont cachés de riches nazis, mais sans succès. Je crains que cette merveille n'ait été détruite en Allemagne, lors d'un bombardement.

Le bonhomme avait peur de Bruce et s'exprimait de manière hachée.

— Cette pierre-là, tu ne l'aurais pas égarée dans ta poche, par hasard ?

— Non, je vous jure que non ! J'ai rempli mon contrat. Si le fils de Saint-John veut continuer les recherches, je suis d'accord. Mais il faudra les financer. J'ai épuisé les fonds.

Bruce était troublé. Il ne s'imaginait pas ainsi un Supérieur inconnu. Ce margoulin, héritier de collabos, n'avait pas l'allure d'un alchimiste au service de l'humanité.

— Pourquoi tu te planques, Vladimir ?

— J'ai eu des ennuis avec la police.

— Un petit meurtre par-ci, par-là ?

— Non, non, rien de si grave ! Les autorités n'apprécient pas tellement le commerce d'œuvres d'art, surtout quand elles proviennent de Syrie et d'Égypte. Moi, je ne suis qu'un modeste intermédiaire, au service de milliardaires qui mettent en sécurité ces témoignages du passé.

Là, ça ne collait plus du tout ! Un Supérieur inconnu, trafiquant d'antiquités…

— Pourquoi ce jeu de piste avec les sphinx ?

— J'aime bien l'Égypte ancienne et…

— Mon petit Vladimir, je suis en train de m'énerver. Ou tu vides ton sac, ou je deviens violent.

Le Russe jeta un œil à une issue possible. Mais le colosse ne le laisserait pas s'enfuir, et peut-être n'était-il pas seul.

— C'est Saint-John qui m'avait recommandé de procéder ainsi, afin d'éviter tout ennui et d'être certain que le messager viendrait bien de sa part.

— Sphinx, ça ne te dit rien d'autre ?

L'interpellé roula des yeux étonnés. Bruce cita quand même les noms des Supérieurs inconnus assassinés, sans provoquer la moindre réaction. Son expérience de confesseur lui affirma que le pseudo-Rouchkine n'appartenait pas à la confrérie. Le voyage à Saint-Pétersbourg se diluait en eau de boudin.

— J'ai quelque chose à vendre, susurra Vladimir.

— Je ne suis pas collectionneur.

— C'est en rapport avec Saint-John.

— Combien ?

— Mille dollars, en cash.

En prévision de ce genre de discussion, Bruce disposait toujours d'une petite réserve de liquide dissimulée dans deux poches clandestines de son sac.

— T'es pas donné, pépère ! Crache ta pilule, je fixerai le prix moi-même.

— Mille dollars ou je la boucle.

Trouillard mais têtu. Et l'odeur de l'argent lui redonnait du courage.

— Réglons ça à l'extérieur.

Il neigeotait. Un va-et-vient de visiteurs. À l'abri des regards, Bruce sortit les billets.

— Si tu m'as mené en bateau, Vladimir, tu n'auras pas une vieillesse heureuse.

Goulu, le trafiquant empocha la somme.

— Si je dénichais les panneaux de la chambre d'ambre et la pierre solaire, je devais avertir Saint-John par courrier. Mais il y avait un additif au contrat. S'il décédait et que cette voie-là se fermait, je pouvais en utiliser une autre.

Bruce garda son calme. Du bidon ou du solide ?

— J'écoute.

Sentant le poisson ferré, le Russe sourit.

— Mille de mieux.

Bruce regarda ailleurs.

— Le temps se gâte, Vladimir ; notre belle amitié risque de dégénérer.

— Mille de mieux, et la promesse que vous ne me taperez pas dessus. Et le fils de Saint-John m'enverra des fonds pour continuer mes recherches.

Bruce paya. Côté promesses, on aviserait.

— Un numéro à joindre.

— Tu l'as noté quelque part ?

— Non, je l'ai appris par cœur.

— Tu l'as appelé ?

— Non. Maintenant, mon contact, c'est vous.

Vladimir ne manquait pas d'air. Une fripouille, mais professionnelle. Une âme simple qui ne songeait qu'à s'engraisser en évitant les embrouilles.

Vladimir énonça une série de chiffres, Bruce la répéta et la mémorisa. Il en fournit une autre à l'informateur. Si Mark le désirait, il prolongerait le contrat.

Le Russe s'éloigna, Bruce observa les alentours. Pas de filocheur. Avant de reprendre sa voiture, il déambula dans les jardins, qui se recouvraient d'un manteau blanc.

Ça baignait.

Une lampée de whisky, et direction l'aéroport.

88.

À coups de pied, Galin Market démolit la commode de sa chambre d'hôtel : son équipe avait perdu Bruce ! Pas de réaction d'Irina. Sa seule préoccupation : peindre en rouge ses ongles de pied.

— Tu es sur la pente descendante, observa-t-elle.

D'abord, il se figea ; ensuite, il la gifla.

Les joues en feu, Irina s'encréma.

— Habille-toi, et au boulot.

Market avait sous-estimé Bruce. Semer des pros n'était pas à la portée du premier tocard venu. Et si le journaliste se comportait ainsi, c'est qu'il avait atteint sa cible et comptait la sortir de Russie.

Une avance minime et un franchissement de frontière pas évident. Le moins probable : l'aéroport. Mieux : le train ou le bateau. Et le plus sûr : la voiture. Un max de morpions aux points stratégiques, mais l'angoisse maximale. Si Bruce et le type qu'il était venu récupérer lui échappaient, Market était bon pour la casse.

Si sa bande de cloportes n'interceptait pas les deux évadés, Market ne se présenterait pas au rapport, sous peine de tomber dans un trou noir. Seule solution : la retraite au fond d'un pays perdu.

— On fait quoi ? demanda l'Indienne, habillée à la garçonne.

— Tu files à l'aéroport et tu planques.

Irina ne protesta pas. Au moins, elle ne souffrirait pas du froid.

*

Les nerfs à vif, Galin Market secoua les nuls qui avaient laissé Bruce s'envoler de son hôtel. Par bonheur, une info : l'Écossais s'était installé chez son ami Piotr Palievitch, rue Kolokolnaya.

Recherches intensives, espoir vite déçu. De l'enfumage.

Appel d'Irina. Et bonne surprise.

— Tu l'as ?... Comment, tout seul, tu es sûre ?... Destination Paris... Pas d'intervention brutale, contente-toi de ne pas le lâcher. On arrive.

Market réfléchit.

Pourquoi Bruce ne ramenait-il pas sa cible en sécurité ? Soit il préférait la garder à Saint-Pétersbourg et recueillir les instructions de Mark Vaudois, soit il n'avait trouvé personne et repartait tête basse.

Et l'Écossais commit l'erreur qui fournit la réponse. Il utilisa un téléphone de l'aéroport pour joindre son patron, persuadé d'être ainsi à l'abri d'une écoute.

Grâce au matériel dont disposait Market, un jeu d'enfant.

Il apprit qu'Apsara était condamnée et que le voyage de Bruce en Russie avait été un échec total. Mais le journaliste s'acharnait et, après un bref séjour chez son ami pour le réconforter, il se remettrait en piste.

Alors que la neige tombait, Market avait eu chaud, très chaud. Désormais, plus question de perdre la trace de Bruce, qui les conduirait à la prochaine cible.

Il ne lui restait plus qu'à transmettre un bref rapport à Dieter Cloud.

*

À Paris, des manifestations de fonctionnaires et de syndicalistes perturbaient la circulation. Bruce avait échappé de peu à une grève des contrôleurs aériens qui voulaient acquérir davantage de droits acquis. Tout en pestant sur le chemin de l'hôpital, il espéra avoir enfumé les types qui n'avaient pas manqué d'écouter l'appel passé depuis l'aéroport.

Jamais vu Mark dans cet état-là. Amaigri, le visage creusé, un méchant coup de vieux.

— Viens, je t'emmène déjeuner.

— Pas faim.

— C'est pas en tombant malade que tu l'aideras.

— Personne ne peut plus l'aider.

— Faux.

— Qu'est-ce que tu racontes ?

— J'ai un sale gosse, mais extralucide. Il n'a pas encore vu Apsara morte. Et ça, c'est bon signe.

Une branche minuscule à laquelle se raccrocher.

Bruce choisit un restaurant italien. Pâtes, pizza aux champignons, plateau de fromages, tiramisu et rouge à quatorze degrés.

— Il était temps de te remplir l'estomac et de faire du sang. Tu bosses, au moins ?

— Bien obligé. Les surveillants généraux de l'empire me tannent.

— Tant mieux. Et moi, je reviens pas les mains vides.

— Mais ton appel…

— Du bidon pour l'ennemi.

— As-tu rencontré un Supérieur inconnu ?

— Le Vladimir n'a rien de supérieur et ne gagne pas à être connu. Un trafiquant d'antiquités auquel ton père avait demandé de retrouver une pierre lumineuse, disparue avec les panneaux de la chambre d'ambre.

— Il a réussi ?

— Non, mais il souhaite te taper afin de continuer ses recherches. Si tu as la fibre humanitaire…

— Quoi de positif ?

— Ton père n'excluait pas un succès de Vladimir. Comme il se sentait menacé, il lui a donné un contact. Forcément un Supérieur inconnu, qui aurait recueilli le trésor.

— Et ce contact, Vladimir l'a établi ?

— C'est un commerçant. Il a préféré me le vendre.

— Sous quelle forme ?

— Un numéro de téléphone. Et il est gravé là.

Du poing, Bruce se tapa le front.

— Il faut identifier le propriétaire, décida Mark. Moi, je suis cloué ici ; toi, tu files à Londres. Je préviens Millard. Il mettra à ta disposition les techniciens compétents. Et tu reviens me donner le résultat de vive voix.

*

L'Eurostar fonctionna dans les deux sens, sans trop de retard. En train, Bruce dormait comme un bébé. À son retour, il choisit un spécialiste du cassoulet, un remontant indispensable pour Mark.

— Apsara ?

— Stationnaire. Alors ?

— On l'a géolocalisé et identifié. Ce numéro aboutit à un dénommé George Ibrahim, résidant à Ouadi es-Seboua.

— Où est-ce ?

— En Égypte. Précisément l'ancienne Nubie recouverte par les eaux du lac Nasser. On a démonté et remonté certains édifices, condamnés à la destruction, notamment le sanctuaire de Ouadi es-Seboua, celui qu'on appelle le « temple des sphinx ».

89.

Deux mètres, un physique qui lui aurait permis de jouer dans l'équipe des All Blacks, le Nubien George Ibrahim était l'un des gardiens du temple de Ouadi es-Seboua, épargné par le tourisme de masse. En construisant le haut barrage d'Assouan et en créant un lac artificiel long de 600 kilomètres, Nasser et Khrouchtchev avaient englouti son pays, la Nubie, ses villages, ses sanctuaires, ses paysages, ses traditions. Transplantée à Assouan, sa famille avait été exterminée par un commando de Frères musulmans, lorsque Mohamed Morsi, leur leader reconnu par Obama, avait brièvement gouverné l'Égypte.

Le Nubien devait la vie à une femme, une copte âgée qui résidait au Caire. Les habitants de son quartier vénéraient cette guérisseuse, détentrice de remèdes traditionnels, et trouvant toujours un moyen de venir en aide aux plus pauvres.

Une fois par an, George lui rendait visite. Un long voyage en train, sans certitude de parvenir à destination, à cause de l'état des wagons. En lui imposant les mains, la guérisseuse dissipait les maux dont il souffrait. Pendant une belle soirée, ils évoquaient le pays anéanti.

Juste avant de monter dans le train, son portable grésilla.

Une voix plutôt grave, s'exprimant en anglais. Un ton posé, des mots bien détachés.

— Je m'appelle Mark Vaudois, et je suis le fils de Saint-John, votre frère. Vous êtes en danger, je veux vous aider. Dites-moi où nous pouvons nous rencontrer, en toute sécurité. Voici un numéro protégé.

Le géant piétina son portable et jeta les débris dans une poubelle.

*

Quand les hordes de touristes parcouraient le Vieux Caire et visitaient les églises, beaucoup avaient croisé Séchat, et certains avaient même bénéficié de ses pratiques magiques. Lorsqu'elle le jugeait bon, la vieille dame enveloppait certains êtres de chaînes, avant de les délivrer de leurs démons. Héritière d'un savoir remontant au temps des pharaons, elle avait aménagé un laboratoire au sein d'une bâtisse datant de l'occupation anglaise et menaçant ruine. À la fois redoutée et admirée, la nonagénaire continuait à y préparer potions et remèdes. En tant que Supérieure inconnue, elle poursuivait l'œuvre de femmes alchimistes égyptiennes, telles Cléopâtre, homonyme de la célèbre reine, ou Marie, portant le même nom que la mère du Christ.

Séchat avait rencontré ses frères à Ouadi es-Seboua, au temple des sphinx, sous l'égide de Saint-John, trois ans avant que ne débute le massacre planifié par un ennemi non identifié. En recevant un message d'alerte du Florentin, la vieille dame avait compris que la fin approchait. Sans le bouclier de protection de Saint-John, aucune chance de survie. Et le Supérieur de la communauté, en dépit de sa capacité de résistance, était lui-même en péril.

Elle et lui… Les deux derniers.

S'enfuir, quitter l'Égypte, se cacher ? À son âge, hors de question.

En détruisant le culte des ancêtres, en rompant les liens avec le ciel et la terre, en imposant la folie des humains au détriment de la cohérence des dieux, les monothéismes avaient engendré une déferlante nourrie de fanatisme, au nom de la paix et de l'amour. Les vrais grands hommes, les bâtisseurs de pyramides, les façonneurs de lumière, avaient disparu.

Il n'existait plus que de petits hommes, dotés de pouvoirs gigantesques, à la fois manipulateurs et manipulés. Et l'explosion démographique, cancer de l'humanité, leur fournissait un nombre exponentiel de clients, abêtis par des technologies qui n'épargnaient personne. Jamais le totalitarisme d'une pensée formatée n'avait atteint une telle ampleur, et ce n'était qu'un début. Puisque les Supérieurs inconnus incarnaient une autre vision de la vie et empruntaient des chemins interdits, ils devaient être éliminés.

La doyenne de la confrérie ne redoutait pas la mort et ne se faisait aucune illusion. Avec son anéantissement, une page de l'histoire de l'humanité se tournait. L'idée de progrès indéfini avait remplacé le Grand Esprit. Et les génocides successifs n'y changeaient rien.

Accablée des multiples maux de la vieillesse que l'élixir de jouvence parvenait à contenir, la vieille dame serait heureuse de quitter ce monde où la Machine dictait ses ordres à des milliards d'esclaves, incapables de se révolter.

En cette belle journée d'hiver, elle prit un taxi aux freins douteux et se rendit auprès du Maître des Supérieurs inconnus. Dans sa fonction, n'incarnait-il pas l'origine et la fin ? Elle partagea avec lui des heures paisibles de méditation silencieuse, baignées d'un doux soleil.

À la tombée du jour, elle regagna la mégapole, rongée par la surpopulation, la pollution et l'intégrisme. Le taxi l'amena au plus près de l'église Saint-Serge, fondée au IVe siècle ; elle y pénétra d'un pas lent, traversa la nef et descendit dans la crypte, souvent inondée.

C'est là que la Sainte Famille avait élu domicile pendant son séjour en Égypte. Fille de la déesse Isis, la Vierge avait engendré le Christ, nouvel Horus. Mais les chrétiens avaient oublié la dimension symbolique pour se dissoudre dans les tourments du quotidien.

Des forces particulières animaient cet endroit ; Séchat les utilisait afin de soigner des malades et de leur redonner de l'énergie.

Un homme l'y attendait.

D'abord, elle crut qu'il s'agissait d'un exécuteur, dont la tâche serait aisée ; ensuite, elle reconnut son ami George Ibrahim, qui s'inclina et lui baisa les mains.

90.

— Es-tu souffrant, George ?

— Un grave événement s'est produit. Un étrange appel sur mon portable, que j'ai détruit.

— De qui émanait-il ?

— D'un homme qui prétend s'appeler Mark Vaudois, fils de Saint-John. Puisque je suis son frère, il veut m'aider. À moi de choisir un lieu de rencontre en le joignant à un numéro sécurisé. Probablement un piège.

— Peut-être pas.

Saint-John avait parlé une fois à Séchat de son fils, lors de leur dernière rencontre, en présence du Maître des Supérieurs inconnus. Il le considérait comme un être droit.

— Va voir Saber et demande-lui de contrôler ce numéro. Selon ses conclusions, nous agirons.

Un premier malade descendait les marches de la crypte. Une longue soirée de travail en perspective.

*

Réparateur de portables et petit génie de l'informatique, Saber était devenu l'une des célébrités du Caire à la suite d'une drôle de péripétie : lorsque les internautes tapaient la recherche « Google », c'est lui qui s'était retrouvé en tête des résultats, le monstre américain du Web étant même relégué au deuxième rang sur son propre référencement ! « Les gens pensent que je suis la société mère de Google, avait déclaré Saber aux médias ; c'est super ! » Et il avait vite été débordé par des millions d'appels. Côté américain, on avait beaucoup moins ri, en se hâtant de résoudre le problème et en évitant d'expliquer au grand public comment le modeste réparateur égyptien s'y était pris.

Saber considéra avec attention la requête de George Ibrahim. Il aurait besoin de pas mal de temps pour faire parler ces quelques chiffres.

*

Les deux chirurgiens avaient une gueule d'enterrement. L'entente cordiale s'était brisée.

— Je refuse de continuer dans ces conditions, dit le Britannique à Mark ; le traitement de mon confrère me paraît inadéquat. De mon point de vue, la vie de la patiente est en danger.

— Que proposez-vous ?

— Transfert immédiat à Londres par avion médicalisé. Dans *ma* clinique, j'appliquerai *mes* méthodes. Et sans obstacles administratifs.

— De la folie ! protesta le praticien français. Cette femme ne survivra pas au voyage.

— À vous de trancher, Mark.

— Vous êtes cinglés, ou quoi ? Je ne suis pas médecin !

— Vu notre conflit, appuya le Britannique, quelle autre solution ? Votre compagne étant une compatriote, le transfert est possible.

— Si vous commettez cette erreur, forcément fatale, intervint le Français, il faudra me signer une montagne de décharges !

Mark avait la vie d'Apsara entre ses mains, sans les notions techniques indispensables pour décider. Le terme « décharges » l'écœura.

— Nous emmenons Apsara à Londres.

*

Un véritable hôpital volant. Le chirurgien en personne, deux assistants et quatre infirmières. Apsara respirait.

Mark et Bruce contemplaient ce corps allongé, avec la même intention : lui transmettre la force suffisante pour qu'elle s'en sorte.

— J'ai appelé ton numéro et transmis le message convenu. Pour le moment, pas de retour.

— Le type tente de savoir s'il n'est pas victime d'un malfaisant. À sa place, on agirait pareil.

Une ambulance au pied de l'avion. Des précautions infinies. La meilleure clinique de Londres. Une chambre pour Mark.

— Vous êtes sûr de vous ? demanda-t-il au chirurgien, alors qu'on emmenait Apsara au bloc opératoire.

— Une chance sur deux. J'ai déjà traité ce genre de cas, et ce fut ma proportion de succès.

— Vous saurez quand ?

— Cette nuit. L'intervention durera au moins cinq heures. Avec votre mine, vous devriez dormir.

Mark préféra travailler. Millard et ses deux collègues l'accablaient de questions, comme si seule comptait l'existence de l'empire. Dossiers impeccablement préparés, interrogations précises, choix clairs. Le cerveau déconnecté de l'angoisse, l'héritier de Saint-John remplit sa fonction.

Bruce l'entraîna dans un pub, l'hydrata à la bière et l'obligea à manger des côtes d'agneau.

— J'ai appelé la famille. Mon salopard de gamin n'a rien vu d'horrible. Il ne tient pas le bistouri, mais il est du genre à avoir raison.

Après trois pintes, Mark perdait un peu pied. Quand les deux hommes retournèrent à l'hôpital, l'opération se poursuivait. Elle dura plus longtemps que prévu.

Et le chirurgien sortit du bloc.

Le verdict.

— Elle s'en sortira.

— Vous… Vous ne me racontez pas d'histoires ?

— Ma méthode était la bonne, monsieur Vaudois. Elle vivra.

Mark s'effondra dans les bras de Bruce.

91.

L'agence de détectives privés qu'utilisait Dick, pour le compte de l'empire, était la meilleure de New York. Coûteuse, mais efficace. Ex-CIA, son patron drivait une belle bande de fouineurs. Républicain tendance Tea Party, il méritait sa réputation de sérieux. La soixantaine épanouie, célibataire, un ranch en Californie, il connaissait ses limites. Et l'enquête financée par Dick les dépassait. C'est pourquoi il lui avait fixé rendez-vous dans un magasin bio où se croisaient les révoltés de la malbouffe.

Côte à côte, ils se concentrèrent sur des boîtes de thé vert.

— Ça bloque, avoua le détective.

— À cause de quoi ?

— Trop gros poisson, Dick. On n'a qu'une vie, et je tiens à la mienne. Je te rends ton pognon, et on oublie cette affaire.

— Garde-le et donne-moi un nom.

— Tu es un mec important. Ne gâche pas ta carrière.

— À moi de juger.

— Pourquoi tu t'obstines, Dick ?

— J'aime mon boss. Et le satisfaire, ça me réjouit.

— T'es retombé en enfance ?

— Ça nous guette tous. Alors, ce nom ?

— Le sénateur qui couvre Market, ça te suffira ?

— Non, puisque tu es remonté plus haut.

— Pousse pas, Dick.

— On va pas se cajoler en buvant une tasse de thé. Personne ne te cherchera des poux dans la tête, je bétonne tout.

Adepte des vieilles technologies, le détective sortit de sa poche un calepin. Sur une page, il traça un cercle et des rayons convergeant vers un point central. Il y posa l'index.

— L'enfer, Dick. T'as vraiment envie de le connaître ?

— Chacun ses goûts.

Le détective soupira. Curieux, chez les managers, cette manie de l'entêtement.

— L'araignée, au centre de la toile, se nomme Dieter Cloud. Un décideur de l'ombre, une pieuvre aux innombrables tentacules. Tu ne le verras jamais sur un écran. Les guignols de la politique s'agitent ; lui, il agit.

— Ce type n'est quand même pas Dieu le Père !

— Pas loin. Ne t'en approche pas, Dick ; sinon, tu crames.

*

— C'est étrange, l'autre monde, murmura Apsara, en découvrant le visage de Mark.

Ses premières paroles, son premier regard.

Sauvée.

— N'imagine pas que tu vas gambader dès demain dans les rues de Londres. Le chirurgien ordonne plusieurs mois de soins et de repos ; à cette condition, pas de séquelles.

— Côté abri, intervint Bruce, on n'a pas le choix ; Primula exige de s'occuper de toi, et tout a été prévu à la maison. L'Islande te redonnera la pêche, et tu essaieras d'éduquer mon drôle de gosse.

Apsara n'était pas en état de protester. Respirer, voir, entendre… Des plaisirs fabuleux. Soudain, elle revécut le crime.

— On m'a tiré dans le dos… Qui ?

— Sans doute Irina Vindarajan, engagée par Galin Market. On remontera toutes les pistes et on présentera la facture, affirma Mark.

— Les derniers Supérieurs inconnus ?

— Il y en a probablement un en Égypte. Nous espérons un contact.

— Et si... si...

— Si nous renoncions ? Tu l'admettrais ?

Elle ferma les yeux.

— Première visite terminée, décréta le chirurgien ; maintenant, sommeil.

La Cambodgienne ne fut pas la seule à dormir profondément. Les nerfs de Mark se relâchèrent, il s'offrit presque un tour de cadran. De retour à la clinique, en compagnie de Bruce, il nota déjà des progrès. Une vie nouvelle animait la jeune femme.

— J'ai de la potion magique, annonça l'Écossais ; ça te dirait de goûter ?

Une sensation de gelée royale, un mélange d'amertume et de miel.

— Ça me donne faim.

En trois jours, nette amélioration. La Cambodgienne remontant la pente à grande vitesse, elle fut autorisée à se rendre en Islande. Avion médicalisé, Mark aux petits soins, Bruce en organisateur méticuleux.

Dante et Virgile firent la fête à la convalescente, et Primula servit un haricot de mouton qui ravit l'assemblée. Une cure de saint-émilion compléterait l'élixir de jouvence et le grand air islandais.

— Dans un mois, prédit Bruce Junior, tu te promèneras avec moi. D'abord nous rencontrerons les génies des sources ; ensuite, ceux du volcan. À cette saison, ils aiment bien discuter.

Bruce ne commenta pas. Ce gamin devenait incontrôlable.

L'entracte fut bref. À peine deux jours en Islande, et un appel en provenance du Caire.

Une voix d'homme. Et un message très bref : « Je vous attends au temple de Ouadi es-Seboua. »

92.

George Ibrahim avait suivi les instructions de Séchat, qui préparait ses bagages en vue du long voyage en voiture à destination du sanctuaire de Ouadi es-Seboua. Malgré l'âge et la fatigue, elle se réjouissait de parcourir son pays, de longer le Nil, de s'arrêter dans des palmeraies, de goûter le soleil et le vent.

Si les dieux le voulaient, elle dévoilerait au fils de Saint-John l'identité du Maître de la confrérie, le dernier des Supérieurs inconnus. Car Séchat le savait : elle ne reviendrait pas vivante du Grand Sud.

*

Dieter Cloud apprécia le rapport de Galin Market. En excellent professionnel, il n'avait pas placé qu'une seule taupe dans l'entourage de Mark Vaudois, et l'exfiltration d'Irina, désormais au service action, n'avait pas signifié la fin de l'espionnage informatique. Malgré mille et une précautions, personne, nulle part, n'était complètement à l'abri, surtout lorsqu'on disposait d'un cafard à l'intérieur du système adverse.

Info essentielle : Mark et Bruce partaient pour un coin perdu de l'ancienne Nubie. Une seule raison à ce curieux déplacement : rencontrer le huitième et avant-dernier Supérieur inconnu, et le ramener vivant. Terrain difficile. À Market d'intervenir avec son efficacité habituelle.

Concernant l'attaque qu'il subissait de la part de Dick, Dieter Cloud progressait. Sa riposte serait dévastatrice.

*

Afin de mener à bien et en toute discrétion l'élimination de la cible en territoire égyptien, Galin Market avait obtenu la filière pour s'adjoindre le concours d'une cellule dormante, en manque d'argent. Market et Irina se présenteraient comme des adeptes du djihad, décidés à exécuter eux-mêmes un mécréant. Les islamistes leur fourniraient les armes et bénéficieraient de la publicité liée à ce nouvel exploit.

Market avait déjà utilisé leurs services, mais s'en méfiait comme de la peste ; le mélange de fanatisme et de mafia était aussi instable que la nitroglycérine.

En atterrissant au Caire, Irina éprouva une excitation rare. Elle n'appartenait pas à la race des femmes humiliées et soumises. Ce pays-là serait celui de sa promotion et de sa libération. Et ce pervers de Galin Market avait eu tort de croire qu'elle était brisée.

*

Le jet de Mark se posa à Assouan, la grande ville du sud de l'Égypte, jadis la frontière du pays des pharaons. Au-delà de la première cataracte, la Nubie, disparue sous les eaux polluées du lac Nasser, masse gigantesque qui modifiait le climat et menaçait de mort les temples bâtis en grès. Pluies et remontées de la nappe phréatique rongeaient la pierre ; quantité de peintures et de bas-reliefs avaient déjà succombé.

Un contrôle de police, une pile de formulaires à remplir, les bakchichs habituels pour ne pas perdre de temps. Ouadi es-Seboua étant situé à 120 kilomètres du sud du haut barrage, Mark avait choisi un 4 × 4 qui emprunterait une piste à travers le désert. Deux agents des services de sécurité les accompagnaient. Le plus jeune conduisait.

Embarquer pour Londres le Supérieur inconnu posait problème. Mais à partir d'une certaine somme, tout le monde écoutait ; et Bruce avait le don de la négociation.

Pressée d'en finir avec cette mission ennuyeuse, la barbouze roulait à tombeau ouvert. Un must au pays des momies.

Des dunes de sable roux, des monticules en forme de pyramides parsemées de pierres noires, un silence minéral, un soleil écrasant.

Les dernières nouvelles d'Apsara étaient excellentes. Pas de douleurs intolérables, de l'appétit, d'interminables discussions avec les chiens et Bruce Junior, de longues nuits. Primula était une sacrée guérisseuse. Entre Cambodgiennes, ça baignait ; elles avaient la culture de la sérénité et de l'espérance.

De nouveau, Mark voulait y croire. Sauver un Supérieur inconnu, c'était honorer la mémoire de son père et préserver son véritable héritage, même s'il n'en percevait qu'une infime partie. Et le rescapé lui fournirait sans doute le nom de l'assassin de Saint-John et de ses frères.

Mark ne pratiquait pas le pardon des offenses et ne tendrait pas l'autre joue.

Étrange randonnée. Le 4 × 4 parcourait le sommet de collines qui, naguère, surmontaient le Nil serpentant entre des rives sur lesquelles étaient bâtis les villages des Nubiens, les derniers à avoir défendu les traditions des anciens Égyptiens, résistant à la christianisation, puis à l'islamisation. Le courage du désespoir. Celui des Supérieurs inconnus.

Bruce avait coupé la clim, source de mille maux. Sans cette pollution inventée par les Américains, le corps s'adaptait à la température ambiante. Surtout avec une lampée régulière de whisky désinfectant.

Au bout d'un moment, le désert le gonflait. Il préférait les variations incessantes de son Islande. Et puis l'heure n'était pas au romantisme : qu'allaient-ils trouver à l'arrivée ?

93.

Mohamed était un intellectuel. Juriste, ex-professeur à l'université du Caire, membre de la tendance dure des Frères musulmans, il ne se résignait pas à l'éviction de Morsi et à l'avènement du maréchal Sissi, un nouveau Moubarak.

Mohamed dirigeait la cellule dite « des motos ». Un conducteur et un tireur qui abattait des policiers soit en faction, soit près de leur domicile. Une fois, la moto était tombée en panne, et la foule s'était occupée des tueurs.

Principal problème, le financement. Quand Galin Market, recommandé par un contact sûr, lui avait proposé une somme pharaonique pour une opération ponctuelle, Mohamed s'était répandu en louanges à Allah. Avec ce pactole, il achèterait bombes, armes et munitions. De quoi préparer un attentat qui déstabiliserait le régime.

Il reçut ses hôtes dans un appartement de la banlieue nord du Caire, sous contrôle des Frères. Une femme voilée et muette, bien à sa place. Un grand type brun, mou, au regard métallique.

— Voici la moitié de la somme, dit Market. La seconde, au retour.

Mohamed compta les billets, tout en jetant un œil à la fille. Un canon.

— Il me faut un 4 × 4 et un bon conducteur, avec tous les papiers nécessaires pour une excursion à Ouadi es-Seboua. Et deux kalach.

— Pas de problème. Enfin…

— Qu'est-ce qui ne va pas ?

— Je souhaite un petit bonus : la femelle. Tu me la laisses cette nuit.

— Pas de problème. On part à l'aube.

Mohamed acquiesça, Galin Market s'éclipsa, sans un regard pour Irina. Ça faisait partie du métier.

L'Indienne baissa son jean. Elle ne portait pas de culotte. Hypnotisé, le djihadiste fixait cette toison offerte.

— Ne serais-tu qu'un voyeur ?

Piqué au vif, Mohamed lui arracha sa chemise de lin et son voile. Une merveille, digne des créatures du paradis promises à ceux qui sacrifiaient leur existence pour éliminer des croisés.

Afin de lui prouver sa virilité, il la pénétra debout, avec un maximum de violence. Irina ne broncha pas, il parvint très vite au plaisir.

Elle lui agrippa les cheveux.

— Maintenant, à moi de m'amuser.

Aucune femme ne l'avait vidé ainsi de toute sa sève. Une goule, une démone, avide et impérieuse.

La jouissance. Et la conclusion qui s'imposait.

— Sois ma femme. Ma première femme. Les autres seront tes servantes.

Le chevauchant, Irina lui plaqua la tête au sol.

— Tu comprends qui dirige cette mission contre les mécréants ? J'en ai déjà tué beaucoup, et c'est moi qui agirai, en Nubie. Auparavant, je t'offre un beau cadeau.

C'était la première fois que Mohamed était dominé par une femelle. Et celle-là le fascinait.

— Sais-tu qui est vraiment le type qui m'accompagne ?

— Un mercenaire. Et il paie bien.

— Comme tu es naïf ! Market est un agent israélien chargé d'infiltrer des groupuscules comme le tien.

Mohamed se redressa, les yeux fous.

— Je devais m'en charger moi-même, révéla Irina, mais tu m'as satisfaite et tu méritais une petite récompense.

Pendant qu'elle se rhabillait, Mohamed se voyait en train d'égorger ce chien. Par mesure de précaution, ils s'y mettraient à quatre. Le Juif n'aurait aucune chance.

— Toi, tu m'attends ici.

Irina sourit. Elle tenait à la fois sa vengeance et une promotion. En se débarrassant de l'ordure qui l'avait humiliée, elle prendrait sa place.

*

Dans l'appartement, de l'eau minérale et du soda. Pas de quoi faire la nouba. Tout à son triomphe, Irina le célébrerait plus tard, avec son champagne préféré.

Les pupilles dilatées, Mohamed réapparut au milieu de la nuit. Ses mains ne tremblaient pas.

— L'espion a couiné comme un porc.

— Le cadavre ?

— Il n'en restera rien.

Mohamed se jeta sur l'Indienne.

— On va fêter ça.

*

Le 4 × 4 quitta la capitale à l'aube. Un chauffeur, un guide et une touriste indienne. Toutes les autorisations nécessaires en cas de contrôle, un coffre à double-fond pour les armes. Au Caire, Mohamed profitait de sa petite fortune afin d'acheter du matériel et de préparer un attentat contre un commissariat. Les Frères musulmans n'avaient pas dit leur dernier mot.

Indifférente au paysage, Irina avait hâte d'atteindre son but. Si les circonstances se révélaient favorables, pourquoi ne pas associer à sa cible l'autre homme qui l'avait humiliée, Mark Vaudois ? L'Indienne effacerait ainsi les pages sombres de sa vie et repartirait d'un bon pied. Ces pensées positives lui firent oublier l'état de la route. Par bonheur, le chauffeur se montrait prudent.

Un seul barrage de police, au nord d'Assouan. Le sourire et la poitrine d'Irina facilitèrent le contrôle.

Une nuit dans un hôtel correct, et le départ vers Ouadi es-Seboua.

94.

À cette époque de l'année, une journée anormalement chaude. Aussi la vipère des sables qui appréciait le confort des vieilles pierres se dissimula-t-elle entre deux blocs du temple de Ouadi es-Seboua, datant du règne de Ramsès II, démonté avant la naissance du lac Nasser et reconstruit sur la rive gauche, deux kilomètres au nord-ouest de l'ancien site.

Ouadi es-Seboua signifiait « Vallée des Lions », en référence à l'allée de sphinx, lions à tête humaine, qui menait au temple. Un lieu paisible, peu visité. Quelques touristes aventureux en voiture, et des amateurs de la Nubie antique faisant escale avant de reprendre le bateau vers Abou Simbel.

Ramsès le Grand avait implanté plusieurs temples en Nubie, transformant une région rude et déshéritée en un foyer d'énergies divines ; et cette province annexée fournissait à l'Égypte de grandes quantités d'or, extrait de mines généreuses. Un or destiné aux divinités, non aux humains.

Comme souvent, Ramsès avait agrandi et embelli un petit édifice datant du règne de l'un de ses prédécesseurs, en l'occurrence Amenhotep III, le bâtisseur de Louxor. Certains éléments avaient disparu, tel le deuxième pylône, mais le sanctuaire était empreint de majesté et d'un charme particulier, loin de toute agglomération. Outre les sphinx, des colosses royaux, des piliers en forme d'Osiris ressuscité et des scènes d'offrandes valaient le détour. Au fond du

Saint des saints, Ramsès trônait entre les deux maîtres des lieux, Amon, « le Caché », et le dieu de la lumière créatrice, Râ-Horakhty. Des squatters chrétiens avaient recouvert d'enduit ces insupportables figures païennes, mais une partie du badigeon était tombée, et ne subsistait que le personnage de saint Pierre vénérant… Ramsès II.

Irina ne se préoccupait pas de détails archéologiques. Premier impératif : s'assurer d'être la première à bon port. Demeurant dans le 4 × 4, elle envoya son chauffeur en éclaireur.

En l'absence du gardien-chef, George Ibrahim, qui ne tarderait pas à revenir, son cousin assurait l'intérim. Pas de bateau de croisière annoncé. Il suffisait donc d'attendre Mark et la cible.

— On élimine le cousin ?

— Une anesthésie suffira. Planque la voiture à bonne distance du temple.

— Tu comptes te débrouiller seule, ma sœur ?

— J'ai l'habitude. Toi et ton copain, vous vous tenez en couverture et n'intervenez que sur mon ordre. Dès que c'est fini, on dégage.

Les deux Frères furent impressionnés. Ils n'avaient pas encore croisé une femelle de cette envergure.

Débarrassée du gardien, Irina eut tout le loisir d'explorer l'endroit et de choisir le meilleur poste de tir, supposant que ses cibles emprunteraient fatalement l'allée des sphinx.

Des bidons d'eau, des galettes et de la patience. Vêtue d'un chemisier de lin et d'un pantalon de toile aux multiples poches, l'Indienne avait pris soin d'enfiler de robustes chaussures de marche.

Dès qu'elle percevrait un bruit de moteur, elle se dissimulerait à l'intérieur du temple. À plat ventre, elle verrait sans être vue. Ensuite, action.

*

George Ibrahim et Séchat, très lasse, arrivèrent en fin d'après-midi. Le soleil commençait à décliner, les pierres se paraient de couleurs dorées.

— Nous sommes les premiers.

— Mark Vaudois ne tardera pas, prédit la vieille guérisseuse. Je ressens déjà sa présence.

Moins d'un quart d'heure plus tard, un 4 × 4 se gara derrière la voiture louée par George Ibrahim.

L'œil aux aguets, Mark et Bruce en descendirent. Les deux agents des services de sécurité laissèrent le moteur tourner, mirent la clim à fond et s'endormirent.

— Super calme, constata l'Écossais. Mais c'est pas le moment de piquer un roupillon. Tu crois que cette vieille et ce grand type sont là pour nous ?

— Ça m'en a tout l'air.

— J'inspecte les environs.

Mark se dirigea vers l'étrange couple, assis sur un muret, à l'entrée de l'allée des sphinx.

Le Nubien se leva.

— Je suis George Ibrahim. Voici Séchat. Je la considère comme ma mère.

— Mark Vaudois.

Le regard de la guérisseuse sonda l'héritier de l'empire. Oui, il était bien le fils de Saint-John.

— Ce fut un long voyage pour parvenir jusqu'à moi.

— Très long. Et très meurtrier.

Ainsi, il se trouvait face à... *une* Supérieure inconnue !

Vêtue d'une robe jaune ornée de liserés d'or, la vieille dame semblait lasse, mais la voix restait ferme.

— J'ai deux trésors à vous offrir. La pierre d'or de la chambre d'ambre et le nom du Maître de la confrérie. C'est lui qu'il faudra préserver. Moi, je suis au terme de ma longue existence. Venez, nous serons mieux à l'intérieur du temple.

Le trio s'engagea dans l'allée des sphinx.

95.

Irina jubilait.

Dans sa ligne de mire, trois cibles à abattre, dont Mark. Un jeu d'enfant.

Elle tirait plus de plaisir de cet instant que de n'importe quelle acrobatie sexuelle. Son chargeur vidé, elle se sentirait enfin libérée.

Irina inspira profondément, expira lentement, se tint très droite et apparut sur le seuil du sanctuaire.

— Attention ! hurla Bruce qui, à bonne distance, alors qu'il examinait les alentours du temple, venait de l'apercevoir.

Prendre une décision, en une seconde.

Tirer sur le trio, sur l'Écossais qui accourait, battre en retraite… L'Indienne choisit le trio.

Une rafale, de gauche à droite, précise, tranquille.

Tentant de protéger Séchat, le Nubien fut le premier touché ; la vieille dame, malgré l'intervention de Mark, s'effondra.

Au tour de Bruce.

Irina se plaqua contre le mur du pylône et se cala contre un colosse de Ramsès.

Une atroce brûlure au bras droit lui fit rater son tir. Pourtant, l'Écossais ne brandissait pas d'arme, et ce n'était donc pas une balle qui l'avait touchée.

Glissant le long du colosse, la vipère s'enfouit dans le sable.

L'Indienne n'eut pas le temps de saisir le poignard attaché à sa jambe gauche. D'un coup de pied, Bruce la désarma, et d'un coup de poing en plein visage, la projeta au sol, le nez brisé.

La jugeant out, il se précipita vers ses victimes.

Frappé en plein front, George Ibrahim était mort. La poitrine ensanglantée, la vieille dame agonisait. Mark, touché à l'épaule gauche, se relevait.

— On la transporte à l'hôpital le plus proche.

Bruce hocha la tête.

— Inutile.

— Le Maître des Supérieurs inconnus, murmura Séchat dans un dernier souffle, sauvez-le. Sauvez Harmakhis.

Sa main droite s'ouvrit, laissant apparaître une petite pyramide en or. La pierre disparue de la chambre d'ambre.

Le vent se leva. Le sable commença à recouvrir les corps d'une fine couche dorée. Bruce enfourna la pyramide dans son sac.

Un bruit de moteur.

— Planque-toi, Mark, il y en a d'autres !

L'Écossais ramassa la kalach.

Surgissant d'une dune, le 4 × 4 des Frères musulmans déguerpit vers le nord. Sans instructions complémentaires en cas de pépin, et n'ayant aucune intention de voler au secours de l'Indienne, ils avaient opté pour une retraite stratégique.

Méfiant, Bruce redoutait la présence d'autres frelons. Une rapide inspection du temple le rassura.

— Tu pisses le sang, Mark. On stoppe l'hémorragie.

L'Écossais sortit le nécessaire de son sac. Désinfectant et bandage.

— La blessure n'est pas trop jolie, mais tu t'en sortiras. Celle-là, en revanche…

Irina gémissait.

À la souffrance de son nez brisé et de son visage tuméfié s'ajoutait celle provoquée par la diffusion du venin de la vipère des sables, à la morsure mortelle.

— Toi… Tu vas me laisser crever ?

— Exact, répondit Mark.
— Tu as quand même perdu ! J'ai rempli ma mission.
— Non, le Maître des Supérieurs inconnus est toujours vivant.
— Tu mens !
— Tu ne seras plus là pour le tuer.
— D'autres s'en occuperont.
— Cette fois, Bruce et moi avons une longueur d'avance.
— Emmène-moi à l'hôpital.
— Inutile, intervint Bruce. T'en as pas pour longtemps et tu tarderas pas à étouffer. Le seul remède pour abréger la douleur, c'est une rafale de kalach. Si ça te chante, je peux avoir une bouffée d'humanisme.
Elle tenta de se relever et de lui cracher au visage, mais retomba lourdement.
— Remarque, t'es peut-être immunisée contre les serpents venimeux. Entre collègues, d'habitude, on ne se ronge pas la moelle. Vu ta mauvaise sueur et les premières boursouflures, je crois quand même que t'es cuite. Que tu débarrasses le plancher, ça ne m'attriste pas.
La douleur déforma les traits de l'Indienne. Son rythme cardiaque se dérégla, son souffle se raccourcit. Une série de convulsions, et le coma.
Bruce et Mark se recueillirent devant les victimes d'Irina, puis regagnèrent leur 4 × 4.
Tâche prioritaire : sauver le dernier Supérieur inconnu.
— On n'a qu'un nom, déplora Bruce.
— Ça devrait suffire.
— T'as une idée ?
— Une petite, à vérifier.
Les deux flics s'étaient réveillés. Ils ne purent que constater les dégâts.

96.

Belle journée à New York, et Dieter Cloud presque guilleret en s'installant à son bureau. Tous ses projets avançaient, et vite. Et la grande nouvelle, c'était la fermeture du dossier « Supérieurs inconnus ». D'après divers rapports, les deux derniers, un Nubien et une vieille femme, connue au Caire comme guérisseuse, avaient été abattus à Ouadi es-Seboua par un commando terroriste, en partie exterminé.

Si le résultat satisfaisait pleinement Cloud, l'opération s'était mal terminée pour les exécutants. Plus aucune nouvelle de Market. Lui, si prudent, avait-il été piégé par ses propres alliés ? S'il ne se manifestait pas dans les prochaines heures, c'est que son cadavre pourrissait quelque part dans les sables d'Égypte.

Au fond, une solution satisfaisante. Market avait été l'homme d'une mission délicate, et disparaissait avec elle ; dans son job, on faisait rarement de vieux os.

Pas un nuage à l'horizon. Vraiment, une belle journée.

*

Les footballeurs hurlaient au moindre bobo, pas les rugbymen. Pourtant, malgré les premiers soins, Mark commençait à dérouiller. Heureusement, le voyage n'avait pas été trop long ; 4 × 4 jusqu'à Assouan, et jet privé à destination du

Caire. Transfert immédiat à l'hôpital américain où officiait un chirurgien que Bruce avait déjà pratiqué. Déjanté, mais compétent.

Pendant qu'il rafistolait Mark, l'Écossais prit des nouvelles de sa tribu. Se fiant aux visions de son gamin, Primula savait que son mari était toujours vivant et s'évertuait à requinquer Apsara en forçant sur la viande rouge. Bruce Junior raconta sa randonnée sur les pentes d'un volcan coléreux, en compagnie d'Apsara et des deux chiens ; ressentant les intentions du monstre, le gosse aventureux avait assuré aux promeneurs qu'ils ne risquaient rien. Dépassé, son père ne commenta pas. Et il promit au garnement de lui rapporter un souvenir d'Égypte.

En attendant, à supposer qu'il se cachât dans les parages, il fallait mettre la main sur le dénommé Harmakhis, le patron des Supérieurs inconnus, dernier survivant de la confrérie.

Et l'identité de l'assassin en chef demeurait un mystère. Pourtant, Bruce était persuadé qu'il parviendrait à le débusquer.

Quand Mark réapparut, l'épaule joliment bandée, il avait une petite mine pâlotte.

— Alors, on ne te coupe pas le bras ?

— Il paraît que j'ai eu de la chance.

— L'important, c'est de pouvoir encore faire un bon plaquage. Le toubib t'a ordonné du repos, je parie ?

— On s'en occupera après les urgences.

— Ta petite idée ?

— On déjeune et on va au musée.

La première partie du programme n'était pas si aisée à remplir, sans s'exposer à un cataclysme intestinal. Bruce avait eu l'occasion, lors de précédents reportages, d'expérimenter plusieurs restaurants et les médicaments qui allaient avec. Il en choisit un, près du vieux musée, où la bière et les galettes étaient comestibles.

La montre de Mark lança un signal d'alerte.

Et le message crypté n'avait rien de réjouissant.

— Dick vient d'être arrêté.

— Motif ?

— Fraude fiscale. Aux States, pire qu'un assassinat.

— Un coup tordu, jugea Bruce.

— Toutes les activités de l'empire en Amérique sont paralysées. Il croit savoir d'où ça vient : Dieter Cloud, qui serait le véritable employeur de Galin Market. Dick s'est approché trop près, et il s'est cramé. Je dois me rendre d'urgence à New York.

— On oublie Harmakhis ?

— Sûrement pas ! Si ma petite idée est la bonne, on le verra aujourd'hui même. Dieter Cloud, ça te dit ?

— Que dalle. Mais je m'occupe de son pedigree.

Au bout de deux minutes, Bruce se barbait dans les musées. Mark ne lui infligea pas cette épreuve, car il ne visita que la librairie attenante où il trouva rapidement son bonheur. Trois ouvrages d'égyptologie qu'il acheta illico et consulta dans le taxi qui prit la direction du plateau des pyramides. Conformément aux usages locaux, Bruce avait âprement négocié le prix de la course aller et retour avant de s'enfourner dans le véhicule, une Peugeot increvable.

Son pote feuilletait, lisait, enregistrait, refeuilletait. Il terminait ses investigations lorsque le taxi arriva à bon port, après s'être extirpé d'un embouteillage monstrueux.

Bruce avait vu les formes parfaites des pyramides se détacher d'un brouillard qui n'avait rien de naturel. Année après année, urbanisation et pollution s'attaquaient à l'aire sacrée de Guizeh où se dressaient les demeures d'éternité de Khéops, de Khéphren et de Mykérinos. En un instant, dès que l'on abordait le gigantesque plateau calcaire, on oubliait les tentacules de la mégapole pour se laisser envahir par la puissance magique des géantes de pierre. Face à ce prodige, même Bruce était remué.

Mark l'emmena au pied du sphinx, le gardien des trois pyramides.

— Je te présente Harmakhis, le Maître des Supérieurs inconnus et le dernier survivant de la confrérie.

97.

Bruce dévisagea son pote.

— Tu débloques... Un dégât collatéral de l'anesthésie !

— Harmakhis, autrement dit, Horus dans la contrée de lumière. Horus, le faucon aux ailes immenses qui protège la royauté en esprit. Et la contrée de lumière, « la place choisie » par excellence, nous y sommes.

Long de 72,55 mètres, haut d'une vingtaine de mètres, le grand Sphinx de Guizeh était un lion dont la tête humaine, celle de Pharaon, s'inscrivait dans un cube d'une dizaine de mètres de côté.

— Sphinx, murmura l'Écossais, scotché ; on est trop cons ! On aurait pu y penser depuis un moment !

— Ça ne nous aurait menés nulle part. Il fallait aboutir à lui, la plus colossale des sculptures créées par les anciens Égyptiens. Un géant visible par tous, conformément à la volonté des premiers Supérieurs inconnus, il y a cinq mille ans. Ici, c'est l'entrée de l'autre monde, bâtie dans notre monde.

— Ce Supérieur-là ne risque rien, lui !

— Détrompe-toi. Plusieurs fois, il a été ensablé et a failli disparaître. En 1979, l'un des blocs composant son corps est tombé. La montée de la nappe phréatique le menace, le vent l'érode et la pollution du Caire le ronge. Si l'on ne combat pas pour le protéger, il s'éteindra.

— Je sais comment tu vas utiliser tes économies ! Dommage que cette grosse bestiole ne puisse pas parler et te remercier.

— Détrompe-toi encore. Tu as vu la grande stèle, entre ses pattes ? Elle raconte qu'un prince s'était endormi à cet endroit. Le Sphinx lui a demandé de le dégager de sa gangue de sable et de le ramener à la lumière. « Regarde-moi, lui a-t-il dit, je suis ton père et ton guide. Délivre-moi de mes souffrances, et je te donnerai ma royauté sur terre à la tête des vivants. » Le prince s'exécuta, le Sphinx tint parole en lui permettant de devenir Thoutmosis IV. C'était le travail des Supérieurs inconnus, sous la protection de leur maître de pierre : dégager l'humanité de sa gangue, lui offrir de la lumière.

— Ils sont tous canés, rappela Bruce ; et les islamistes ont annoncé qu'ils détruiraient toutes les idoles en Égypte, à commencer par le Sphinx.

— Les envahisseurs arabes en ont eu peur ; ils l'appelaient « le Père la terreur ». Ils n'ont détruit que son nez, le symbole de la joie chez les anciens Égyptiens, car les paysans savaient qu'il protégeait les cultures. Pour les Supérieurs inconnus, le Sphinx était la puissance parfaite, le seigneur du ciel, le souverain de l'éternité qui contemple le soleil levant et le gardien du seuil de l'au-delà. Combien de fois mon père est-il venu méditer ici et recueillir la force du colosse ? Sans doute lui a-t-il adressé l'antique prière : « Tu es l'Unique qui perdurera après la mort des humains ; accorde-moi une existence accomplie, si je te suis fidèle en prolongeant ta puissance par mes actes. »

— La mission des Supérieurs inconnus… Clap de fin. Ils ont emporté leur secret dans la tombe.

Mark et Bruce s'accordèrent une longue contemplation. Simples observateurs, ils ne possédaient pas les clés de ceux qui avaient servi le Sphinx pendant cinq millénaires, en utilisant l'énergie provenant de la statue géante.

L'extinction des Supérieurs inconnus aurait des conséquences incalculables, mais personne ne s'en apercevrait.

Noyée dans le progrès technique, la montée des fanatismes et l'inexorable déclin de l'Esprit, l'humanité n'avait plus d'autre idéal que son propre cancer.

— Nous, rappela Bruce, on a un boulot à terminer.

*

Tous les trimestres, Dieter Cloud faisait un check-up dans une clinique de New York qui lui appartenait. Et il exigeait la vraie vérité des médecins. Doté d'une excellente santé, à l'exception de troubles digestifs, il s'étonnait, ces derniers jours, de migraines et de vertiges. Vu son programme, il n'avait pas le temps d'être malade.

Scanner, IRM, prise de sang, batteries de tests... À la fin de la journée, le résultat.

Le médecin-chef garda les yeux baissés sur le rapport.

— Un souci ?

— Tumeur au cerveau.

— Pronostic ?

— Délicat.

— Traitement ?

— Incertain.

— Délai de grâce maximal ?

— Un an.

— Vous contactez immédiatement la division santé d'Alphabet et vous vous débrouillez pour obtenir les dernières méthodes, y compris les médicaments expérimentaux.

— Si je peux vous conseiller de réduire vos activités...

— Fermez-la, et agissez.

Dieter Cloud ne doutait pas des progrès fulgurants de la médecine. Une simple épreuve à surmonter. Guéri et revigoré, il serait aux commandes pour longtemps.

Dès son arrivée au bureau, l'une de ses secrétaires lui transmit un message insolite.

Cloud sourit.

Mark Vaudois souhaitait le rencontrer.

Le dernier round.

98.

— Je connais le coin, dit Bruce ; une vue superbe sur New York. Mais si tu rentres dans cet immeuble, tu en sortiras les pieds devant.

— J'ai un gilet de sauvetage : toi. Au moindre pépin, tu agites toute la planète médias. Pour Dieter Cloud, d'après le portrait que tu as établi, l'horreur absolue.

Mettant en branle tous ses réseaux, Bruce avait ramassé un maximum d'infos. Et c'était pas triste. À côté de Dieter Cloud, Machiavel n'était qu'un amateur. Un génie de la manipulation, une araignée au centre d'une toile digne du Net, touchant à tous les domaines majeurs de la politique et de l'économie, sans jamais apparaître sur le devant de la scène. Pour remonter jusqu'à lui, Dick avait dû franchir des frontières interdites, et il le payait très cher. Incarcéré et au secret. Cloud avait le bras très long. Dans la zone Amériques de l'empire, la panique : effondrement boursier et rumeurs de démantèlement. Le récent communiqué de Mark ne calmait pas la tempête.

Au pied du gratte-ciel de bureaux, Mark se crispa.

— Toi, prédit Bruce, tu mijotes une grosse connerie.

— Légitime défense.

— Le coup du coupe-papier qu'on ramasse sur le bureau et qu'on enfonce dans la poitrine du salopard… Mais il n'y a plus de papier sur les bureaux modernes. Juste des ordinateurs. Et au plafond, des caméras de surveillance. Et quand on s'appelle Dieter Cloud, des gardes du corps planqués dans le logiciel. Oublie tes gamineries.

— Ça garde jeune, non ?

Quand Mark s'engouffra dans l'immeuble, Bruce eut la boule au ventre. Têtu comme son pote, ça craignait.

*

Concierge et vigiles.

Pour la terrasse, ascenseur spécial. Autres vigiles et fouille à corps.

Apparition d'une brunette en tailleur mauve.

— M. Cloud vous attend.

Une terrasse.

Ou, plus exactement, un jardin potager. Des tomates, des poireaux, de l'oseille, des haricots, des salades, des plantes médicinales et une ruche.

Coiffé d'un chapeau de paille, vêtu d'une chemise à carreaux, d'un pantalon de toile et d'un tablier bleu, chaussé de bottes, un homme de taille moyenne nettoyait les verres ronds de ses lunettes à monture argentée.

— Ravi de vous rencontrer, Mark.

— Vous êtes l'assassin de mon père.

— Exact. Asseyez-vous sur le banc, face à mon oranger, et ne songez pas à vous emparer d'une bêche, d'un sécateur ou d'un râteau. Des tireurs d'élite vous gardent dans leur viseur. Au moindre mouvement inconsidéré de votre part, vous serez éliminé. Et vous savez que j'ai d'excellentes relations avec la justice.

— Pourquoi avoir accepté de me voir ?

— Parce que vous n'avez rien compris. Une explication s'imposait.

Cloud grattouilla le coin de terre réservé aux oignons.

— Sur la petite table en teck, j'ai préparé une assiette de tomates cerises, de carottes râpées et de frisée. Frais et délicieux. Et je vous garantis la qualité de mon jus d'orange.

Régalez-vous, et n'ayez aucune crainte : je n'empoisonne pas mes hôtes.

Mark s'assit.

— Vous aviez l'intention de me tuer, monsieur Vaudois, et vous constatez que c'est impossible. De plus, ce serait parfaitement inutile, car un autre technicien prendrait ma place et continuerait mon travail.

— Sous la direction de qui ?

Irrité, le jardinier grattouilla davantage la terre.

— Vous n'avez vraiment rien compris ! Personne ne dirige notre monde. Il se dirige tout seul. Personne ne contrôle la Machine, elle fonctionne d'elle-même ; et personne n'entravera le progrès qu'elle nous dicte. Votre père et ses frères, les Supérieurs inconnus, étaient les représentants de l'obscurantisme et d'un passé révolu, mais des représentants dangereux. Ce genre de minorité fait parfois capoter les plus beaux projets, surtout quand elle dispose de moyens spirituels et financiers. Ou nous les contrôlons, ou nous les éliminons. Le chantre du pseudo-libéralisme, nos chers États-Unis, plus que jamais maîtres de l'économie de pointe, ne viennent-ils pas de qualifier de délit toute pensée non conforme à la norme ? Et la norme, celle qui détermine le futur de l'humanité, c'est le progrès de l'informatique. Steven Spielberg, lui, a tout compris : à terme, et ce terme est beaucoup plus proche qu'il ne le suppose, l'homme et la machine ne feront qu'un. Ils vivront en parfaite symbiose, à condition que le cerveau soit parfaitement programmé. C'est à cette évolution inéluctable et souhaitable que les Supérieurs inconnus se sont stupidement opposés, sous prétexte de préserver une liberté qui n'existe déjà plus. Vous voyez ça ?

Dieter Cloud exhiba une sorte de tablette.

— Voici mon nouveau siège social et mon bureau. Grâce à la technologie digitale, j'apparais à mes collaborateurs, partout dans le monde, sous forme d'hologramme. Je suis partout présent sans avoir à me déplacer, et je contrôle en permanence l'activité de mes subordonnés. Et ceci, vous connaissez ?

Le jardinier s'empara d'une chose étrange ressemblant à un foie humain.

— Le premier organoïde utilisable, sur lequel on testera des médicaments. Notre médecine est encore dans l'enfance ; demain, nous guérirons toutes les maladies, et la mort ne sera plus qu'un mauvais souvenir. Savez-vous qui m'a fourni cette merveille ?

Mark hocha la tête.

— L'un de vos laboratoires, monsieur Vaudois. Votre empire est un allié efficace et précieux. Nous travaillons ensemble à divers niveaux et améliorons chaque jour les conditions d'existence de nos semblables. Et le système mondial nous sert : politiciens transformés en comédiens, fausses élites coupées du réel, vide spirituel rempli par le fanatisme, administrations totalitaires, banques centrales manipulables à loisir… Tous les pantins sont soumis à la modélisation et à la robotisation. Le point de non-retour étant dépassé, vous, moi et tous ceux qui produisent les nouveaux outils pouvons progresser à pas de géant. J'ai écarté Dick, votre surveillant général Amériques, car je déteste les fouineurs. Ce type est cuit, choisissez-en un autre. Et libérez les investissements bloqués par votre père pour le programme d'études sur le cerveau.

— Sinon ?

— Sinon, vous serez broyé et votre empire démantelé. Quelle stupidité ! Le passé est le passé, oubliez-le. Une nouvelle humanité est sur le point de naître, nous sommes ses accoucheurs. Pourquoi vous opposer au bonheur d'autrui ? Dans son *Evangelii gaudium* de 2013, le si sympathique pape François a formulé un constat : « Une nouvelle tyrannie invisible s'instaure, qui impose ses lois et ses règles, de façon unilatérale et implacable. » La tyrannie, c'était le système préféré des Grecs, modèle des démocraties. Et les nouveaux Supérieurs inconnus, c'est vous, moi et tous ceux qui œuvrent dans le bon sens. Maintenant, nous avons le champ libre.

Épilogue

— Souffle, bon Dieu ! exigea Bruce.

Mark prit une profonde inspiration avant d'expirer au maximum.

Résultat lamentable.

La trompe tibétaine n'émit qu'un médiocre *la* bémol que n'entendirent même pas les moutons que surveillaient Dante et Vigile.

— T'es mal barré, mon pote ! Côté concert, on n'est pas encore mûrs. Bon, on a le temps de répéter. Et moi, j'ai soif.

Mark ne désespérait pas. La trompe tibétaine, c'était comme le reste : il fallait apprendre à maîtriser. Avant d'offrir un concert aux glaciers islandais, des gammes à répéter.

Apsara courait avec les chiens. Le plus merveilleux des spectacles, une femme au paradis. Pas de séquelles, à part la joie de vivre.

Ils s'embrassèrent.

Le genre d'étreinte qui vous persuade un instant que vous n'êtes qu'un. Presque le bonheur. Non, pas presque. Simplement le bonheur.

Tout était réglé, Mark avait liquidé l'empire pour ne pas trahir son père. Dieter Cloud ne se trompait pas en décrivant l'avenir merveilleux réservé à l'humanité. Ni Saint-John ni Mark, les derniers dinosaures, n'avaient envie d'y participer. En échange de la libération de Dick et de postes peinards dans les assurances pour les ex-surveillants généraux, Mark avait remis les clés de ses entreprises à Dieter Cloud. Il ne conservait que l'immobilier et son newsmagazine pour préserver l'emploi de Bruce. L'Écossais continuerait à gueuler en révélant des vérités qui n'intéressaient que quelques sceptiques et ne gêneraient pas le fonctionnement de la Machine.

— Tu regrettes ? demanda Apsara.

— Ni regrets ni remords.

Une sonnerie de cloches annonçait le déjeuner. Ravie de nourrir la maisonnée, Primula était assez stricte sur les horaires. Sa fabuleuse omelette maison exigeait d'être consommée au moment.

Comme d'ordinaire, Dante et Virgile furent les premiers gâtés : ragoût de bœuf aux petits légumes, avant les suppléments distribués autour de la table.

Primula n'en revenait pas. Son mari était sorti indemne de sa dernière croisade, il coupait du bois, entretenait le jardin, s'occupait de son fils, passait l'aspirateur et faisait les courses.

L'homme idéal.

Tellement idéal qu'il avait renoncé à écrire un article sur les Supérieurs inconnus, par respect pour Saint-John et le père d'Apsara.

— Vu ton tempérament, dit Primula à Mark, je ne te vois pas en gentleman-farmer islandais.

— Tu as raison. Apsara et moi, nous allons voyager. Nous contemplerons les vestiges de ce monde avant qu'il ne soit définitivement défiguré. Et si tu y consens, nous nous reposerons ici entre deux étapes.

— Excellente nouvelle.

— Je nomme Bruce rédacteur en chef. À son âge, ce sera un excellent entraîneur qui choisira les joueurs à envoyer sur le terrain.

— Tu aurais pu me prévenir ! s'insurgea l'Écossais.

— Ferme-la, ordonna Primula ; pour que ça fonctionne, je jetterai un œil sur la gestion du personnel.

— Tu seras plus souvent à la maison, prédit Bruce Junior, qui posa devant son assiette la petite pyramide en or, léguée par Séchat, que lui avait offerte son père.

Bruce remplit les verres d'un bourgogne à la robe grenat, long en bouche.

— Dans le cahier, reprit Bruce Junior, sérieux comme un pharaon, il y a des explications concernant la pierre et l'élixir. Je n'ai pas encore tout déchiffré, mais quand je serai grand, j'ouvrirai des fenêtres dans les murs. À une condition.

Tous les regards convergèrent vers le gamin.

— Il faudra m'emmener voir le Sphinx, le vrai. J'ai à lui parler.

ŒUVRES DE CHRISTIAN JACQ

Romans

L'Affaire Toutankhamon, Grasset (Prix des Maisons de la Presse).
Barrage sur le Nil, Robert Laffont.
Champollion l'Égyptien, XO Éditions.
Le Dernier Rêve de Cléopâtre, XO Éditions.
Et l'Égypte s'éveilla, XO Éditions :
 * *La Guerre des clans.*
 ** *Le Feu du scorpion.*
 *** *L'Œil du faucon.*
L'Empire du pape blanc (épuisé).
Les Enquêtes de Setna, XO Éditions :
 * *La Tombe maudite.*
 ** *Le Livre interdit.*
 *** *Le Voleur d'âmes.*
 **** *Le Duel des mages.*
Imhotep, l'inventeur de l'éternité, XO Éditions.
J'ai construit la Grande Pyramide, XO Éditions.
Le Juge d'Égypte, Plon :
 * *La Pyramide assassinée.*
 ** *La Loi du désert.*
 *** *La Justice du vizir.*
Maître Hiram et le roi Salomon, XO Éditions.
Le Moine et le Vénérable, Robert Laffont.
Mozart, XO Éditions :
 * *Le Grand Magicien.*
 ** *Le Fils de la Lumière.*
 *** *Le Frère du Feu.*
 **** *L'Aimé d'Isis.*
Les Mystères d'Osiris, XO Éditions :
 * *L'Arbre de vie.*
 ** *La Conspiration du Mal.*
 *** *Le Chemin de feu.*
 **** *Le Grand Secret.*
Néfertiti, l'ombre du soleil, XO Éditions.
Le Pharaon noir, Robert Laffont.
La Pierre de Lumière, XO Éditions :
 * *Néfer le Silencieux.*
 ** *La Femme sage.*

*** *Paneb l'Ardent.*
**** *La Place de Vérité.*
Pour l'amour de Philae, Grasset.
Le Procès de la momie, XO Éditions.
La Prodigieuse Aventure du Lama Dancing (épuisé).
Que la vie est douce à l'ombre des palmes (nouvelles), XO Éditions.
Ramsès, Robert Laffont :
* *Le Fils de la Lumière.*
** *Le Temple des millions d'années.*
*** *La Bataille de Kadesh.*
**** *La Dame d'Abou Simbel.*
***** *Sous l'acacia d'Occident.*
La Reine Liberté, XO Éditions :
* *L'Empire des ténèbres.*
** *La Guerre des couronnes.*
*** *L'Épée flamboyante.*
La Reine Soleil, Julliard (prix Jean-d'Heurs du roman historique).
La Vengeance des dieux, XO Éditions :
* *Chasse à l'homme.*
** *La Divine Adoratrice.*
Toutankhamon, l'ultime secret, XO Éditions.

Ouvrages pour la jeunesse

Contes et légendes du temps des pyramides, Nathan.
La Fiancée du Nil, Magnard (prix Saint-Affrique).
Les Pharaons racontés par..., Perrin.

Essais sur l'Égypte ancienne

L'Égypte ancienne au jour le jour, Perrin.
L'Égypte des grands pharaons, Perrin (couronné par l'Académie française).
Les Égyptiennes, portraits de femmes de l'Égypte pharaonique, Perrin.
Les Grands Sages de l'Égypte ancienne, Perrin.
Initiation à l'Égypte ancienne, MdV Éditeur.
La Légende d'Isis et d'Osiris, ou la Victoire de l'amour sur la mort, MdV Éditeur.
Les Maximes de Ptah-Hotep. L'enseignement d'un sage du temps des pyramides, MdV Éditeur.
Le Monde magique de l'Égypte ancienne, XO Éditions.
Néfertiti et Akhénaton, le couple solaire, Perrin.

Paysages et paradis de l'autre monde selon l'Égypte ancienne, MdV Éditeur.
Le Petit Champollion illustré, Robert Laffont.
Pouvoir et sagesse selon l'Égypte ancienne, XO Éditions.
Préface à : *Champollion, grammaire égyptienne*, Actes Sud.
Préface et commentaires à : *Champollion, textes fondamentaux sur l'Égypte ancienne*, MdV Éditeur.
Rubriques « Archéologie égyptienne », dans le *Grand Dictionnaire encyclopédique*, Larousse.
Rubriques « L'Égypte pharaonique », dans le *Dictionnaire critique de l'ésotérisme*, Presses universitaires de France.
La Sagesse vivante de l'Égypte ancienne, Robert Laffont.
La Tradition primordiale de l'Égypte ancienne selon les Textes des Pyramides, Grasset.
La Vallée des Rois, histoire et découverte d'une demeure d'éternité, Perrin.
Voyage dans l'Égypte des pharaons, Perrin.

Autres essais

La Franc-maçonnerie, histoire et initiation, Robert Laffont.
Le Livre des Deux Chemins, symbolique du Puy-en-Velay (épuisé).
Le Message initiatique des cathédrales, MdV Éditeur.
Présentation, traduction et commentaires à : *W.A. Mozart, La Flûte enchantée*, MdV Éditeur.
Saint-Bertrand-de-Comminges (épuisé).
Saint-Just-de-Valcabrère (épuisé).
Trois Voyages initiatiques, XO Éditions :
  * *La Confrérie des Sages du Nord.*
  ** *Le Message des constructeurs de cathédrales.*
  *** *Le Voyage initiatique ou les Trente-Trois Degrés de la Sagesse.*

Albums illustrés

L'Égypte vue du ciel (photographies de P. Plisson), XO-La Martinière.
Karnak et Louxor, Pygmalion.
Le Mystère des hiéroglyphes, la clé de l'Égypte ancienne, Favre.
La Vallée des Rois, images et mystères, Perrin.
Le Voyage aux pyramides (épuisé).
Le Voyage sur le Nil (épuisé).
Sur les pas de Champollion, l'Égypte des hiéroglyphes (épuisé).

Bandes dessinées

Les Mystères d'Osiris (Scénario : Maryse, J.-F. Charles ; Dessin : Benoît Roels), Glénat-XO.

* *L'Arbre de Vie (I).*

** *L'Arbre de Vie (II).*

*** *La Conspiration du Mal (I).*

**** *La Conspiration du Mal (II).*

Romans policiers

Les Enquêtes de l'inspecteur Higgins, J Éditions-XO :

1. *Le Crime de la momie.*
2. *L'Assassin de la Tour de Londres.*
3. *Les Trois Crimes de Noël.*
4. *Le Profil de l'assassin.*
5. *Meurtre sur invitation.*
6. *Crime Academy.*
7. *L'Énigme du pendu.*
8. *Mourir pour Léonard.*
9. *Qui a tué l'astrologue ?*
10. *Le Crime de Confucius.*
11. *Le Secret des Mac Gordon.*
12. *L'Assassin du pôle Nord.*
13. *La Disparue de Cambridge.*
14. *La Vengeance d'Anubis.*
15. *L'Assassinat de Don Juan.*
16. *Crime dans la Vallée des Rois.*
17. *Un Assassin au Touquet.*
18. *Le Crime du sphinx.*
19. *Le Tueur du vendredi 13.*
20. *Justice est faite.*
21. *Assassinat chez les druides.*
22. *La Malédiction de Toutânkhamon.*

Composition et mise en pages
Nord Compo à Villeneuve-d'Ascq